緊縮ノスタルジア

オーウェン・ハサリー
星野真志・田尻歩［訳］

堀之内出版

KEEP
CALM
AND
CARRY
ON

終わりなきノスタルジア　日本語版への序文

この本を書いていた当時は予想していなかったが、本書を執筆した結果、はなはだ言語道断な「KEEP CALM AND CARRY ON〔落ち着いてそのまま続けよ〕」の二次創作（ミーム）を定期的に受け取るようになった。そのほとんどは、見ても少しうめき声をあげる程度のものだが、いくつかはもっと恐ろしいものだ。ライターのジェームズ・ブライドルは、近未来の恐怖についてまとめた『ニュー・ダーク・エイジ』で、アルゴリズムによってスローガン「KEEP CALM AND CARRY ON」が組み替えられるようになり、人間による入力なしに、ネットの検索結果とひどいオンラインIDにもとづいて生み出されたTシャツとポスターがオンラインショップで売られ、一時は「KEEP CALM AND RAPE A LOT〔落ち着いてたくさんレイプしろ〕」というおぞましいものまで存在していたことを記している。[1] 執筆中に考えていた本書の仮タイトルが「KEEP CALM AND CARRY ON」だったことを考えると、このようなナンセンスなミームを

1　ジェームズ・ブライドル『ニュー・ダーク・エイジ』久保田晃弘監訳、栗原百代訳、NTT出版、二〇一八年、二六六頁。

受け取るようになったのは、完全に自業自得である。ただ、このことはまた、本書のもとの主題である、あの一度は消えて復活したポスターが、どれほどまでに死を拒んでいるかを示してもいる。このスローガンがミームとしてではなく、一九四〇年代から受け継がれたなんらかの知識として（偽って）出てきたことも手伝って、いまのところ議論の余地なく二一世紀でもっとも成功したミームになった。

当初わたしは本書を、最初の単著である『闘争的モダニズム』（二〇〇九年）〔未邦訳〕の続編として構想していた。それは「英国社会主義（イングソック）」というタイトルのもと、一九三〇年代と一九四〇年代イングランドの官僚的文化についての広範な研究になる予定だった。このことは、本書（とくに第一章「殴って隠せ」の大部分）の元になった『ラディカル・フィロソフィー』掲載の論文が、おなじ二〇〇九年に発表されたことに現れている。わたしはそのプロジェクトを見限った。なぜならその主題はすぐに消えて、流行らなくなるだろうと思ったからだ。しかし、わたしは六年後にこの題材に戻ってきた。ひとつには、わたしがしていたのと似た議論がほかの論者たちの名前で広まっていたからだが（トム・ワイマンの二〇一四年の文章「カップケーキ・ファシズム」がとくによく知られていた）、もうひとつの理由としては、この主題がまったくなくなりそうになかったからだ。そのころにはすでに「KEEP CALM AND CARRY ON」に嫌気がさしていたので、あのいまいましいポスターのバリエーションが毎週二つか三つ送られてくるというのは、よっぽど悪いことをした結果なのだろう。

おそらく、緊縮財政が続いているがゆえに、このスローガンもなくなっていないのだろう。むしろ緊縮はグローバル・ノースにおいて、金融危機のあと資金不足に陥った資本主義の普遍的なロジックとなった。しかし、わたしをとくに困惑させるのは、あのポスターのグローバルな広がりである。本書では、前ユーゴスラヴィアとポーランドにおけるノスタルジア産業の出現に言及していて、その国々とイングランドのあいだには、少なくとも第二次世界大戦中の反ナチス闘争についての英雄的物語という共通点があるわけだ。しかし、日本におけるノスタルジア産業の出現をどのように説明すればいいのか？　もしそれがイギリス特有の現象だとして、なぜ「レイバー＆ウェイト」〔「クラシック」な製品をセールスポイントにするイギリスの日用雑貨店、本書第四章に登場〕の支店が東京にあるのだろうか？

この問いに完全に答えることはできないが――出版社への手紙やレビューは大歓迎だ――、この本が書かれる経緯となったいくつかの出来事にあまり馴染みがないかもしれない読者に向けて、本書をイギリス政治に結びつける必要があるだろう。本書第一章の大部分を成すもともとの論文は、一九九七年から二〇一〇年のニューレイバー政権の末期に書かれた。ニューレイバーは、おそらくこれまで存在したあらゆる社会主義政党のなかでもっとも急激に進行した右傾化がもたらしたものだった。それは、たとえば一九五〇年代のバート・ゴーデスベルク会議後のドイツ社会民主党や一九八〇年代後半の第二次フランソワ・ミッテラン政権のもとでフランス社会党が経験したような、資本主義への適応とでもいうべきもののはるか先を行った。[2] ニューレイバーは基本的に、マーガレット・サッチャーの新自由主義的資

2　一九五九年に採択されたゴーデスベルク綱領においては、ハイデルベルク綱領にあった階級闘争路線が正式に放棄され、国民政党への転換が図られた。また、一九八六年の総選挙におけるフランス社会党の敗北のあと、大統領ミッテランは首相に保守のジャック・シラクを指名し、それにより大統領が左派、首相が右派という保革共存政権（コアビタシオン）になった。

本主義が人気であっただけでなく、それが望ましいという考えを容認していた。ニューレイバーは、資本主義を人間味あるものにし労働者の利益へと向けるという試み――いずれにせよ、これはつねに一九四五年以後の社会民主主義者たちのプロジェクトだったが――をはるか通り越し、新自由主義的近代化の活発な原動力となった。たいていの場合は国主導で複雑なプライベート・ファイナンス・イニシアティブ〔公的サービスを民間資金で提供する手法〕、そして非常に不透明で法的にも複雑な形態のパブリック・プライベート・パートナーシップ〔官民連携で運営する事業形態〕を採用しながら、福祉、交通機関、住宅、学校、大学、その他諸々の商品化のさらなる推進にのりだしたのだ。ニューレイバーはまた、国家による監視と処罰の権力を増大させ、イギリスを中国についで一人当たりの監視カメラ台数がもっとも多い国にし、受刑率〔全人口に対する囚人の割合〕を急激に高め、あたらしい奇怪な攻撃を繰り出した――たとえば反社会的行為禁止命令（ＡＳＢＯ）は、徘徊や秩序を乱す些細な行動を口実として（多くの場合）若者を犯罪者化するために用いられかねないものだった。これらすべては、イギリス政治をアメリカ合衆国の政治にますます近づけた。ドイツにおけるハルツⅣ〔失業者の早期の就業をうながす目的で失業保険の給付額を引き下げた労働市場改革の一環〕のような法案は、部分的にはニューレイバーが取り組んだ社会保障費削減と、ビル・クリントンに触発された「ワークフェア」から影響を受けたものだったが、西ヨーロッパの社会民主主義者たちは、右翼ですらも、トニー・ブレアとゴードン・ブラウン率いる労働党とおなじほどに社会的紐帯を燃やし尽くしてしまうことはなかった。ヨーロッパ中のキリスト教民主主義者のほとんどでさえ、ジョージ・Ｗ・ブッシュのイラクにおける犯罪的戦争(アドベンチャー)に参加するのを拒否したが、ブレアは頭のおかしいキリスト教的熱狂をもってそれに加わり、大蔵大臣だったブラウンはその戦争のために大量の資金投入をおこなった。

本書のもととなる文章は、こうした動きが二〇〇八年の金融危機によって致命的に打撃を受けていたときに書かれた。ニューレイバーのもとでの公共支出は、国ができることは企業がもっとうまくできるという考えを前提とするプライベート・ファイナンス・イニシアティブの渦に投入されはしたものの、実際に支出額は著しく増大していた。それゆえ、ニューレイバーは市場化を推進した政権ではあったが、それ自体では緊縮財政の政権ではなかった。ところどころに緊縮的なレトリックが用いられたのは事実だ——「困難な選択」という考えはつねに、財源がきわめて限定されていることを示唆しており、たとえば、障害者やひとり親に給付可能だった社会保障費の額が制限された。しかしほとんどの場合、その政権は経済の拡張を推進する政権だったのであり、この事実は、その時代に建てられた、目が眩むような明るい色の公共のハイテク建築[3]と「高級マンション」に見ることができただろう（これが、わたしの本当の二冊目の本『グレート・ブリテンのあたらしい廃墟ガイド』（二〇一〇年）〔未邦訳〕のテーマになった）。また、政権開始時に公式には多文化主義を推進し、サッチャーとジョン・メイジャーによる差別的偏見から生じた最悪なもののいくつかを抑制した。このことはたとえば、学校において教育者が否定的な仕方以外で同性愛に言及することを禁ずるというプーチン政治の元祖のような法律であるセクション二八の廃止、制度的人種差別に関するマクファーソン・レポート[4]に対する肯定的な反応、そしてブレア

3　建築様式のひとつ。以前であれば建築構造の内部に隠されていたボルトやナット、構造部材、エレベーター、設備ダクトなどを建築物の内外にむき出しにするといった特徴をもつ。

による「公立宗教校（フェイス・スクール）」[5]への支援（これは結局のところ、あらゆる普遍主義や平等主義からも福祉国家的側面を排除する別の方法だったのだが）にみられる。金融危機は、このような政権にとって致命的だった。世界中の財務大臣たちに各国の銀行を救済するよう強くもとめたとき、ゴードン・ブラウンは世界資本主義を救ったかもしれない。しかし、彼の党は、市場が実際には国よりもうまく機能しなかったということを証明する、この目をみはる事態のもとで生き延びることはできなかった。第二次世界大戦を戦うのに必要だった費用以上の資金をかけてブラウンが救済しなければならなかった銀行の何社かは、じつはニューレイバーのもとで「アカデミー」[6]を運営していた。それらの銀行は、公立の教育者たちよりもうまく学校を経営できると期待されていたが、現実には、一金融機関すらきちんと経営できなかったことがあきらかになった。

ほぼ忘れられている金融危機の副作用の一つは、国会議員による乱費をめぐるスキャンダルというはるかに個人的なかたちで生じた。国会議員には一般的に見れば多額な給料が支払われているものの、その額は、議員たちが大半の時間をともに過ごす司法・金融分野に勤める人びとと比べればかなり少ない。それゆえ、議員たちが替えの電球からポルノの衛星放送にいたるまできわめて些細な支出の費用を請求することを奨励するような制度が設けられ、さらにその制度のもとで、私的な利益を出すために、議員たちが選挙区外で過ごす住宅の分類を「切り替え（フリップ）」るようになった。[7]興味深いことに、二〇〇九年の報道では、この個人の堕落と乱費——そのものは卑劣で下品な行為だが——は、イギリス中のほとんどの銀行を国営化するために費やされた黙示録的と言える金額よりもはるかに多くの注目を集めた。多くの銀行は、一〇年後のいまでも部分的には国の管轄下にある。一方、貴族的で社会的にはリベラルな、ブレアをまねたデイヴィッド・キャメロン率いる保守党は、どうしてイギリス経済が財政赤字を抱えたかについての「もっともらしい話」を即座に提供した。景気が悪化したのは、実質賃金の停滞（そして住宅価格の急激な高騰）を覆い隠すことを目的として、銀行が巨額のクレジットの資金投入をおこなうとともに、クレジット・デフォルト・スワップ〔デリバティブの一種〕とローン担保証券〔住宅ローン債権を担保として発行される証券〕という現実感のない不透明で超現代的な金融インフラに大金を注ぎ込んだからでも、国がほとんどの銀行の肩代わりをしなければならなかったからでもない。そうではなく、「われわれ

4 一九九三年四月二二日に南東ロンドンで十代の黒人イギリス人スティーヴン・ローレンスが殺害された事件をめぐり、独立調査委員会の長を務めたウィリアム・マクファーソンが提出した報告書。最初の調査ではだれも有罪にならなかったが、一九九八年にマクファーソンが中心になり再調査がおこなわれ、最初の調査そのものが人種差別的であったという結論が出された。

5 英国国教会、カトリック、ユダヤ教、イスラム教など特定の宗教（団体）と結びつきをもちながらも、一般的なカリキュラムを教える公立学校。

6 ブレア政権時に教育改革の一環として設立され始めたあらたなタイプの公立学校。従来の公立校とは異なり基金は地方自治体からではなく教育省から直接支給され、その他の費用は私立校のようにスポンサーを募ってまかなわれるため、経営に私立校的な要素が入っている。

7 国会議員はロンドンとみずからの選挙区内にそれぞれ住宅をもち（三軒以上もっている者もいる）、いずれかを「第一住居」と「第二住居」のどちらかに区分指定する。第二住居に設定された住宅に対しては修繕などの費用が、本文で言及されているシステムを通して支出されるほか、その物件を売却しても課税されない仕組みになっていた。多くの国会議員が、そのシステムを利用して住居の分類を恣意的に（場合によっては何度も）切り替えることで私的な利益を出しており、そのことが二〇〇九年にスキャンダルになった。

が」国民共有の「クレジットカードの限度額を使い切り」、いまや「財布の紐を締め」なければならないがゆえだった、というのだ。あたらしい保守党中枢部の側近たち――オクスフォード大学のブリンドン酒飲みクラブ〔大学非公認の乱痴気騒ぎで悪名高い男性限定の社交クラブ〕の元メンバーたちが中心だった――が貴族的で、イギリスの政治においては一九六〇年代前半以来聞かれたことのなかったほどに支配階級を思わせる調子で話したのは、注目に値する。

これが、緊縮ノスタルジアの背景となった出来事の一部――消費が大々的に政治問題化された状況――である。消費をこうして政治問題化した、さまざまなかたちの民衆の知恵――政治家たちは金儲けに夢中で、経済を回すことは家計を回すのに似ているという考え――は、第二次世界大戦から受け継がれすでに存在していた定型句を利用していた。イギリス社会における第二次世界大戦への強迫観念（オブセッション）を説明するのは難しい。多くの場合、果てしない退屈と真の恐怖がかわるがわる訪れる戦地についての戦争の記憶はつらく恐ろしいものだったので、第二次世界大戦で戦った祖父母をもつわたしたちの同世代（わたしは一九八一年生まれだ）はたいてい、祖父母が戦争について一切詳しく話したがらなかったのを思い出せる。一九四五年から一九五一年の期間に世界でもっとも徹底的な福祉国家の一つをつくりあげたのがこの世代だったことは偶然ではないのだ。わたしの母方の祖父母は当時、それぞれイングランド北部の中産階級出身の兵士、南部の労働者階級出身のナースだったが、第二次世界大戦とその前の大恐慌で目にしたものがきっかけでイギリス共産党に入党し、そこで出会った。

これほどまで根強くイギリス文化に残っている戦争への執着は、ベビーブーマー世代にもっとも広く共有されている。終戦直後に生まれ、大規模な公共住宅や完全雇用、強制加入年金、疾病手当、有給休暇などのいまでは消え去った制度をおもに享受したあの世代——しかし、奇妙にも、その多くは自分が実際に世界大戦に参加したと思っているようだ。これは、わたしがわかるかぎりでは『大脱走』、『暁の出撃』、『ダッズ・アーミー』といった一九六〇—一九八〇年代のテレビ番組や映画によってもたらされた幻想である。これが、ブレグジットの交渉の最中にフランスの政治家たちを強制収容所の監視人にたとえたボリス・ジョンソン（一九六四年生まれ）の背後にあるものなのだ。ときに、これらの奇妙な錯覚は、ベビーブーマー世代の子どもたちのあいだにさえもみられる。ジェネレーションX〔一九六〇年代半ばから一九八〇年頃までに生まれた世代〕のなかには、本当はマリリン・マンソンと同い年にもかかわらず、きわめてポストモダンなコスプレによってビンテージ服で着飾った一九世紀の男爵風の自己像をつくりあげたヘッジファンド・マネージャー、ジェイコブ・リース＝モッグのような奇怪な人物がいる。この世代のインスピレーションとなるのはおそらく、『ダッズ・アーミー』ではなく『ダウントン・アビー』だろう。

第一章をのぞけば、本書は二〇一五年のなかば、エド・ミリバンド率いる労働党が選挙で敗北してそれほど時間が経過していない時期に急いで書かれた。ミリバンドはマルクス主義理論家〔ラルフ・ミリバンド〕の息子であり、ふりかえってみると、政治的本能においてはあきらかにあたらしいラディカルな社会民主主義を唱道しようとしていた。しかし、彼は「ブルーレイバー」[8]として知られる運動の主張にたえずそそのかされてきた。『緊縮ノスタルジア』の大部分の基礎をなすのは、こういった者たちの主張である。その主張とは、信仰や家族や国民についての俗説、および自分の居場所にとどまるような人びと

8　労働党と結びついた圧力団体で、移民や犯罪、EUなどの社会的・国際的問題に関して保守的な考えを支持する。

への愛の寄せ集めである。これらはたいてい政治的右派の側でみられるが、反ブレア派がふたたび社会主義の過去のシンボル――とくに歴史家のエドワード・トムスン、おなじみの聖人ジョージ・オーウェル――を召喚しようとする試みと組みあわせられ、あたらしいタイプのぼんやりと左翼的なナショナリズムができあがる。このブルーレイバーの試みは、デイヴィッド・キャメロンがその年の選挙で過半数を得たときにあっけなく終わり、イギリスの左派は真剣な内省の時期に突入した。

その内省のまったく予想外の産物は、労働党内の最左派に位置し一貫して社会主義者で反帝国主義者だったジェレミー・コービンが地滑り的大勝で党首に選ばれたことである。党首選キャンペーンの最後の数日、わたしはこの本のゲラ刷りの段階で、コービン台頭へのちょっとした目配せとして、彼のことを書き加えたが〔第四章「よすぎるものなどない」参照〕、その台頭を分析するほどの時間はなかった。また、二〇一六年の欧州連合離脱への予期せぬ投票も――本書の多くの議論は、その結果がほとんどの専門家が当時考えていたよりはるかに予測可能であったことをかなりの程度あきらかにしているだろう――、そして、冷酷に唇をゆがめた一九四〇年代的な女家長のような、驚くほど緊縮ノスタルジア的なテリーザ・メイという人物が、キャメロン政権下の保守党が維持していた議会の過半数を割るという同様にショッキングな二〇一七年の選挙についても分析している時間はなかった。メイは、反旗を翻した労働党左派のキャンペーンに負けたのだ。労働党は、一九八〇年代前半以来ラテンアメリカ以外では見られなかった社会主義的プログラムに対する史上最大の賛成票――四〇%得票し、保守党に二%及ばなかった――を得た。

わたしはコービン率いる労働党左派において積極的に活動しており、コービン指導下でのぞむ二度目の総選挙があと一〇日と迫っているところでこれを書いているため〔二〇一九年一二月初旬〕、この運動や本書の考えがどうそれと関連するかについて、完全には客観的になることはできない。[9] たしかにわたしはこの運動を予期していなかった。また、コービン主義が緊縮ノスタルジアのレトリックを利用してきたという明白な事実についても進んで認めたいと思う。力強さと感傷が入り混じる『一九四五年の精神』をめぐり本書で何度も登場する映画作家のケン・ローチは、映画を通じて左翼の労働党を実現しようと願う試みから、実際に労働党の選挙放送を制作するにまでいたった。「労働党――昔のほうがよかった」は、現実の活動計画になったのだ。しかしながら、この変化を推進してきた党指導者たち――コービン、ジョン・マクドネル、ダイアン・アボット――は、党の古い官僚制と労働組合出身の「昔の労働党」の人物たちではなく、別の政治の時代である一九六八年以後の多文化的なニューレフト出身なのだ。それゆえ、その一派の――とりわけマクドネルの――プログラムは、無料の超高速インターネット、週四日勤務、さらに長期の休暇、再生可能エネルギー設備増設による再度の産業化からなるある種のサイバー・エコ社会主義といった、これまでよりもあたらしい左派の思想を多く受け入れている。ただ、この裏にある運動では、こういった潮流に加えて、よりあからさまにノスタルジックな潮流――労働組合、とりわけ巨大連合組合(スーパー・ユニオン)である「ユナイト」内の左派を中心としてきた勢力――とが論争を続けながらも混ざりあってきた。この勢力――それに加えて選挙での臆病さ――が、コービン、マクドネル、アボットらに、本書が徹底的に批判している「進歩的愛国主義」に対してリップサービスをするようある程度作用してきたのだ。シヴァモハン・ヴァルヴァンが『ナショナリズムの喧騒』（*The Clamour of Nationalism*）で指摘しているよう

9　二〇一九年一二月一二日の総選挙においては保守党が圧勝し、過半数を大きく上回る議席を獲得した。

に、その倫理的な含意はさておき、この進歩的愛国主義はリスクの高い戦略である——国民（ネーション）を最重要カテゴリーと考える者たちがだいたいいつも投票する先といえば、まあ、ナショナリストたちなのだから。

忘れずに言っておかなくてはならないのは、本書は自己批判のプロセスから生じてきたということだ。具体的にいえば、『闘争的モダニズム』のような著作を通して、そして戦後福祉国家とその文化、とくに、その時期の建築に対する興味を復活させるのに一役買うことで、ノスタルジアを促進するこのプロセスにいくらか関与してきたことへの罪悪感から。ただ、以前の著作における議論のほとんどをわたしはいまでも支持しており、一九六八年よりも一九四五年の政治的影響のほうが重要だと思いつづけている。それに、ニューレフトによる戦後数十年間の公的な皆福祉サービスに対する批判は許せないとずっと思っている——たとえばフリーランスの作家として生きるわたしには、少なくとも現在の取り決めでは公営住宅、疾病手当、生活可能な年金は手に入らないとわかっている。それゆえ、それらのサービスはどうせろくでもない出来損ないだったと論ずる人びとに対してしばしば憤ってしまうのだ。それでも、一九四〇年代の料理本であれ、もっとも「象徴的な」住宅団地が私有化される最中に全盛をきわめた、ブルータリズムの模型が飛び出しかけ絵本であれ、福祉国家に対するノスタルジアの巨大でかわりばえのしない消費文化はわたしにとって、なにを望むかには慎重になるべきだと教える訓話であるほかには、なんの面白味もない。

本書は、イギリスの都心部（インナー・シティ）〔スラムという含意もある〕——「コービン主義」をあたため、つくりだし、持続させているまさにその場所——の「共生文化」（ポール・ギルロイ）に希望を見出す試みで幕を閉じる。この考えは、二〇一七年の選挙の数日後に起きたグレンフェル・タワー火災のあとでは、とくに適切だろう。公営高層住宅の「質素で」コストを削った修復（当然パブリック・プライベート・パートナーシップのもとで非政府の居住者管理組織によって取り仕切られた）は、七二人の死者を出す直接的原因となったが、これは、デイヴィッド・キャメロンが「健康・安全規定」に持ち込んだ「赤テープの焚き火」〔公文書を赤テープで綴じたことから、形式的手続きの破棄を意味する〕によってもたらされた。そこではおそらく、タワーの外装に燃えやすい素材と燃えにくい素材のどちらを使用するかのあいだで「困難な選択」がなされたのだ。タワーが炎上したとき、だれが本当のロンドンの労働者階級なのかということがあきらかになった。その多くがイギリス出身だったが、中東、イタリア、スーダン、エリトリア、アイルランド出身の者たちもいた。そのなかには、タクシー運転手、ウエイター、画家、建築家、アーティストがいた。この労働者階級はいま存在しており、ブラスバンドの音楽や霧がかった風景がともなう過去のなかにいるのではない。この階級はなにごとかを建設しようとしているが、ジョージ・オーウェルを読んでもそれを理解する助けにはならないだろう。おそらく、タワー火災の惨事以来地元コミュニティの活動家たちがおこなってきたサイレント・マーチのなかで、この現代の労働者階級は可能なかぎり静かにし続けてきただろう。この人びとは、わめきちらしたりなどしてこなかったのだ。[10]

10　この最後の二文は、「落ち着いてそのまま続けよ（KEEP CALM AND CARRY ON）」をもじった表現になっている。'Carry on'には「そのまま日常を続ける」の意味のほかに「大騒ぎをする」といった意味もあり、訳文では前文からの流れにあわせて後者を優先して採用したが、現代の労働者階級がなにもなかったかのように黙々と日常の作業を続けるのを拒否してきたという意味の文章としても読解できる。

目次

［凡例］

・注について【 】を原注、（ ）を訳注とした。

・引用文について、既訳のあるものは基本的にそれを参照したが、文脈を考慮して適宜変更を加えた。

・本文中では基本的に、Britain (British) /UK＝イギリス、England (English) ＝イングランドとして訳しわけた。理由としては、連合国家としての「イギリス」と、そのなかの一つとしてのイングランド（スコットランドとウェールズを含まない）を区別して議論している箇所があるためである。ただし、訳語として「英国」が定着している固有名などは、慣例にしたがった。

・本文中の負債や物件の金額は原文通りポンド立てで表記した。円＝ポンド相場は変動が激しく、とくにEU離脱の前後に乱高下したこともあり、一概に日本円に換算しづらいが、参考のために記しておくと、本書が執筆された二〇一五年の平均は一ポンド約一八五円、その後二〇一六年六月のEU離脱決定を受けて一二五円近くまで下落し、二〇二〇年五月時点では一三五円前後である。

・公共機関などの頭文字をとった略称が多く登場するので、本文では適宜正式名称を併記するが、以下に一覧を記す。

LCC（London County Council）：ロンドン・カウンティ・カウンシル。一八八九年から一九六五年まで設置されたロンドンの行政府。ロンドン県議会と訳されることもある。

GLC（Greater London Council）：グレーター・ロンドン・カウンシル。LCCの後継となったロンドンの行政府で、サッチャー政権下の一九八六年に解体。大ロンドン議会と訳されることもある。

EMB（Empire Marketing Board）：帝国マーケティング局。一九二六年設立、一九三三年解体。ドキュメンタリー運動の中心となった映画部門によって知られる。

GPO（General Post Office）：郵政省。本書では、EMBを引き継いで一九三三年に設立された映画部門に関連して言及される。

LPTB（London Passenger Transport Board）：ロンドン旅客運輸局。一九三三年設立、一九四八年解体。

MO（Mass Observation）：マス・オブザベーション。一九三七年設立、人類学とシュルレアリスムを援用して大衆を調査することを目指した運動。

PFI（Private Finance Initiative）：国や自治体が担ってきた公営事業を民間主体へと移管することを推奨する制度。

RP（Received Pronunciation）：「容認発音」と呼ばれる、イギリスで標準とされる訛り（実際の話者は全人口の一〇％未満といわれている）。

序章
緊縮財政のがらくた市

郷愁省——わたしたちはみなさんに、古き良き日々を思い出させます。もはやだれも物事がうまくいっていたときのことを覚えていないからこそ、過ぎ去りし素晴らしい日々を夢見るために、われわれ全員が協力しなければならないのです。給与はソブリン金貨〔1英ポンド相当の金貨〕で支払われ、だれも病気にならず、だれも死なず、天候はこのうえなく良好で、1ポンド払えばビールを200杯飲むことができた日々のことを。

——

モンスター・レイヴィング・ルーニー党[1]のマニフェスト、1997年【1】

二〇一五年五月のイギリス総選挙で、わざわざ投票所に出向いた登録有権者の三七％は緊縮財政を支持した。保守党・自民党連立政権が、それまでの五年間に広範囲・大規模な緊縮政策を徹底したこと——この点でサッチャー以来もっとも過激な政権といえたかもしれない——を考えれば、なにが選挙の争点となっているかに疑いの余地はなかった。教育部門では、大学の学費が三倍に値上げされ、芸術・人文学分野への補助金は一〇〇パーセント削減された一方で、エリート主義的なフリースクール[2]と私企業によって経営されるアカデミーは拡充され、多くの労働者階級の生徒が継続教育〔義務教育後の職業教育〕を受けるために利用していた補助金は廃止された。住宅部門では、「大きすぎる」家に住んでいると判断された貧しい人びとを追い出すために設計されたことがあきらかな「寝室税」[3]が導入され、公営住宅に生涯住む権利は廃止され、その代わり「購入支援（ヘルプ・トゥ・バイ）」の名の下に家を買うための補助金が交付され、不動産資産家としての階段を上ることが推奨された。国民保健サービス（ＮＨＳ）については、健康・社会ケア法案が導入され、大部分において私企業の参入を許すこととなった。生活保護の削減と受給者に対する懲罰的な措置は、数百万人もの人びとにフードバンクの利用を強いた。あたらしい仕事が生まれたとしても、それは「ゼロ時間」契約[4]によるもので、一九世紀の港湾労働を最後に見られなくなったような劣悪な労働条件を強いるものだった。鉄道の民営化はさらに推し進められ、イースト・コースト・ラインはヴァージン・トレインズへ売却され、金融危機のさなかに国営化された銀行は、前ほど気前よく貸さなくなったという点を除いて、ほとんど以前と変わらない運営を許された。だが、これほどの緊縮策をとったのにもかかわらず、恐ろしいといわれた国家財政の赤字は少しも減らなかった。緊縮を選んだあの三七％は、まぎれもなく、政府による絶え間ない貧困層への攻撃を支持するものだったのだ。

二〇一五年五月の選挙はサッチャー時代にみられた圧倒的な保守党支持のような結果にはならなかったが、それでも過去五年の緊縮政策のなにかが人びとの心に響いたのだ。労働党は、不運にもこの時期に党首を任せられたエドワード・ミリバンドのもとで、緊縮に対する真剣な抵抗となりうる思想も政策も示すことができず、残りわずかな福祉国家の遺物が切り崩されるなかで、「性急だ、やりすぎだ」という、笑えるほどあたりさわりのない批判に終始していた。

ここでわずかながら起こった反緊縮の議論は、共同体や伝統に訴えかけるレトリックを用いた。だが、

1　イギリスのロックミュージシャン、デイヴィッド・サッチが一九八三年に設立した政党。主流の政治を風刺するパフォーマンスをおこなう。「郷愁省」(The Minstry of Nostalgia) は本書の原題である。

2　日本語版序文の訳注六に既出のアカデミーの制度をもとに、保守・自民連立政権下の二〇一〇年に認可された学校。政府の支援を受けつつ、地域の保護者やチャリティ団体、宗教団体などの非営利組織により運営され、地方自治体から独立しているために、カリキュラムなどの自由度が高い。学校の運営に参画できる保護者をもつ中産階級の子どもを優遇する制度だという批判がある。フリースクールとアカデミーはどちらも自由を与えて競争原理を導入することで教育の質を向上することを謳った典型的な新自由主義政策であり、本来は公立学校に回るはずだった資金を奪うことが懸念されている。

3　二〇一二年の福祉改革法案で導入された制度の通称。必要以上の数の寝室がある家には、従来交付されていた補助金が廃止された。

4　最低労働時間が定められない雇用契約。雇用主側は必要なときにのみ労働を求め、労働者側は仕事を受けない権利が認められるために、柔軟な勤務が可能になることを謳うが、実際には多くの場合、労働者側に仕事量を選択する権限は実質上なく、不安定な生活を強いられることが問題となっている。

そこには明白に皮肉な響きがあった。この時期、とくに二〇一一年に短期間盛り上がった抗議活動の弾圧・敗北のあとで現れた反緊縮文化は、以前の緊縮時代への郷愁に深く根差していたのだ——まさに現代版の緊縮に抵抗するための有効な手立てを探していたときに、である。

この反緊縮論のなかで、過去と現代の状況が混同されていることは明白だった。二〇一三年三月、映画作家のケン・ローチは、かつての「緊縮」の時代についてのドキュメンタリー、『一九四五年の精神』を公開した。同時期にローチが設立に携わったレフト・ユニティというあたらしい左翼政党は、その精神にもとづいていたようだった。だが、これら二つの時代を実際に結びつけるのは、いったいなんなのだろうか？

「戦後の緊縮」時代は、配給制度とある種の清教徒的な自己規律の文化だけをもたらしたのではなかった。それは福祉国家の建設、寛容な公的補助金制度、教育と健康福祉の包括的な制度の構築、ならびに強固な労働組合との団体交渉、完全雇用の保障、そして巨大な公営住宅事業をともなっていたのだ。一方、保守党・自民党連立政権の「緊縮」はこれらすべてを破壊し、ほとんど焦土へと変えた。そこにもし未来についての構想があったとすれば、それはＭ４高速道路沿いのビジネスパークのはずれにあるコールセンターが密集した企業誘致地域のようなものだっただろう。それでは、二〇一〇年代を守るために一九四〇年代を呼び起こすなどということが、いったいどのようにして可能となったのだろうか？

大雑把に言って一九四〇年代から、保守党政権によって配給がついに停止された一九五五年頃までの期間の「緊縮のイギリス」と比較すれば、二〇〇九年・二〇一〇年から現在までの期間における第二期「緊縮のイギリス」——不動産投機と「デリバティブ」が引き起こした金融危機によって最大手の銀行が国家による大規模な救済を受けることになったのちに、三〇年におよぶ新自由主義のあとで生き残ったわずかな公共圏がさらなる攻撃に晒された時代――は、まったくの対極なのである。にもかかわらず、このイギリス史における最新の緊縮時代は、あの過ぎ去った時代のイメージに重ねられてきた。それはあまりに広範囲にわたったので、まるでこの国の一部が、間違ったやり方で組み立てられた、奇妙で夢のような一九四〇年代と一九五〇年代の復元物のようにさえ感じられたのだ。

総選挙から二週間ほど経った三連休の週末、わたしは南東ロンドンのグリニッジで開かれていたマーケットに通りかかった。そこに設置されている一九世紀後半の紅茶輸送用帆船カティ・サーク号の土台として建てられた建物は、あまりにお粗末な最近のリノベーションの結果、二〇一二年にはイギリスでもっとも醜い建物を決めるカーバンクル・カップを獲得していた。船体は宙に持ち上げられ、ドックは何面ものガラスの壁に囲まれていた。この船の前ではさまざまな露店がものを売っており、古い空き缶、皿、雑多な布切れなど、戦時中の思い出の品を山ほど見つけることができた。ほかの出店ではレコードを売っていたが、一九六五年頃以降のものはなにも売っていなかった。そこで売り出されていたファッションは、男性は口ひげとあごひげをたくわえて落ち着いたユーティリティ・スタイル、女性については、普通は「バーレスク」と呼ばれる、皮肉まじりにセクシーさを強調したスタイルだった。そしてそのすべての頭上には、あるポスターがいたるところからこちらを見おろして、つぎのように要求していた。

テスコ、ウールウィッチ店、2015年5月

KEEP CALM AND CARRY ON
〔落ち着いてそのまま続けよ〕

この様子は、まるで一九六〇年代のポップミュージックや社会革命――性的平等、そしてとりわけ人種間の平等をもとめた闘争――など起こらなかったかのような印象を与えた。それらの変化の代わりに、みな自分自身のためにカスタマイズされた解放以前の時代に住むことを決めたのだ。

わたしは二〇〇八年頃からこのようなマーケットが、そして似たような別の場所が増殖するのを見てきたが、総選挙における緊縮財政の勝利の直後にこれに遭遇したことは、とりわけ不快に感じられた。そう感じたのは、ここにいる人たちが総選挙でさらなる五年間の苦難の日々に賛成の票を投じたのではないかと疑ったからではなかった――実際、ロンドンでは労働党の得票が顕著に伸びたことを踏まえれば、この人たちが緊縮に投票したというのは、ほかのどの地域よりも考えづらいことだった。わたしの気を滅入らせたのは、むしろある種の（レイモンド・ウィリアムズの言葉を使えば）「感情の構造」が、その場を支配していたことだった。この人たちは、緊縮の美学を実践しながらも、もし聞かれればおそらく緊縮に反対しただろう。だがそのような人びとの意識のなかにさえ、緊縮にまつわる諸現象——そのファッション、ごた混ぜの歴史観、そして戦後に人類が実際に成し遂げた進歩の拒絶——が染み込んでいたのだ。

実際の緊縮時代の人たちはだれもこのような格好をしてはいなかった。ロカビリーと教師風のファッションの組みあわせ[5]は実際にはありふれたものではなかっただろう。だがそのことは重要ではない。マルクス主義文化史家のラファエル・サミュエルが一九九四年に『記憶の劇場』で述べたように、「レトロシック」〔レトロなアイテムを取り入れたファッション〕は過去から無作為に借用する。その点においてこの現象は、説教くさい「遺産（ヘリテージ）」とは区別されたのだ。

グリニッジのマーケットの様子を見て危惧を抱いたわたしとは対照的に、サミュエルはみずからの著作——遺産（ヘリテージ）文化を多くの左翼の敵対者たちから守ることを目的とした本——を、カムデン・マーケットで売られている品々の考察から始める。この考察はサミュエルに、緊急時に回収された廃棄物が、消費されるべき望ましい商品へと変容していく過程についての思索をうながした。サミュエルはまた、その時代の多くのレコードのジャケットが、もはや未来主義的なイメージや楽観的な現代を提示せず、むしろ——ザ・スミスやビリー・ブラッグの美学にみられたように——欲望がすぐに満たされることのない、

5　ロカビリーはロックンロールとヒルビリーを混ぜた一九五〇年代の音楽スタイルのみならず、そのファッションのことも指す。現代の女性ファッションでは「教師風」とされるドレスと組みあわせられることが多いようだ。

抑圧された、ポップミュージック以前のイギリスの片田舎のイメージのなかに逃げ込んだのだと指摘した。【2】

サミュエルは、「レトロシック」やそのほかの雑多なポピュラー文化における過去の利用が、生真面目な歴史記述においては見過ごされてきたなにかを提示しているのだと論じた。そうした文化は、触覚的な過去の経験、嗅ぐことができ、触れることができ、経験することができる過去、民主的で、なんの専門知識も必要とせず、それでも多くの熱狂的なアマチュアやマニアたちを惹きつける過去を提示しているのだった。これは祝福されるべきものであって、嘲笑されるいわれはなかった。

サミュエルにとって、レトロシックは過去のリバイバルとは異なるものだったようで、その理由の一つは、リバイバルにみられたような過去への感傷を保持していないためだった。代わりにレトロシックの活力は「動かないものを動かす」ことに注がれた。【3】レトロシック以前、戦後のエレファント・アンド・キャッスル〔南ロンドンの地区〕の若者たちがエドワード朝の貴族の服を着始めた——つまりテディ・ボーイズが現れた——瞬間に生まれたリバイバルは、トップダウンの流儀に則っていた。【4】だがカムデン・マーケットのレトロ文化にみられたように、レトロシックは礼儀作法からは自由な運動だった。それは過去をみずからの見方にしたがって、いくらでも好きなやり方で混ぜあわせた。過去への偏執は多面的であり、つねに曖昧で、けっしてたんなる複製ではなかった。

このことは住宅・建築分野で顕著だった。サミュエルが少し皮肉めいて書いたように、数十年にわたって政治家、世論、文化史家から見下されてきた戦間期のセミデタッチドハウス〔壁で二軒に仕切られた戸建住宅〕とヴィクトリア朝のテラスハウス〔労働者向けの長屋住宅〕が、いまや遺産（ヘリテージ）として「再評価」されていたのだ。この一般の嗜好の急変は、あきらかに、技術の発展にもとづく近代建築を通じた再開発と社会変革というモダニズムのプロジェクトの対極を目指していた。

建築環境において、包括的な〔スラムなどの〕撤去と高層マンションの建設がおこなわれなくなり、保存主義的感情が高まり、以前はスラムとみなされていた地区で「遺産（ヘリテージ）」が発見されるといった事態は、フェビアン協会と独立労働党が夢想し、そのあとは労働党に引き継がれた社会主義のビジョンのまさに中心にあった思想を、瞬く間に破壊した。それは、ヴィクトリア朝の産業主義と無計画な都市発展の悪夢のような遺物とされてきたものを物理的に埋めてしまうことで、建築環境を変革するという考えである。そのような諸問題は、ほかの国々では社会主義の大義において二のつぎだったが、イギリスでは中心的な課題だったのだ。

これに並行して、大部分が左翼の論者たち（その多くはサミュエル自身のように共産主義者だった）によって「歴史」が「下から」読まれるようになったのだが、そのことは、当人たちには思いもよらなかった効果をもたらした。

人民の歴史[6]はまた、図らずして、国民の過去が保守的に流用される道を準備してしまったのかもしれない。そこでの「人間的」ドキュメントとクローズアップへの志向は、歴史の主題を内向き（ドメスティック）なものにして、政治をあたかも外から漏れてくる騒音のような、無関係なものに見せてしまった。それによって「後代の途方もない見下し」〔本書第二章参照〕から貧しい人びとを救い出せたことは、意図せずして過去を修復し、それまで排除されていた人びとを遡及的に国民として迎え入れるという結果を生んだ。「家庭の予算（ドメスティック）」や貧者の生存戦略に焦点を当てることは、上手な家計のやりくりの価値に重きを置くことにもなる。「あたらしい」社会史の特徴だった古い写真の再利用は、保守的な過去の見方を潜在的に支えてしまった。安定した優美な家族が映っている写真を見て、その家族のなかの抑圧と不安について考えるのは難しいことなのだ。【5】

ドメスティックな〔家庭／国家の〕予算、上手な家計のやりくりといった語彙は、一九八〇年代のサッチャリズムのレパートリーからとられたものだが、二〇一〇年から一五年にかけての連立政権、およびその政権が強要したあたらしい反平等主義的な緊縮政策とも響きあう。まるでサミュエルは、デイヴィッド・キャメロンの演説のみならず、屈強に困難と闘いながらも慎ましさを忘れない、立場をわきまえた労働者階級を賛美することをうながす『コール・ザ・ミッドワイフ』や『ダウントン・アビー』のようなテレビ番組の世界をも予見しているかのように聞こえるのだ。

だが、サミュエルは建築環境の保存、および近代建築と都市計画に対する批判が右翼の側からのみ現れたものではなかったのだと付記した。事実、一九七〇年代にはグレーター・ロンドン・カウンシル〔一九六五年に設立され八六年に撤廃されたロンドンの行政府〕所属の、革命的であると自認した建築家たちがコヴェントガーデンの解体を阻止したように、この保存への動きは左翼——とりわけ一九六八年以降に出現したリバタリアン左翼——の側からも現れたのだ。しかし右翼は迅速にそれを資本として利用することで、計画的に建てられた社会民主主義の風景を、スラムの住民に社会生活への参加をうながす「共同体建築」によってではなく、デベロッパーによって建てられた、自動車移動を前提とした郊外型の伝統的な外観の袋小路(クルドサック)の住宅地やショッピングモールによって置き換えてしまったのだ。このことは、左翼が過去をみずからの目的のために利用できると考える度に、つねに右翼に出し抜かれてきたことを示しているようだ。

それはとくに、既存のものとは異なる愛国的あるいは国民的歴史を提示しようとしてきた多くの左翼の試みについて当てはまるように思える。パトリック・ライト〔文化史家〕は『古い国に住むことについて』のなかで、サッチャリズムのさなかにこの不愉快な事実を指摘した。その本でライトは、サッチャーがとても早い時期から、第二次世界大戦の文化的記憶を、国民の偉大さと自信という保守党の物語に接続したことを論じた。それは外部の敵(ソ連)と内部の敵(組織された労働者階級)に直面したわたしたちを降伏させようとする「腰抜けたち」の要求と対置されたのだ。

いうまでもなく、この物語が効果的な感情を呼び起こすためには、歴史的事実に照らしあわせて正確である必要はなかった。ライトが述べるように、一九八二年に「第二次世界大戦は再び宣戦布告された

6 ここでの「人民の歴史」は、共産党の歴史家A・L・モートンによる*A People's History of England*(一九三八年)に代表される、一九三〇年代の反ファシズム運動のなかで起こった、イギリスの「人民」(people)の視点からの歴史記述、およびそれを引き継いだE・P・トムスンやサミュエル自身のような戦後の歴史家たちの仕事を指している。

――ただし今回の相手はヒトラーではなく、実際の大戦のあとに訪れた平和のあり方だった。スピットファイアとランカスター〔ともに第二次世界大戦で用いられたイギリスの戦闘機〕がもう一度空に舞うことがあるとすれば、今度は「社会主義」と「傲慢な国家」に対して戦うためなのだ」。【6】

左翼はこれに対していつものように満足のいく対抗言説を生み出そうともがきながら、「連帯と進歩が保障されていたかに見えた時代、社会主義の存在感が肯定され拡大しつつあるように見えた時代、そしてそれに向かって行進する者たちの目の前に、実際に道が伸びているように見えた時代の歴史的様式――その身振りと語彙――に頼る」こととなった。【7】このことはたとえば、「トニー・ベン〔労働党左派の古参議員、二〇一四年没〕がイギリスの「人民（ピープル）」を、農民反乱やロビン・フッドやそのほか諸々にみられたような、マルクス主義よりも前からその人びとのなかに存在した社会主義への衝動とともに蘇らせようとしたこと」に見てとることができた。ライトによれば、ここでの問題は、社会主義が本来的に未来志向だという点だった。社会主義は「わたしたちが知る現在において完全に達成されたもの、あるいは成し遂げられたものとして現れる」ことはないのだから、「その歴史感覚に見あうようなかたちで、みなに簡単に認識されるような存在感を提示することができないのだ」。

近年の論者たちによれば、戦後の和解の、つまり社会民主主義の現実的かつ具体的な遺産――公営住宅、国民保健サービス、総合中等学校（コンプリヘンシブ・スクール）〔第二次大戦後の改革で設置された、一一歳で入学する公立学校〕と新設大学、そのほか諸々の社会保障の残り物――は、歴史家の故トニー・ジャットが『荒廃する世界のなかで』において用いた言葉を借りれば、「左翼にも守るべきものがある」と言えるほど充実したものだった。同書は主流の（いまではほとんど意図せず「左翼」となった）社会民主主義の擁護として大きな影響力をもった。この遺産を胸に、ジャットは最後の日々を、新自由主義がもたらした極度の不確実性に直面するなかで安定をもたらす、あらたな「恐怖の社会民主主義」[7]を目指すことに捧げた。なぜか、その努力はこれまでほとんど実を結んではいない。

わたしはここでいくらかの苛立ちを告白しよう。多くの欠点と排除をともなっていたとはいえ、社会民主主義は、一九四五年と一九七九年のあいだに、あと一歩で建設できそうだった――この事実こそが、社会民主主義が可能であると主張するための最良の論点の一つである。社会民主主義そのものから一番恩恵を受けた一九六〇年世代による、国家主義的、さらには「全体主義的」という社会民主主義批判は、いまでは現実に根ざした歴史感覚をまったく欠いたヒステリックなものに見える。そうした批判者たちにとって、「福祉国家」は普通の、やや退屈なものだったのだ。今日ではそのような見方を不快に感じないことは難しい。その批判者たちの政治観は豊かさや社会的平和そして平等を恒久的なものとみなす思い込みにもとづいていたが、実際それらは、歴史的に見ればほんの短いあいだの例外だったのだ。

このような事情もあり、わたしは書き手としての多くの時間を、この社会民主主義の時期に実現された建築環境の復権のために費やしてきた。「ライト・トゥ・バイ」[8]による攻撃や「ディキャンティング」[9]、

7 「恐怖の社会民主主義」に関してはトニー・ジャット『真実が揺らぐ時』河野真太郎、西亮太、星野真志、田尻歩訳、慶應義塾大学出版会、二〇一九年、第二四章「社会民主主義の何が生き、何が死んだのか？」を参照。

8 サッチャー政権によって一九八〇年に導入された制度で、公営住宅の居住者や住宅組合の加入者に割引を与えつつ公営住宅を買い取ることをうながした。これにより一五〇万戸の公営住宅が売却された。

設備点検不良や使われていなかった期間を経た現在も、この時代の多くの建築物がじゅうぶんうまく機能していることを考えれば、こうした建築環境の断片は、平等な未来が達成可能であることを証明している。わたしたちの祖父母は自由放任主義（レッセ・フェール）の資本主義よりもよい世界がありうるのだと考え、そんな世界をつくろうと実際に試してみたのだが、そのなかで育った彼ら彼女らの子どもたちは、そのような世界の代わりに、バラット・ホーム〔イギリス最大手の住宅開発業者〕や「再評価」されたヴィクトリア朝住宅、あるいはかつての暗黒の悪魔の工場[10]のロフト改築を選んだのだ。

この経緯については多くの優れた記録が存在する。少し例を挙げれば、ジョン・グリンドロッドの優れた一般向けの著作『コンクリートピア』、ブログ「公営の夢」[11]、さらには戦後の社会民主主義下の公営住宅地開発に関する教育的でしばしば怒りのこもった数々の映画もある。トム・コーデルの『ユートピア・ロンドン』、社会的浄化がおこなわれたヘイゲイト団地を扱ったエンリカ・コルッソの『ホーム・スウィート・ホーム』、そして北ロンドンのもっとも成功した公営団地の一つであるアレクサンドラ・ロード〔別名ローリー・ウェイ〕に関する集団制作映画『ローリー・ウェイはおのずと語る』などだ。これ以外にも、わたしが忘れている例がたくさんあることに疑いはない。こうしたさまざまな作品は、社会史に関心を払い、建築家や住民たちの実際の声、考え、経験に耳を傾けることによって、なんの曖昧さもないノスタルジアを提示することをうまく避けている。とはいえ、わたしたちが社会民主主義の残滓を、新自由主義の緊縮財政を打ち倒すための武器として利用できるという見通しは、ますます怪しくなっているように思える。過去を武器として使うことにかけては保守党こそが専門家集団であり、これまでもずっとそうだったからだ。

わたしたちは、まったくもって二一世紀的な社会——つねにスマートフォンとインターネットに接続され、デリバティブやクレジット、そして不安定で本質的・根源的に安全性を欠いた不動産投機といった複雑なシステムのなかを生きなければならない社会——が、現代とはまったく異なる時代のイメージを借用することでみずからを慰めているような、ますます悪夢のような状況にいる。この二つの時代を結びつけるのは、ふんだんに用いられる「A」（Austerity（緊縮））ワードのみである。なぜこんなことが起こったのか、それに対してなにができるのかを考えるために、この短い本では、二〇一五年の緊縮がどのようにして一九四五年の緊縮の夢を見るのか、どのようにして一九四五年があらゆる政治的立場から武器として、合言葉として利用されてきたのかを探求しようと思う——わたしたちがついに落ち着いてそのまま続ける（キープ・カーム・アンド・キャリー・オン）のをやめるときに、なにが起こりうるのかを問うために。

9 大規模な補修や改築、解体、建て替えなどが必要だと判断された公営住宅の居住者をよそに移住させること。居住者を追い出し、より高級な集合住宅を建てる口実となり、ジェントリフィケーションの過程の一部となっている。本章で言及されるヘイゲイト団地は代表的な事例。

10 「暗黒の悪魔の工場」（the dark satanic mills）は、イギリスの詩人ウィリアム・ブレイクの予言書『ミルトン』のなかの「エルサレム」として知られる詩からの一節で、通例では産業革命時代の劣悪な環境の工場を表すと解釈される。

11 歴史家ジョン・ボートンのブログで、二〇一八年に出版社Versoより*Municipal Dreams: The Rise and Fall of Council Housing*として書籍化された。

第一章 殴って隠せ

パブで見かけた、解熱・鎮痛剤あるいはその種の気つけ薬についての広告。

ブリッツ
医療従事者が
強く推奨
「稲妻（ライトニング）」
驚異の発見
数百万人が愛用
効能は
二日酔い
戦争神経症
インフルエンザ
歯痛
神経痛
不眠
リウマチ
うつ、などなど
アスピリン不使用

——

ジョージ・オーウェル、「戦中日記」
1942年8月29日【1】

緊縮ノスタルジアのエンブレム

典型的で、我慢ならないほどイギリス風に見えた現象が、完全にグローバルになったことに気づいた瞬間をわたしは特定できる。ポーランドの百貨店エンピクのワルシャワ本店へ行ったとき、回転ドアを通過してすぐのところに、ノートやマウスパッド、日記などの商品が並んでいた。これらの品々には、赤地に書かれた白い文字の上に王冠が載せられ、馴染みあるサンセリフ体の英文フォントを用いて、英語でこう書かれていた。

KEEP CALM
AND
CARRY ON
〔落ち着いてそのまま続けよ〕

執念深い敵にどこまでも追いかけられるホラー映画のような感覚で、このイメージが、真にグローバルなデザインの「象徴(アイコン)」としてついに殿堂入りしたという証拠にゾッとさせられた。それは、第二次世界大戦時の合衆国のプロパガンダで用いられた筋骨たくましい軍需工場の女性労働者ロージー・ザ・リベッターと並ぶ象徴的イメージとして、ロトチェンコの有名なポスターで「本!」と大声をあげる、頭にスカーフを巻いたリーリャ・ブリークとおなじくらい簡単に見分けがつくものとなった。ロゴとしては、コ

「落ち着いてコピーせよ」、クロアチア、スプリトにて

カコーラやアップルとほとんど同程度に識別しやすかった。どうしてこんなことになったのか？　なぜこのイメージはこれほど広まったのか？　どのようにして、平凡なイギリスの中産階級の崇拝の対象から国際的ブランドにまでなったのか？　そして、第二次世界大戦のときに人びとが「そのまま続ける」と言っていたとき、正確にはなにを言おうとしていたのか？

わたしが想定していたのは、そのメッセージとデザインの組みあわせが、「ブリッツ精神[2]」から公共放送（BBC）と国民保健サービス（NHS）の礼賛、一九四五年の戦後コンセンサスにいたるまで、イギリスにまつわる多数の強迫観念と結びついているということであった。このシニフィアンの束には、（たとえ粗雑でくずれかかったものだとしても）きわめて豊かな国として振る舞い続ける虚勢、二〇一〇年から一五年にかけての保守・自民連立政権によって押しつけら

1　一九四〇年から一九四一年にかけておこなわれたドイツ軍によるイギリス空襲は、「電撃戦」を意味するドイツ語'Blitzkrieg'から、「ブリッツ」（「稲妻」）と呼ばれた。本引用内の「ブリッツ」は、この「大空襲（ブリッツ）」にかこつけて付けられた薬の名称と思われる。

2　ドイツ空軍による大空襲（ブリッツ）のような困難に際しても、士気を失わず忍耐強く問題に立ち向かう心構えを指すときに使用される表現。

れたSM的保守主義、そしてその政権が、極度の節約を楽しんでいるかのように、ひどく残酷かつ独善的なやり方で緊縮政策を打ち出したことも含まれていた。

これらの考えのいくつかは、あのスローガンが印字されたティータオルを購入したエンピクの客たちの頭にもあったかもしれないし、なかったかもしれない。客たちは、それをジョークと思っただけかもしれない。ポーランド語の吹き替えがついた『ダウントン・アビー』のDVDを買わせるための少しばかり滑稽でレトロなイギリスらしさの一例として好意的に受け止めたのかもしれない。しかし、過去十年間でこれほどイデオロギーに満ちたイメージはほとんどなく、これほど誤った「歴史的」記録もほとんどない。

重要なことに、「KEEP CALM AND CARRY ON」のポスターは二〇〇八年まで一度も大量生産されたことはなかった。それは、ひどく奇妙なタイプの歴史的対象なのだ。初めてその人気が絶大になった二〇〇九年には、「KEEP CALM」ポスターは非常にイギリス的な不安、信用危機と銀行破綻へのイギリスの対応と直結した不安に応答しているように見えた。「KEEP CALM」ポスターはこの危機のときから、イギリスだけが第三帝国と闘い続けていた当時の「最良のとき」[3]——一九四〇年から一九四一年における英国空中戦——についての既定のストーリーに訴えかけるようになった。その「最良のとき」とは、完全に議論の余地なく——そしてだれが見てもわかりやすい——国家が英雄的だった時代、どんなことがあってもイギリスがつかんで離さない時代だった。批評理論家のポール・ギルロイが二〇〇四年の本、『帝国以後』で指摘したように、大空襲（ブリッツ）と大戦での勝利は高度成長の最中ですらもしばしば呼び起こされ、「イギリスが道徳的、文化的心構えを失う以前の場所や時間へ戻る必要」ゆえに、なくてはならないものとされた。【2】「一九四〇年」と「一九四五年」は、イギリスのそう遠くない歴史におけるほかの側面について考えないようにするための一手段として、けっして手離すことのできない「強迫的反復」、「不安とメランコリー」、病的なフェティッシュだった——そこでもっとも明白に抑圧されていたのは帝国の歴史である。これは、金融危機が始まって以来、ひたすら強まり続けている。

「ブリッツ精神」は、おもに一九七九年から政治家に利用されてきた。サッチャー派とブレア派は「困難な選択」と「なんとかやり遂げる」ことについて語るとき、しばしば一九四一年の記憶を呼び起こした。そのレトリックは、事態がそれとは反対に見えるときでさえも、資源不足で、全員に行き渡る十分な金がないとしきりに主張する政権を正当化するのに役立った。それは、だれか（ほかの人）が苦しむことになるのが避けられない理由を説明するもっとも説得力ある方法だった。しかしながら皮肉なのは、この犠牲のレトリックが、消費者たちは豊かになるべしという要求——家を買え、あたらしい車を手に入れろ、成功しろ、「野心をもて」——としばしば結びつけられたことだった。

このようにして、二〇〇七年から二〇〇八年までに、ゴードン・ブラウンによって宣言された「景気の波からの脱却」がとんだ的外れだったことが（銀行の国有化によって「資本主義を救う」というまさに一九四〇年代的な彼の代替案の成功にもかかわらず）あきらかになったとき、あの緊縮デザインのイ

3 第二次大戦中の一九四〇年六月一八日、英国空中戦の開始にあたり、首相チャーチルが英国議会庶民院でおこなった演説の一説。将来のイギリス国民がこの戦いを振り返り、「最良のとき」(their finest hour)だったというだろう、という意味。

メージは初めて現れた。この時期の直後、二〇〇九年から二〇一一年のあいだの短い一連の抵抗運動は、ますます厳しく取り締まられていたという事実を記しておく価値はあるだろう。公権力は、警備・監視装置と「テロリズム防止」目的で数多く整備されてきた法律を用いるのが可能な状態だった——いずれも一九九七年から二〇一〇年までの期間のニューレイバーのもとで、どんな反対意見の兆候も抑制するために提案されたものだった。この文脈において、あの緊縮デザインのポスターがよりいっそういたるところに現れるようになり、奇妙にも、二〇一一年以後、ほとんど抗議がなくなった状況のなか、ほんの少しだけ歪められたかたちで用いられ始めた。

「KEEP CALM」ポスターは、倹約を目指し、皮肉で脱政治化された美学を通して監視と警備を日常化（ノーマライズ）しようとする消費経済にともなうあらゆる矛盾を体現しているように見えた。どこからともなく出てきたこのイメージ——装飾がなくかすかにモダニズム風のタイポグラフィ、慰めとなる王冠のロゴ、そしてそれと同様に安心させるメッセージの組みあわせ——は、あらゆる場所に広まった。

わたしが初めてそのポスターがいたるところにあると気がついたのは二〇〇九年冬のことで、長引く降雪にともなって鉄道網が機能不全に陥るなか、ロンドンの富裕層が住むブラックヒースなどの地区で、多くの住宅の窓に掲げられていた。うっすら積もる雪くらいで鉄道システムが停滞している状況では、敵を目前にした忍耐強さとブリッツ精神を伝えるその暗黙のメッセージはいくぶんばかげているように見えた。そのポスターは、過去二、三年のあいだにわたしたちにゆっくりと忍びより、もはや不可避なものとなったデザイン上の変化を体現しているように思われた。この現象を表すのにもっとも適切なのは、緊縮ノスタルジアという言葉だ。この美学は、是非はさておき一九三〇年代から七〇年代前半までの期間を特徴づけたとみなされる公共モダニズムに対するノスタルジアというかたちをとった。それは、困難な時代を目前にして安全と安定をもとめる、より直接的に保守的な願いをたやすく具現化することができた。だがなによりも、「KEEP CALM」ポスターは、見た目にはモダニズム的である慈悲深いイングランドの官僚の美学に対する漠然としたノスタルジアをもっとも明白に表していた。

ただ、「KEEP CALM」ポスターの広がりと政治への応用は、ある種皮肉な仕方で権威主義を視覚化するにまでいたり、弾圧と警察暴力の冗談にならない過激化と直接結びついた。二〇一一年の抗議〔その年にはイギリス全土で反緊縮運動が活発化した〕があえなく失敗に終わったあと、そのポスターは、ますます耐え難くなる状況のなかで、緊縮への抵抗の拒否を独りよがりに宣言し、憮然と黙ってこつこつと自分の仕事に従事することをうながしているように見えた。しかし、それが示す主たる感情は、現在そのものではなく、かなりねじ曲がった過去の考えにまつわるものだった。

多くのノスタルジアとは異なり、「KEEP CALM」ポスターが呼び起こす記憶は、実際の経験にはもとづいていない。このポスターを買い、そのデザインのバッグやTシャツ、そのほかの品々を着用したことのある人びとのほとんどが、おそらく一九七〇年代か八〇年代の生まれだろう。この世代は、そのスローガンが体現するとされる慈悲深い国家主義の記憶はもっていない。この意味で、そのポスターは、ダグラス・クープランド[4]が一九九一年に簡潔な定義を与えた「法定ノスタルジア」という現象の一例であ

4 カナダの小説家、芸術家（一九六一年―）。代表作に、『ジェネレーションX――加速された文化のための物語たち』黒丸尚訳、角川書店、一九九五年。

る。すなわちそれは、「実際は有していない記憶を人びとの身体に強制する」。【3】

しかし、それだけではない。当時〔第二次大戦中に〕生きていた人たちでさえも、それをデザインした情報省担当局で働いたことがある場合をのぞいて、そのポスターを一度も見たことがなかっただろう。実際、二〇〇八年以前には、「KEEP CALM AND CARRY ON」に遭遇したことのある人はほとんどいなかった。

このポスターは一九三九年に情報省のためにデザインされたものだが、「KEEP CALM AND CARRY ON」の安っぽい品々を売る「公式ウェブサイト」【4】には、それが公式のプロパガンダ・ポスターになったことは一度もないと書かれている。それは、ごく少部数で試し刷りされただけだった。これは、ナチスによる侵攻のなかで、「決意を固める」という目的のためにつくられた、三通りで一セットのデザインのなかの一つだった。シリーズにはほかに二つあり、それらも同様のデザインの原則に従っていた——ギル・サンと似た（ただそれとは異なる）サンセリフ体のフォントのスローガンが、単色の背景の中心に位置し、王冠が載せられている。ほかのポスターは、以下のものであった。

あなたの勇気が
あなたの元気が
あなたの決意が
われわれに
勝利をもたらす

YOUR
COURAGE
YOUR
CHEERFULNESS
YOUR
RESOLUTION
WILL BRING
US VICTORY

そして、

自由は
危機にある
全身全霊で
それを
守れ

FREEDOM IS
IN PERIL
DEFEND IT
WITH ALL
YOUR MIGHT

これら二つのポスターは印刷され、英国空中戦ではドイツが敗北したため、恐れられていたイギリス本土への侵攻がおこなわれなかったこともあり、とくに「あなたの勇気が」ポスターのほうが大空襲（ブリッツ）の最中多くの場所に掲示された。マイケル・パウエルとエメリック・プレスバーガー監督の一九四三年の映画『老兵は死なず』のラストシーン、反動的だが魅力的な老兵がベルグレイヴィアにある自宅が爆破されたのを知る場面の背景にある広告板に、そのポスターを確認できる。

三つの案のなかで、「KEEP CALM」ポスターは、試し刷りのあと、なんらかの理由でボツになり、公の場に掲示されることはなかった。これはおそらく、そのポスターが、ドイツの地上侵攻が起こった場合に予想された大衆のパニックに対処するために制作されたものであって、大空襲（ブリッツ）の状況にあまりふさわしくないと判断されたからかもしれない。いくつか試し刷りされたそのポスターの一つは、ノーサンバーランド州のアニックにあるバーター・ブックスが競売で買った古本のなかで見つかり、この本屋の関係者が「KEEP CALM」ポスターの初の複製を〔二〇〇八年頃〕おこなったのだった。

まずはロンドンのヴィクトリア&アルバート博物館のショップで売り出され、「金融収縮（クレジット・クランチ）」と当初は少しばかり婉曲的に呼ばれていた不況が襲ったとき、ミドルブラウ[5]の定番となった。このポスターを通じて、あたらしい緊縮体制への献身度合いを示す方法が、消費をすること——好景気時よりも派手さが抑えられたデザインの商品を買うこと——と同一になった。この事態は、九・一一後およびサブプライム危機がアメリカを襲ったときにジョージ・W・ブッシュが命じた「落ち着いて買い物を続けよ」と変わりはなかった。このレトリックの「戦時の」使用は、イギリスが経済的に動揺している最中エスカレートした。その証拠に、二〇一〇年—一五年の連立政権のスローガンは、「一致団結しよう」から「われわれはクレジットカードの限度額に達した」へと移り変わった。

「KEEP CALM AND CARRY ON」の力の源は、「唇を噛み締めてなんとかやり遂げる」〔イギリス人の忍耐強さを示す慣用表現〕という、現実のあるいは想像上のイングランドの貴族の態度への憧れである。しかしこうした憧れは、仕事と消費に捧げられた国、選挙結果が住宅価格と突然の感傷のほとばしりに左右されるような国において、主として大衆の想像力のなかにしか生き残っていない。「KEEP CALM」ポスターは、たんに抑圧されたものの回帰の一事例であるだけではなく、むしろ、抑圧そのものの回帰なのだ。それは、抑圧された状態へのノスタルジアである——脱政治化され、ヒステリックで、私有化の進んだ過去三〇年間のイギリスの現実とは真逆の、信頼でき、禁欲的で、公共心があった時代へのノスタルジアなのだ。

「KEEP CALM」ポスターは、イギリスやイギリス人という考えが衰退していくなかで喪失の感覚を呼び起こすと同時に、（かなり自意識過剰ではあるが）徳の高い消費者の禁欲主義を暗に示しつつ、安心感を与え、気をよくさせてくれる。もちろん結局は、ちょっとしたジョークにすぎない。あなたの減給やあなたの子どもたちが家を買えないこと、寝室税のためにどこかのだれかがホームレスになり、給付金を失い、ゼロ時間契約で働くことになるといった事実が大空襲（ブリッツ）と本当に比較可能などと、だれも真剣には考えない——それでもちょっと面白おかしいだろ、というわけだ。

緊縮的消費主義

「KEEP CALM AND CARRY ON」のポスターは、緊縮ノスタルジアの氷山の一角でしかない。その初期の雰囲気は「テロの脅威」とそれに付随した「ブリッツ精神」が引き起こしたものとみなすことができるが、その後、経済破綻による不安定さへの反応としてますます広がってきている。

　これが生じた最初の現場の一つは、欲望の即時的満足と密接に結びついた領域、食品分野だった。大空襲（ブリッツ）とともに配給制が敷かれたが、それは一九五〇年代半ばまで完全に廃止されることはなかった。配給制を語る方法はさまざまである。その平等主義は、中産階級の食事の量を激減させ質を劣化させた一

5　高級（ハイブラウ）でも低級（ローブラウ）でもない中途半端な趣味を指す用語で、一九二〇年代半ばから使われ始めた。ヴァージニア・ウルフなどはミドルブラウはたんに見栄を張りたい人びとのまがいもの文化であると批判したが、J・B・プリーストリーなどはミドルブラウを擁護した。

方で、多くの貧しい人びとの状況をいくらか改善したのだ。

いずれの場合でも、配給制は厳しい制度であり、そこで現れて助けとなったスパムやコーンビーフといった副産物と代理品はしばらくのあいだ、多くの移民がイギリスの食生活をだんだんとましにしてくれるまで、すでにひどいことで有名だったイギリスの食事につきものとなった。その過程で、イギリス料理――スエット・ダンプリング、ランカシャー・ホットポット、ヨークシャー・プディング、ロースト・ディナー、ファゴット、スポッティッド・ディック、トード・イン・ザ・ホールなど、ジョージ・オーウェルが「イギリス料理の弁護」[6]というエッセイのなかで列挙するタイプの料理――のすべては、少なくとも都市部からは、消え始めた。

ここで重要な人物は、エセックス出身の億万長者となったシェフで、ウィンストン・チャーチル信奉者のジェイミー・オリヴァーである。彼は『サンデー・タイムズ』の富豪リストに入るくらいには上品で誠実な人物なのだが、彼の「よい食事」に向けたさまざまな改革運動、そしてそれをマーケティングするやり方は、不注意にも多くを語っている。ニューレイバー時代のスターで、ベッカム風の髪型をした若い有名人シェフとして最初に名声を得たのち、彼がおもに取り組んだのは、（グリニッジ・マーケットからホテル・モスクワにまで広がる、巨大な高級顧客向けのレストランチェーンを運営する大企業（エンパイア）は別として）「よい食事」を中産階級のためのものから、サッチャリズムの三十数年間によって大きな打撃を受けたインナー・ロンドン、かつての工業地域、炭鉱村、そのほかの場所にいる「恵まれず」、「社会的に排除されている」人びとに届けるということだった。

この最初の試みとなったテレビシリーズの『ジェイミーの学校給食』では、南東ロンドンの貧しい、当時荒廃した地域だったキッドブルックで、総合中等学校の給食の内容を変えようとするジェイミーの姿をカメラクルーが記録した。この改革運動は、健康を謳ったまずい食事に子どもたちが苦しまないよう、炭酸飲料やハンバーガーをフェンスにねじ込んで渡した母親たちによって、あやうく挫かれるところだった。

第二の試みは、『食品省』とブランディングされた本、テレビ番組、チェーン店だった。この名前は、戦時中に疲弊したイギリスの食品配給を管轄していた実在の省の名称から直接取られている。オリヴァーは、二、三の公共団体から援助を受け、慈善事業を設立し、いくつかの炭鉱に再生資金とみずからの資産のいくらかを投入することで、プロレタリアートに本物の材料を使った本物の調理法を教える予定だった。彼のことを、下層階級の食生活に口出しする中産階級の長い系譜の最新版で、ばかげたネオ・ヴィクトリアン風[7]のスノビズムの一大コンテンツ――『あなたの家はどれだけ綺麗?』、『給付金通り』、『移民通り』、そして『下層の面白いクズたちを笑おう』[8]のような企画――の一つであると主張することもできただろう。しかし、オリヴァーは実際に現場に入って「手を汚した」[9]のだ。

しかしながら、この物語は予想しうるかたちで終わりを迎えた。いかなるイギリスのまともな政府も、二大主要政党に資金提供しているスーパーマーケットやさまざまな製造業者たちと対立する気などなかったため、この慈善事業を恒久的なもの、制度的なものにしようという試みは失敗した。食品や情報など

6　平凡社ライブラリー『オーウェル評論集』第四巻所収。
7　ヴィクトリア朝とエドワード朝時代から借用されたノスタルジックな文化全般に用いられる呼称。

が慈悲深い父権的官僚制によって分配されていたらしい時代、消費者の選択が最優先されるようになる以前の時代へのアピールは、慈善事業とPRというかたちで具体化されるしかなく、そこでわたしたちは、テレビ番組が放映中の数ヶ月間だけなにが起きているのかを知り、その後は忘れてしまうのだ。「ポップアップ」と呼ばれる、ほとんどがボランティアのスタッフによって料理のスキルを伝達する食品省の店舗の「恒久的」ネットワークは、ブラッドフォード、リーズ、ニューカッスル、ロザラムといったイングランド北部に設けられたが、健康および安全への懸念からロザラムの店舗は二〇一三年に閉鎖に追い込まれた。【5】

テレビ／慈善事業型の福祉国家を自力で実現しようというこの試みよりもはるかに影響力があったのは、食品省の美学であった。関連商品の料理本のカバーでは、オリヴァーは寒々しくかわいらしい壁紙の前で、一九四〇年代の「実用的な（ユーティリティ）」テーブルクロスが敷かれたテーブルについており、「MINISTRY OF FOOD」という文字が、「KEEP CALM」ポスターと同様の、ギル・サンから派生した字体で書かれている。

これはよく知られたジャンルだ。胃袋をまっすぐ標的にした緊縮ノスタルジアのミクロ産業の広がりは巨大である。もちろん、オリヴァー自身のチェーンである「ジェイミーズ」があり、そこでは四ポンド〔約六〇〇円前後〕でポーク・スクラッチング（イングリッシュ・マスタードつき）を注文することができ、ネオ・ヴィクトリアン風のトイレを楽しめる。ジェイミーの帝国のほかに、ケータリング会社のペイトン&バーンのような中産階級的な企業は、西洋世界をまたいで共通のレトロな食品（カップケーキがたくさん）と、ソーセージ・アンド・マッシュのようなシンプルなイギリス料理を凝ってアレンジしたものとを組みあわせる。そうしたカフェ（トッテナム・コート・ロードのヒールズにある店舗など）の内装のいくつかを建築家集団FATが設計しており、いまもイギリス中に点在している一九四〇年代の本当の遺物に共通する、かすかに公衆便所風の画一的デザインにポップなひねりを加えている――デトフォードにあるパイとマッシュの店、ワージングにあるアイスクリーム・パーラー、グラスゴーのすすけたパブ、これらのどの店も、汚れを拭きとりやすいタイル張りを多用している。

緊縮外食産業のほかの例は、より豪華である。「ディナー」では、ヘストン・ブルメンタール〔イギリスの有名シェフ〕が「典型的に一癖ある」イギリス料理を提供しており、地上でもっとも高額な住宅開発地であるワン・ハイド・パークのアトラクションの一つとなっている。これと似たような料理を出す「カンティーン」は、ロイヤル・フェスティバル・ホール、カナリー・ウォーフ、そして、――シティ・オブ・ロンドン・コーポレーション〔ロンドンの金融街シティの行政府〕とノーマン・フォスターによる容赦な

8 『あなたの家はどれだけ綺麗？』（*How Clean Is Your House*）は、チャンネル4で二〇〇三年から二〇〇九年まで放映されていた番組で、掃除の達人が極端に汚い家を訪問し、掃除するという内容。『給付金通り』（*Benefits Street*）もチャンネル4の番組で、二〇一四年から二〇一五年にかけて放映される。イギリスの各地で給付金を受けている人びとを題材としたが、そういった人びとをテレビの消費の対象とし、多数の批判が集まった。『移民通り』（*Immigration Street*）は同テレビ局による『給付金通り』の続編で、人種的に多様で移民が多い地区を撮影対象とした。『下層の面白いクズたちを笑おう』（*Let's Laugh at Picturesque Prole Scum*）は、ハサリーがそれらを皮肉って考えた番組のタイトルだろう。

9 'Make one's hands dirty'には「つらい肉体労働をする」という意味もある。オリヴァー自身がインタビューで自身の活動についてこの言葉を使ったことがある。

いジェントリフィケーションを経た——スピタルフィールズ・マーケットに支店がある。カンティーンは、「偉大なイギリス食」を提供していて、そこでは「ビール、シードル、ペリーはわが国の醸造業の歴史を表し」、カクテルさえもが「イギリス主導」であるとされている。【6】よそよそしく豪華になった仕事場の食堂のような内装デザインはあきらかに店の魅力の一つであり、モダニズム的であると同時にノスタルジックに演出するためのベンチ、トレー、サンセリフ体のロゴで飾られている。これは、非常にくつろいだ時間を過ごすために一九六〇年頃のタイレル&グリーン〔いまはなき老舗デパート〕の支店の会食室を予約するのに似た、奇妙な見世物のようだ。

よりいっそう異様なのは「アルビオン」である。それは、少数の金持ちのための八百屋であり、テート・モダンの並びにあるリチャード・ロジャーズがデザインした高層建築群ネオ・バンクサイドの住民たちに、イギリスの伝統的農産物を売っている。それらのビル群の路面店舗は、二〇〇万ポンド〔約三億円前後〕の値下げ価格からスタートしたマンションを宣伝するポスターの横で、地味な果物と野菜を販売している。

緊縮の食品。ネオバンクサイドにある「アルビオン」。

イギリスの食品と緊縮ノスタルジアのつながりは、多くの点で、状況をかなり適切に表している。パイ・ペイストリー、ソーセージ、そして、とりわけ忘れ去られたように思われる副産物のスエットといった重い食べ物は、すぐに安心させてくれ、馴染みがあり、昔懐かしい。食一般に言えるように、それは親密で、ほとんど無意識に経験される。現在の三十代にとって、それは親世代の食品とつながりのあるものではない――一九七〇年代・八〇年世代はフィンダス社の冷凍食品とレトルト食品（労働者階級）か、エリザベス・デイヴィッドやマークス&スペンサーのレシピ本（中産階級）を好み、わたしたちにもおなじものを食べさせた。そう、パイやペイストリーのように甘くて脂っこく、過ぎ去った時代を思い出させる食べ物は、わたしたちの祖父母世代のものなのだ。他方で、多くの「現実の」緊縮的消費主義も存在しており、どのスーパーでも見つけることができる。テスコ・バリュー（実際の一九四〇年代のユーティリティ・デザインに酷似した縞模様）やセインズベリーズ・ベーシックス[10]（この一〇ペンスの石鹸は泡を少ししか出さないが喜びで包んでくれると伝える小さくてかわいい宣伝文句つき）ほど緊縮的なものはない。それはまた、手に入るかぎりでもっとも質の低い商品であり、工業化された食品製造によるもっとも低級な副産物、まさにジェイミー・オリヴァーがわたしたちの子どもと北部の人びとをそこから救い出したいと思うような品々である。

以上に挙げたもののほとんどは、値引き券を集めるケチくさい金持ちの美学と食事のようなものだが、大部分の人たちにリアルなのは、「配給通帳（レイション・ブック）」という携帯アプリである。そのウェブサイトでは、レイション・ブックが提供する配給制についての短期集中講座を受けることができる。かつての配給制は、物

10 それぞれ大手スーパーのテスコとセインズベリーズのプライベートブランド（日本で言えばイオンのトップバリュのようなもの）。

緊縮ノスタルジアの専門店。ロンドンのロイヤル・フェスティバル・ホール

資不足と道路封鎖の状態においても「生活必需品」を得ることができるよう政府が手配し、乾燥卵、小麦粉、ポラック〔ヨーロッパ産のタラ科の食用魚〕、スパムをどれくらい受け取れるかをその有名な通帳にスタンプで記載していた。このアプリは、〔金融〕「収縮」に直面する人びと――落ち目のエド・ミリバンドが支持を広げようと呼びかけた「苦しむ中間層」――のために、引換券コードを発行することでさまざまなブランドの値引き券を集める。「数人の「大臣」からなるわたしたちのチームは、あなたに最大のお得を届けるために、もっとも有名なブランドの商品をもっとも安くお買い物できるよう仲介いたします」。【7】国による生活必需品の配給を模倣しながら、実際は「大衆向けブランド」の値段を少しばかり下げるだけでしかないアプリをつくる国という以上に、二〇一〇年代のイギリスを上手く説明する方法があるだろうか？

胃袋に関わるこの種の緊縮ノスタルジアは、一九四〇年代への奇妙な憧れを示す一例である。音楽とデザインにおいて、その種のものはより多く見受けられる。ロイヤル・フェスティバル・ホールや帝国戦争博物館のショップに入ってみれば、大量の緊縮ノスタルジア商品を見つけられるだろう。一九四〇年代のポスター、歴史のゴミ箱から復活させられ、もっともあたらしいものでも一九六五年頃より前につくられた玩具と小間物が、緊縮料理本や、一九六〇年以前の「象徴的（アイコニック）」グラフィック・アーティストたち（エイブラム・ゲームズ、デイヴィッド・ジェントルマン、エリック・ラヴィリアス〔いずれもイングランドの芸術家、デザイナー〕など）についての「デザイン・シリーズ」本、たくさんの「KEEP CALM」関連のアクセサリーと並べて売られている。一九三〇年代のペンギン・ブックスのカバーを「象徴的」ロゴとしてあらゆる商品に使用するのはとくに確立された手法だが、これは、教育的出版社としてペンギンが世紀半ばに果たした重要な役割を意図的に呼び起こしている。

そこにはあの、額縁に入れてゾーン2か3〔ロンドン地下鉄の地域区分〕にある公営住宅を改装した自宅の壁にかけておくにはぴったりのモダニズム建築を映した写真プリントもある。それらの印画紙には、取り壊された建物（映画『狙撃者』に出てくるゲイツヘッド〔イングランド北部ニューカッスルの隣街〕のトリニティ・スクエア駐車施設）であろうと、保護された建物（ロンドンのナショナル・シアター）であろうと、くっきりと拡大され濃度を下げた印刷で、モダニズム建築の外形が映されている。皿を製造する会社「人民はつねに皿を必要とするだろう（ピープル・ウィル・オールウェイズ・ニード・プレイツ）」は、一九三〇年代から六〇年代にかけてのさまざまなイギリス・モダニズム建築のモチーフで飾ったタオル、マグカップ、皿、バッジで有名になった。それらの建築物はくっきりと設計図のように描き直され、実際にはたいていややみすぼらしい外観をごまかしている。

しかし、汚れていない歴史的建築という純粋なイメージをつくり直すことによって、それらはもともとのモダニズムの精神を反転している。アドルフ・ロースと数世代にわたるモダニズム建築家たちにとって装飾は犯罪だったが、ここでモダニズム建築は装飾にされてしまっているのだ。ただ、どの建物が選

トレリック・タワーの絵がプリントされたマグカップ

択されているかは政治的に興味深い。一九三〇年代の集合住宅の建築群、一九六〇年代の公営住宅、戦間期のロンドンの地下鉄駅——これらはまさに、小売業と不動産投資が優先される現代においては、時代遅れと考えられる建築計画である。

これらの皿に不滅のものとして描き出された建物のいくつかは、公営セクターから私営セクターへの直接的な譲渡の対象となってきた。知識人たちによる戦後モダニズム建築の再利用は、社会的住宅の私有化を促進する一因となってきたのだ。早期の例としては、東ロンドンの「クラスター・ブロック」〔階段やエレベーターなどのある中央の塔を中心にいくつかの棟をもつ形式の集合住宅〕として知られていたデニス・ラスダン設計のキーリング・ハウスが私営のデベロッパーへ投げ売りされたケースがあり、それは即座に「クリエイティブな人たち」に向けて売り出された。これについで、モダニズムの社会的住宅に対するジェントリフィケーションが立て続けにおこなわれた。それはブルームズベリーのブランズウィック・センター（老朽化の進むブルータリズムの大型建築が、ウェイトローズ〔高級スーパー〕のロンドン最大の支店へと変えられた）から、シェフィールドにある、建築物としては並はずれた公営住宅のパーク・ヒルにまでいたった。パーク・ヒルは、マンチェスターのデベロッパー、アーバン・スプラッシュに無料で引き渡されたが、その会社が好む「コンパクトな」マンションは長いこと、贅沢品として売られる緊縮の一例を示している——しかし、好景気が終わったあとで、その企業の私有化の計画は、公的資金による何百万ポンドもの額の救済策を受けねばならなかったのだが。

よりわかりにくい仕方で緊縮デザインと私有化が共謀した例として、ゴースト・ボックスというレコードレーベルによる戦後デザインの不気味でサイケデリックな修正が挙げられる。立ち上げからの数年間、そのレーベルのジャケットはすべて、ペンギン・ブックス発行の教育的な叢書シリーズであるペリカン（最近、それ相応のレトロなデザインとともに再刊された）のためにジェルマーノ・ファチェッティ[12]がデザインしたカバーを厳密にモデルとしていた。ゴースト・ボックスは、啓蒙され美的に進歩した官僚制という考えを巧みに利用する。それは、ＢＢＣレディオフォニック・ワークショップの機能主義的ミュージック・コンクレート、そして権威主義的なＲＰ[13]の公共放送（実際の録音の復元・再演、あるいは架空の音源）を参照し、路上安全を訴える映像と、一九七〇年代に、核戦争が差し迫った際に放映するため

11 オーストリアの建築家（一八七〇年—一九三三年）。機能主義的建築を評価し、「装飾は犯罪である」と述べた。

12 イタリア出身のグラフィック・デザイナー（一九二六年—二〇〇六年）。一九六二年から七一年にかけてペンギン・ブックスの書籍デザインを担当した。

13 ＲＰ（received pronunciation、容認発音）とはイギリスにおける標準語のような話し方のことであるが、実際にＲＰを話すイギリス人はほとんどいない（人口のおよそ3%と言われている）。かつてＢＢＣのアナウンサーはこの訛りで話すことが多かったため、「ＢＢＣ英語」と呼ばれることもある。

に制作された『守り、生き延びろ』の黙示録的な恐怖にも言及する。[14] アドバイザリー・サークル、ベルベリー・ポリー、ザ・フォーカス・グループといった、ゴースト・ボックスに所属するグループの名称は高慢かつ貴族的で、少々不気味な過去の公の官僚制を呼び起こす点で、食品省をより深遠にしたような名前であった。[15] それらのグループはすべて、「KEEP CALM」ポスターが出現したのと同時期の二〇〇七年頃に注目され始めた。最盛時の――ひとまず、おぼろげで隙間が多く、安っぽい音像をつくり出すザ・フォーカス・グループのアルバム『おい、愛を解放するんだ』(*Hey Let Loose Your Love*、二〇〇五)としよう――ゴースト・ボックスは、緊縮ノスタルジアが本当に不安な気持ちを抱かせる稀有な例だろう。霧のかかったような実際の記憶の錯綜、そして不気味なものの絶え間ない暗示は、それらの音楽がたんに安心させるものになるのを防いでいる。

この点において、これらの音楽は支配的潮流の例外であると言えるかもしれない。マーク・フィッシャーはゴースト・ボックスの美学を、ジャック・デリダの『マルクスの亡霊たち』の表現を借りて、「憑在論的」――ある種の社会民主主義的な抑圧されたものの回帰、ただし裂け目としての回帰――と評した。[16] 忘却、あいまいな記憶、五〇年間の歴史の介入によって歪められたその美学は、「遺産(ヘリテージ)」の代わりに、けっして完全には存在したことのない公共モダニズムの夢の世界をつくり出し、同時には存在しなかったはずの複数の瞬間を共存させる。「もしロックンロールが起きず、いまとは違う流れのなかでジャズが続いていたとしたらどうだろう。フェスティバル・オブ・ブリテンにおける大衆の熱狂を、わたしはこんな風に違うかたちでイメージしていた」と、ゴースト・ボックスのジュリアン・ハウスは夢想した。【8】

ゴースト・ボックスの美学は、新自由主義の上げ相場のなかで過去へ憧れるのではなく、過去の実現されていない約束にとり憑かれた現在を示唆している。【9】しかしこのスタイルもまた、公共案内映像、電子テレビ映像の信号、核への不安、そしてモダニズムの公共的利用という個々バラバラな参照項のキュレーション的寄せ集めとともに、すぐに、ペイトン＆バーンのソーセージ・アンド・マッシュの大皿とおなじように安心感を与えるブルジョワ的なものになってしまった。【10】そこで参照されるものはかなり覚えやすかったので――イギリスのホラー映画にモダニズム的なブックデザイン、モダニズム建築、

14 BBCレディオフォニック・ワークショップは、BBC内に、ラジオ（のちにテレビ）のための効果音をつくるために一九五八年に設立された。この部局は、電子音楽の実験的作品で知られる。ミュージック・コンクレートは、楽音だけでなく、人や動物の声、都市や鉄道からの騒音、また自然界の音を電気的な操作などによって加工・構成した電子音楽の一種。『守り、生き延びろ』(*Protect and Survive*) は、一九七〇年代後半から一九八〇年代前半の期間にイギリス政府によって制作されたラジオや映像、パンフレットなどの情報プログラムである。これは、核攻撃があった際に市民が自衛する方法を教えている。

15 各グループ名の意味は以下のようになる。アドバイザリー・グループは直訳すると諮問グループ。ベルベリー・ポリーは小説家C・S・ルイスの『別世界物語』の『いまわしき砦の戦い――サルカンドラ地球編』に出てくる虚構の官僚機構の名前。ザ・フォーカス・グループは、マーケティング・リサーチでよく用いられる研究手法の一つで、製品や政策などに関して有用な情報を得るために議論をおこなわせるためにつくられる少人数のグループ。

16 マーク・フィッシャー『わが人生の幽霊たち――うつ病、憑在論、失われた未来』五井健太郎訳、Pヴァイン、二〇一九年の第二部に所収の「モダニズムへのノスタルジー――ザ・フォーカス・グループとベルベリー・ポリー」を参照。

一九七九年以前の公共テレビ放送、そこにポップではないエレクトロ音楽を足す——それらは簡単に再現され、巡回型のマニアックな音楽フェスに欠かせないあたらしい小ジャンルとなってしまった。『バーバリアン怪奇映画特殊音響効果製作所』のような映画作品、あるいは、会場となるポーランドの歴史的首都クラクフが一週間ハックニー〔東ロンドン〕の一部へと姿を変えるアンサウンドのようなフェスティバルは、「憑在論的」である。事実、二〇一四年には「憑在論者（ホーントロジスツ）」という名前のグループさえ登場した。注目すべきなのは、社会民主主義の物質的世界への憧憬とおなじほど奇妙なものが、ロンドンやグラスゴーの凝りに凝ったレコードショップでセクションが設けられるほど、特定可能で売れる音楽ジャンルになったという事実である。以前モーダント・ミュージックという「憑在論的」グループの片割れを務めていたゲイリー・ミルズは、ノーサンプトンを拠点とした出版物『ドッジェム・ロジック』における批評で、その音楽的実験全体に説得的な批判を加えた。ミルズによれば、この賢い概念的遊びはすべて究極的には「おなじことを、つまり一九六〇年代を繰り返すだけのリバイバリズム」という「敬虔な奇行」になってしまう、とのことだった。【11】

モーダント・ミュージックのDVD、『ミスインフォメーション（*MisinforMation*）』は、この寄せ集め全体からなにか面白いものを救い出す一つの試みとみなすことができる。情報中央局が保管する公共案内映像を渉猟するのを許されたこのグループの使命は、安心させることではなく動揺させることだ。イングランドの庶民の陰鬱さ、冷戦の恐怖、唐突なユートピア的可能性のイメージからなる、徐々に悪夢のようになっていく反復的なモンタージュをつくり出し、それがつねに残酷にはぎ取られるたびに、観る者／聴く者は無意味なスローガンとショッキングな火事や怪我や災害のイメージのごた混ぜのなかに再び突き落とされる。同様にして、彼らの二〇〇九年のアルバム『兆候（*SyMptoMs*）』は、この「憑在論的」状態にいつになく敵意を示し怒っており、余生をルートン〔ロンドン郊外〕のアーンデール・センター〔ショッピングモール〕で働いて過ごさねばならなくなったシンセサイザーをもった中年男たちが製作した音楽のように聴こえた。

しかし最終的には、あらゆるポップにおける動向と同様に、憑在論は徐々にメインストリームになっていった。ただ、それはジュリアン・ハウスのような人たちが想像もできなかったようなかたちで起こった――一九七九年以前のポップでないモダン・ブリテンへのノスタルジアが、金融危機があろうとなかろうと少なくともイングランドにおいては難攻不落に見える極右新自由主義の新たな一部として取り込まれるというかたちで。

皮肉な権威主義

「KEEP CALM AND CARRY ON」の第一の神話は、慈悲深い国家である。この神話は、その鉄のような意志を隠すために人気ポスターとおなじ緊縮の美学を採用している。

たとえば、公的機関の監視と保護のまなざしに対する捏造されたノスタルジアを取り上げてみよう。もっとも初期の例はおそらくロンドン交通局のポスター・デザインである。交通局は二〇〇〇年に当時のロンドン市長のケン・リヴィングストン[17]によって創設され、現在では運営が厳しくなっている公営の交通ネットワークである。交通局は私有化の流れを逆転させようと始まったが、ＰＦＩファンドで支援されるイースト・ロンドン線の拡大というかたちで結局それを迎え入れる結果となった。二〇〇二年から、「注意深いまなざしのもとでの安全」といったスローガンの書かれた一連のポスターがバスの停留所に張り出されたが、そのまなざしは監視カメラとして描かれていた。これらのイメージは、バウハウスのデザイナー、ラスロ・モホリ＝ナジによる一九三〇年代のロンドン運輸局のポスターと、タイポグラフィーの点で明確に似通っていた。ロンドンの忙しい通勤者たちを見守る慈悲深い目を全体主義を思わせるやり方で露骨に表現することで、そのポスターは、一九三〇年代と四〇年代のデザインをめぐるオーウェル的な連想をじつに意図的にうまく用いていた。

だがこれは、いくぶん気持ちの悪いジョークである。ロンドンは、世界のなかでももっとも監視の目が行き届いた都市の一つであり、どこよりも監視カメラの数が多い。このことを、元気の出る善意として取り扱うのはひどくうさんくさい。そのポスターは、思いやりのあるとされるロンドン警視庁がバスや地下鉄の乗客を監視する役割を宣伝しているが、二〇〇五年七月七日の爆破事件のあった数日後に警察に銃撃されたジャン＝チャールズ・デ・メネジスの死のあとでは、いやな後味を残すものでしかない。[18]

この一切に関してひどく皮肉なのは、一九四〇年代の高圧的で父権的であったといわれる公的機関は、どのロンドン在住者も現在普通とみなすような監視装置を設置できなかったか、する気もなかったという事実である。オーウェルが気づいていなかったのは、監視社会には金切り声の説教ではなく、皮肉な冗談がともなうだろうということだ。

二〇〇九年四月、イギリスの街頭には、今回は警察が発表した別のポスターが張り出された。「KEEP CALM」のポスターにこれみよがしに依拠しながら、図面の中心に寄せられたデザインと慈愛に満ちたサンセリフ体を同様に用い、違いは王冠が警察のバッジに代わっただけだった。ポスターの文章は三つのスローガンから成っており、そのなかの一つは明白に不吉なひねりが加えられているものの、一般的に警察がよく用いると想像される特定の言い回しに着想を得ていた。

わたしたちは
あなたを
厳重に
注意したい
と思います

WE'D LIKE
TO GIVE
YOU
A GOOD
TALKING TO

17 イギリス労働党左派の政治家（一九四五年―）。ロンドンのランベス地区の労働者階級の家庭に生まれる。八一年からグレーター・ロンドン・カウンシルがサッチャー政権により廃止されるまでのあいだ議長を務めた。その後国会議員を経て、二〇〇〇年から初代ロンドン市長に就任、二〇〇八年の選挙でボリス・ジョンソンに敗れるまで二期務めた。

18 原文でハサリーはロンドン同時爆破事件を二〇〇六年七月七日と記述しているが、正しい日付は二〇〇五年七月七日であり、ジャン＝チャールズ・デ・メネジスが警察官たちに殺されたのは、さらなるロンドン爆破計画があった二〇〇五年七月二一日の翌日、二二日である。ブラジル出身のメネジスは、二一日に計画されていたロンドン爆破事件に関与したという疑いを誤ってかけられ、無実にもかかわらずストックウェル地下鉄駅で銃殺された。

あなたが
おっしゃる
どんなことも
記録され
証拠として
使われるかもしれません

ANYTHING
YOU SAY
MAY
BE TAKEN DOWN
AND USED AS
EVIDENCE

そして、驚いたことに、

あなたがたには
黙らないでいる
権利があります

YOU HAVE
THE RIGHT
NOT
TO REMAIN
SILENT

ポスターの下部には、「警備活動における誓約」にもとづく公式のメッセージが、簡単に見過ごされてしまうような非常に小さな文字で記されている。[19] その誓約は、あれやこれやの公共団体への「信頼を取り戻し」、「選択を可能にする」ために定められた運営上の新規政策の一つだった。たとえば、その「取り調べ」ポスターは、警備活動について消費者の声を聞くと約束しており、他方で「黙らないでいる」ポスターは、もし警察が迷惑をかけた場合、そのことに対して苦情を申し出ることを人びとに勧めている。

落ち着いて借りを返せ

権威主義的な言葉と、おそらく大きい文字で書かれた内容を愉快に説明するため添えられた寛大で思いやりある小さな文字とのあいだのねじれを利用したこれらのポスターは、否認と皮肉を装えばぞっとすることをだれにも反対されずに言えるということを見事に表している。

その手口は巧妙だ。小さな文字で書かれた御利益は、警察権力は本当に、通りの向こう側の老婦人を助けるためにだけあるのだとわたしたちに念押しする。「警察はここに、耳を傾けることを約束します……」。もちろん真実は、大きな文字で書かれたほうにある。「テロリスト」容疑者への人身保護令状が停止されうることを考慮に入れれば、あなたがたは黙っている権利を本当の意味ではもっ

19 イギリス内務省が、地域住民に対する警察活動の信頼回復を目指して制作した誓約。二〇〇八年一二月三一日から実施された。

ていない。そのようにして、この「機知に富んだ」身振りは、必死で国家を守る警察というイメージを巧みに利用する一方、もはや規則は適用されないのだと非常に大きな声で宣言してもいるのである。

これらの警察のポスターの本当のいやらしさは、司法省が制作し、二〇〇九年春に各種ローカル紙に掲載された宣伝広告のなかであきらかになった。わたしがもっているのは、南ロンドンの『マーキュリー』紙の二〇〇九年四月一日号に掲載されたものである。またも中央に寄せられたどことなくエリック・ギル風のタイポグラフィーによる大きな文字のメッセージと小さな文字の文章、そして再び王冠は入れ替えられ、今回は司法省の紋章になっている。しかし、今回の背景はオリジナルとおなじ赤でも警察のポスターの青でもなく、グアンタナモ〔米国の悪名高い収容所がある〕のオレンジである。今回のスローガンは、以下のものだ。

犯罪者たちが
どう借りを返すべきか
あなたの考えを
お聞かせください

HAVE YOUR SAY
ON HOW
CRIMINALS
PAY BACK

これは、コミュニティへの奉仕活動の強化である「コミュニティ・ペイバック計画」への言及であった。その計画において、軽犯罪者たちは、公共に借りがあることを示す仰々しい派手な衣服を着用して働かせられる——そのポスターの下部に記された司法省の別のスローガンにあるように、「正義が見られるなら、それはなされた」のだ。

その宣伝広告は以下のように説明する。

コミュニティ・ペイバックは法廷で科される刑罰です。この罰は肉体労働で、各コミュニティの犯罪者たちによって遂行されます。犯罪者たちには、「コミュニティ・ペイバック」の文字のついた明るいオレンジの胴衣の着用義務があるため、犯された罪の借りが返されている場面をあなたは目で見ることができるでしょう。国民は、犯罪者たちが働く場所、おこなう仕事の内容についての意見を述べることができます。

わたし自身は二〇〇九年にグリニッジの公営住宅団地で見たのだが、コミュニティ・ペイバックの現場を目撃するのは、不安を駆り立てられる経験である——二〇人のうつむいた黒人の若者たちが、おなじようにオレンジの胴衣を着た監督者に率いられて、自治体がめったに拾わない場所でゴミ拾いをしていた。それなのにその週の平日の午前中は、コミュニティの住人の不在が目立ち、結果としてこの活動はオーディエンスなき見世物になった。しかし、それは見せられ、おそらく楽しまれることを意図された、見世物的な処罰方法である。広告の小さな文字による説明は、ブレア流の懲罰のもっとも顕著な特徴の一つを要約している。それは、あからさまな暴力にまではいたらないが、公の場で可能なかぎりの辱めを与える、タブロイドにウケのよい処罰方法である。これが、フォーカス・グループや『ガーディアン』紙の付録冊子で用いられる「コミュニティ」という言葉の用法と組みあわせられることにより、なにか居心地がよく、共有されるものを意味することとなる。対して、「借りを返す」という語のマッチョな使用は、決定的に権威主義的特徴を与えている。「コミュニティ」が軽犯罪者に対する罰を具体的に選ぶようもとめられているという点で、ここで重要なのはすべて「選択」と「エンパワメント」であるということもまた、心に留めておく必要がある。この宣伝広告は、どのような結果を生むのかについてはほとんど手がかりを与えない。しかし、このメッセージこそが、強盗の被害者が実際にオレンジの胴衣を着た十代の若者に前庭で草むしりを頼むかどうかよりも重大なのである。

ここでは、デザインによる内輪ジョークとしての権威主義と、政治における実践としての権威主義とのあいだを隔てていた線が、決定的に消されてしまっている。

しかし、これらのポスターと宣伝広告がとくに注目すべきものになったのは、同時期に人びとの不満が金融危機後はじめて爆発したためである——〔二〇〇九年〕四月一日、ロンドンのシティでは、G20に対する抗議行動があった。それに先立つ数ヶ月間、警察は「こちらの準備はできている」という異常に攻撃的な声明を出すほど、暴力を行使しそうな状態だった。そうこうするうちに、あたらしい反テロリズム法によって、警察官を写真撮影する行為が、もしその警官がテロ対策に近い活動をしていると証明されたり、その写真がテロリストに役立つと判断されたりした場合、不法行為になる可能性が出てきた。

イングランド銀行と王立取引所とのあいだの空間に抗議者たちが入って数分以内に、抗議側の要求がどんなものかに関わりなく、警察が暴動を起こそうとしていたのはあきらかだった。G20の抗議者たちが閉じ込められた「場所（ケトル）」[20]での出来事は、デジタルカメラと携帯カメラによって途中から記録された。女性たちは言い返したことで殴られ、気候キャンプの抗議者たちは警官たちの攻撃に両手をあげ、救護部隊の警官は警棒を振るい、そして、もっともよく知られていることに、イアン・トムリンソンという（少なくとも）一名の通行人が殺された。

この警察による暴動とトムリンソンの死についての誤った情報が大量に出回った直後、ある匿名のインターネットユーザーは「KEEP CALM」ポスターを修正してつくった、「殴って隠せ」（LASH OUT AND COVER UP）というポスターを公開した（残念ながら現実に存在するポスターに取って代わったわけではなく、バス停の広告板にフォトショップで合成されたものだったが）。この転用の行為は、無力であったとしても、疑いなく状況にふさわしいものに見えた。それは、その翌年、予想だにしないかたちで大規模になった学生の抗議行動が、列をなして抗議者を封殺する戦法（ケトリング）[20]や必要となれば頭部をも狙った殴打によりすぐさま鎮圧された状況を、さらにうまく表していた。

これとおなじ強烈さは、「アカい（レッド）エド」・ミリバンドがその過激なボルシェヴィキ的政策の一環として電力料金にちょっとした上限を課すと提案したことに[21]脅されて、イギリスの私有化された電力会社が緊縮のポスターを応用した例にもみられる。わたしがことあるごとに街角の商店で目にしたポスターは、以

20 やかんを意味する'kettle'には、運動を小さくすることを目的としてデモ中の抗議者たちを警察が包囲するその場所を指す用法がある。

21 生活費の高騰を抑えるために電力料金を二〇一七年まで据え置くという政策は、ミリバンドが党首だった二〇一五年総選挙での労働党マニフェストの目玉の一つだったが、保守党などの敵対勢力は「社会主義的」であるとレッテルを貼り批判した。ここでその政策が「ボルシェヴィキ的」と書かれていることは、ハサリーの見解というよりは、保守メディアの言い回しをもじった皮肉と見るべきだろう。

落ち着いて料金を払え

下のものだ。

料金を払い
そのまま
続けよ

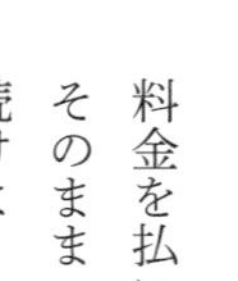

ここに王冠はない。しかしその代わりに、赤地の背景に並ぶ小さな白いアイコン群が、あなたが料金を支払うだろう種々のものを示している——火、電球、家、水道。この広告を出したペイポイントという会社は、もし定期的な引き落としやデビッドカードをあてにできないほど収入が不安定な場合に、街角の店舗などに置かれた機械で料金を現金払いできるシステムを提供している。

E.ON（イーオン）、テムズ・ウォーターなどの強欲な企業が公営セクターを容赦なく攻撃する目的で、このように元国鉄（ブリティッシュ・レイル）時代の図像を取り込むことには、どこかひどく病的で皮肉なところがある。[22] いまやあなたがブリッツ精神によって徳の高いおこないをしていると感ずることができるのは、法外な金額を、多くの場合フランスにある株式公開会社やカナダにある年金ファンドに所有される私企業に支払うときなのだ。

「KEEP CALM」ポスターとその修正版が出され続けるなか、そのポスターは、連立政権による福祉国家の瓦礫への攻撃に対する最初の、驚くほど活発な反応——二〇一〇年から一一年にかけての冬の学生の抗議行動や二〇一一年三月の労働組合会議による巨大なデモ——のあとのあらゆる抗議運動でみられるようになった。二〇一一年八月の暴動の直後、暴動の影響を被った地域のなかで比較的（あるいは部分的に）裕福な地域でおこなわれた、ほうきをもった人びとによる「あとかたづけ」[23]の最中にも、そのポスターは目立っていた。このとき若者たちはしばしば一九四〇年代風のコスチュームで着飾り、暴動のなかで、ほかのより貧しい若者たちが二一世紀のスポーツウェアのような卑俗なものを盗んだことに対する嫌悪感をあらわにした。

その後、二〇一二年の「ルイシャム病院を救え」運動はかなりうまくいった抵抗の一つとなった。おびえた労働組合とほとんど覇気を失った労働党以外のだれにも、NHSを実質的に私有化する二〇一〇年の健康・社会ケア法案を止めるのは不可能だったが、それが副次的にもたらす結果を問うことは可能

22　電力・ガスなどを供給するE.ONは、ドイツのエッセンに本社を置くグローバル企業で、イギリスの電力・ガス供給で二番目の大手である。テムズ・ウォーターは、イギリス最大手の水供給処理企業。

23　二〇一一年八月のイングランド暴動のあと、地域によってはボランティア主体の清掃作業がおこなわれ、フェイスブックやツイッターでハッシュタグ#riotcleanupとともに広まった。

だったし、実際に問われたのだ。南東ロンドンにある大きな総合病院であるルイシャム病院の救急救命科と産科が閉鎖されそうになったとき、ルイシャムの街頭を何万もの人びとが歩く巨大なデモが起こった。その運動は、「KEEP CALM AND CARRY ON」をもとにしたプラカードやポスターをつくりだした。典型的なのは、以下のようなものだった。

落ち着くな
怒れ
そしてルイシャム病院の
救急救命科を
救え

DON'T KEEP
CALM
GET ANGRY
AND SAVE
LEWISHAM A & E

このスローガンが、いつもの赤地の背景に王冠も上に載ったままで、南東ロンドン中の数百の窓に掲げられた。

最終的にその抗議運動は当座の目的を達成したものの、その病院はいまも削られ続け、Serco（サーコ）〔アウトソーシングの大企業〕のような私企業へと少しずつ切り売りされている。

これは、「KEEP CALM」ポスターのうぬぼれに対する不満のなかで生じた無数のパロディ――「興奮し怒れ」など――の政治版であった。たしかに、いまやこの図像の画一主義――王冠へのアピール、イメージの親しみやすさ、厳格でありながらも安心感を与えるレイアウト、デザインの特段の明快さ（かつてあらゆるデモをのみこんだソーシャリスト・ワーカー〔社会主義労働者党の週刊紙〕のプラカードの構成主義風のオールドパンク的な代物にも邪魔されない）――によって、バスに乗ってそのポスターを通り過ぎるだれしもにそれが提起する問題とスローガンが即座に伝わるようになっているのかもしれない。しかし、そのポスターの使用や「転覆」は、より広まっているなにごとかの――緊縮ノスタルジアの左翼版をつくることで、一九四五年の緊縮と二〇一五年の緊縮のあいだにある巨大な空隙を埋めようという試みの――兆候なのである。

LASH OUT
AND
COVER UP

第二章

クレメント・アトリーの亡霊はわたしたちを救うことができるか?

わたしたちは手漕ぎボートを借りて、ガリラヤ湖へと漕ぎ出し……到着して、軽く食べるためにアラブ人が経営する小さなレストランに入った。座席へ向かう途中、笑みを浮かべたひとりのユダヤ人が急いで近づいてきて、「戦争が —— 終わりました!」と言った……

こうしてそれぞれの民族の踊りが始まった——ドイツ人、チェコ人、ポーランド人、トルコ人、ユーゴスラヴィア人、みながそれぞれの民族舞踊を踊った。それから少し間があったあと、ヘブライ語でアナウンスがあった。みながわたしを見ていたが、その説明によれば、イギリス空軍の将校たちがイングランドの民族舞踊を踊るということだった。急いでブーンプス・ア・デイジー〔2人1組でおこなう腰をぶつけあうアクションの入る踊り〕を踊ることに決め、わたしたちのうち2人が踊り始めた —— これはすぐに大当たりして、だれもがそこに加わった。

——

パレスチナ駐在イギリス空軍パイロット、トニー・ベン
1945年5月7日、ヨーロッパ戦勝記念日の日記【1】

「ルイシャム病院を救え」運動だけが、左派の大義によって緊縮ノスタルジアの左派版をつくり出し、自分たちの政治目的に活用しようという唯一の試みだったわけではない。

二〇一二年ロンドンオリンピックのオープニング・セレモニーのダニー・ボイルを思い出してほしい。ボイルの歴史野外劇（パジェント）は、一九三〇年代と四〇年代のイギリスのドキュメンタリー運動の遺産を喚起し、映画作家ハンフリー・ジェニングズの著作『パンディモニアム』に明白に依拠して産業革命を表現した。第二次世界大戦の場面は福祉国家の建設の場面へと移り、国民保健サービス（NHS）の登場がパフォーマンス全体の中心になる。これは、この種の行事で予想された帝国的セレモニーと比べると、当時連立政権がせっせと解体していた急進的な制度をタイムリーかつあざやかに思い起こさせるものだった。

とはいえ、緊縮ノスタルジアは大部分右翼的な現象である。『ダウントン・アビー』と『コール・ザ・ミッドワイフ』のようなテレビ番組の副次的効果により、労働者階級が礼儀正しく勤勉だった一九四〇年代と五〇年代のイメージが広められているが、これらフィクションのなかの労働者たちはストライキをしたり、あたらしいモダニズムの世界——それがあたらしい団地やニュータウンであろうと、はたまたポップミュージックやファッションであろうと——を受け入れたいと望んだりはしない。

これが奇妙に見えるとしても、長きに渡って一九四五年がイングランドの社会主義の絶頂期として解釈されてきた歴史を考慮に入れると、一九四〇年代へのアピールは、労働党左派からではなく、労働党右派から出てくる。あるいはむしろ、保守党左派と労働党右派が奇妙に組みあわさり協力しあうところから、というべきか。

近年の政治におけるもっとも初期の緊縮ノスタルジアの表れとして、ジェフ・デンチ、ケイト・ガヴロン、マイケル・ヤング〔社会学者、政治家〕による報告書『あたらしいイーストエンド』があると思われるが、これはピーター・ウィルモットとマイケル・ヤングによる有名な戦後期の研究『東ロンドンの家族と親類関係』のあきらかな後継として登場した。『あたらしいイーストエンド』は、労働党と密接なつながりをもつシンクタンク、ヤング財団の研究員たちによって書かれた。その報告書は、「多文化主義」に懐疑的な分析をおこない、巷では白人労働者階級と呼ばれる人びとの集団心理を探求したために歓迎された。「白人労働者階級」という呼称の支持者の一人であるジャーナリストのマイケル・コリンズは、その集団を「忘れられた部族」と表現した。『あたらしいイーストエンド』は、東ロンドンのムスリムたちが「統合」されず、政治腐敗や「共同体主義的」政治に甘んじていると非難した。それはまた、イーストエンドの「原」住民たちが、そこから追い出されたあとも（おそらくより所得の低い人びとが移り住んで来たからで、カナリー・ウォーフやワッピングのヤッピーやベスナル・グリーンとハックニーの若いヒップスターたちのためではない）、第二次世界大戦と大空襲（ブリッツ）という遠い経験にいまだに意識を規定され、とりつかれているのに注目した。この著者たちによれば、福祉国家をつくりあげたという住民たちの意識は、福祉国家がいまやムスリムやシングルマザー、移民、そのほかの人びとの食い物にされているという信念と混じりあっているというのだ。

経験的に誤ったこの考えを問いただすこともなく、大半のイギリスの左派の反応はそれに迎合するも

―――

1　ハンフリー・ジェニングズ『パンディモニアム――汎機械的制覇の時代』浜口稔訳、パピルス、一九九八年。

のだった。一方、この理論的基盤は、シンクタンクに勤める自称保守のフィリップ・ブロンドによって準備された。彼は二〇一〇年に「赤い保守」と自称し、礼節をもち安定した伝統的核家族を保証する福祉国家を擁護する一方、大英帝国の臣民の子孫が、福祉国家が自分たちのためにも存在すると誤って考えていることへの不信感をあらわにした。【2】

中道派の労働党議員でポーツマス出身のジョン・クラダスと社会民主主義の研究者モーリス・グラスマンは、二人ともブロンドよりは賢く分別があったので、福祉国家擁護と人種差別のこの組みあわせを「ブルーレイバー」〔「終わりなきノスタルジア」訳注八参照〕という組織にすみやかに変えた。それと同時に、『あたらしいイーストエンド』と『赤い保守』を書いた学者先生たちでも気づかなかっただろう、あらたな要素がそこに加わった。クラダスとグラスマンにとっては、この伝統の思想的先駆者はジョージ・オーウェル——彼は一九四〇年代に、ユニオンジャックを見て心踊らないものは、革命にも尻込みするだろうと述べた——と、もっと左翼の側に位置する人物、歴史家のE・P・トムスン——イングランドのラディカルな政治のルーツを探求するマルクス主義的な歴史書『イングランド労働者階級の形成』(一九六三)の著者——だった。たとえば、クラダスは、イングランド民主党のような奇妙な右派グループからのイングランド議会設置の要求を取り上げ、それに少々左翼的な解釈を加えた——そのような議会はヨークに拠点を置き、「エルサレム」[2]をアンセムとするだろうと彼は主張したのだった。

これらとよく似た議論が、ポピュラーカルチャーのなかにも浸透してきていた。当時影響力をもった本の一つに、長きに渡る労働党支持者で、一九八〇年代に緊縮スタイルを早々と取り入れたビリー・ブラッグが執筆したメモワールがある。そのタイトルは『進歩的愛国者』〔二〇〇六年〕というものだった。

ただし、ブラッグは、その種の多くの書き手たちがしてきたように人種差別と戯れることはなかった。彼の言う「愛国主義」は、寛容と多文化主義の「愛国主義」だった。そこで意図されていた効果は、ラディカリズムをイングランド特有の美徳とするというものだった。

そこで主張されたのは、わたしたち自身の歴史を利用することによってだけ、「完全自動のラグジュアリーコミュニズム」を論ずる知識人の小集団にではなく、普通の人びとに響く真に民衆的なラディカリズムを見出せるということだった。

これらすべての考えは、エド・ミリバンド主導下の労働党〔二〇一〇年――二〇一五年〕の政策立案に際して多大な影響をおよぼした。ミリバンドは、イングランド・ナショナリズムによっては労働党は救えないと生涯主張してきたベルギー生まれポーランド育ちでユダヤ系の移民の息子であるにもかかわらず、もっぱらナショナリズムを推進するような政治を熱心に企てた。もちろん、緊縮は拒絶されてはならなかったし、労働党の学者先生たちは、それが中産階級の多くから予想外の人気を得ているのに気づいていた。だからといって、緊縮を正当化するためにもちだされたのは中産階級ではなかったのだが。

その代わりに労働党は、やや左寄りのポピュリズムを刺激し、経済を「略奪者」たちではなく「生産者たち」の利益へと向かわせるため、家賃統制、エネルギー会社に対する（国有化ではないが）制限、健康・社会ケア法案の廃案の上でのＮＨＳの一部再国有化といった、理論上は再分配をうながす政策を取

2　一九一六年に作曲家サー・ヒューバート・パリーが、序章の訳注一〇にあるブレイクの詩に音楽をつけた賛美歌。イングランドの愛国歌として知られている。

り入れた。これらは、「移民統制」と印字された悪名高い労働党のマグカップに具体化された反移民のアピールと、世界におけるイギリスの地位を保持しようという固い守りの姿勢と結びついた。[3]

いうまでもなく、大部分クラダスによって考案された緊縮ノスタルジアのこの政治は、トニー・ブレア指導下の労働党〔一九九四年―二〇〇七年〕を見限った労働者階級と下層中産階級の有権者たちを取り戻すのに派手に失敗したことがわかった。しかし、ある種の愛国主義と連動できるときに左派がもっとも躍進するという議論は、スコットランド国民党の大成功によって――とりわけその政党が独立をめぐる二〇一四年の国民投票に僅差で敗北し、二〇一五年の総選挙でスコットランドを席巻したのち――裏づけられたと理解されたのだ。

戦争によって議会におけるもっとも偉大な勝利がもたらされた瞬間である一九四五年は、イギリスの左派にとっての永遠の指標であり続けている。この組みあわせが絶対に反復不可能であることは、めったに考慮されない。しかし、左派は理論的には、オーウェルの言うところの「社会主義とイギリス精神」をもっと包摂的で人間的にするよう駆り立てられているのだ。となるとこれは、政治としては「恐怖の社会民主主義」であり、実際多くの右派政治を強力なものにしているどのような「悲しい情熱」――憤懣、憎悪、怨恨――にも関わることなく、右派から政治の地盤を取り戻すための社会民主主義である。「後進的」愛国主義から「進歩的」愛国主義へとどのように転換するにしても、問題なのは文脈であり、事実としてほとんどのイングランド・ナショナリストたちは自分たちのことを政治から取りこぼされてきた左翼であるとは思っていない。一九四五年には、真の生存の危機に直面し、平等と愛国主義の両方を強制する総動員と戦時国有化という例外状況を通じて、どれほどあいまいで偽善的であったとしても、社会主義とイングランドのアイデンティティとが結びついた。今日のスコットランドにおいて、選挙結果と世論調査があきらかにしたのは、ほとんどの賛成票がイングランドからの政治支配——つまり、保守政権がもたらす苦しみ——から逃れたいという願望を動機とし、またその票が、伝統主義的な州にではなく、スコットランド最大でもっとも多人種の都市グラスゴーに集中していたということだ。「愛国主義」へのアピールは、賛成票を入れた人びとには、社会民主主義への呼びかけとして——正しいか間違っているかは別として——解釈されたのだ。

だが、左派が人種差別と分断に与せず、ナショナリズムを無視し、それでも一九四〇年代と「戦後コンセンサス」に訴えたらどうなるだろうか？

破られた約束の地

つぎの著名で評判のよい三本の映画はとくに、緊縮ノスタルジアがどう利用されるかを理解させてくれる。

一つは、有名な長編映画監督ケン・ローチの『一九四五年の精神』（二〇一三）、もう一つは故トニー・ベンを題材とした若きドキュメンタリー監督による『遺書と遺言』（二〇一四）、そして、ルーク・ファウラーがE・P・トムスンを探求の対象とした前衛的作品『貧しい靴下編み工、ラダイトの剪毛工、ジョ

3　労働党は、二〇一五年五月の選挙の際の公約の一つに「移民統制」（Controls on Immigration）を掲げ、それを印字したマグカップを公式サイトで販売したことで批判を呼んだ。

アンナ・サウスコットにたぶらかされた信奉者たち』(二〇一二)である。これらの作品はすべて、独自の切り口で福祉国家の遺産の重要性を主張し、それを通じて福祉国家を再度実現させようと望むか、あるいはせめて人びとにその存在と可能性を知らせようとしている。

『一九四五年の精神』は、イギリスの社会主義者でリアリストのベテラン映画監督であるローチによるたぐいまれなドキュメンタリーである。彼の最初のドキュメンタリー作品『どっちの味方?』〔*Which Side Are You On?*〕[4]は、一九八〇年代半ばの炭鉱労働者たちのサポートグループを題材としていた。『一九四五年の精神』もそれに似て、監督がとりわけ強い思いを抱いている対象、具体的には連立政権による福祉国家の解体に対して介入する、切迫したコメンタリーであったように思われる。

その映画は、スウィングの音楽とヨーロッパ戦勝記念日を祝う人びと——おもに女性たち——の映像とともに始まり、その出来事についての解説が、トラファルガー広場における(じつに熱気を帯びた)祝祭を詳細に映し出す場面に重ねて読み上げられる。労働者階級や女性たちの声が、この人びとがなにからちょうど抜け出してきたのかを想起させる。それからスクリーンは、歴史的映像とおなじ血の気を抜かれたモノクロで撮影された「現在」へと移る。あるニューカッスル〔伝統的な工業地域〕訛りの声が、「おれたちは戦前の敵に勝てるだろうか?」と問う。「全部金持ちたちが、金持ちたちのために運営していた」と、現在に生きるある医者は述べる。「やつらとわれわれだけだった」と、ある炭鉱夫は繰り返す。これらの人びとの、年老いてはいるもののこれまで耳を傾けられてこなかった生き生きとした声のあいだに走る矢継ぎ早の映像には、ニュースリール、アマチュアが撮影した映像、なかでも戦間期イギリスのドキュメンタリー運動の短編映画から抜き出された寄せ集めが散りばめられている。すべての映像はおなじ白黒に漂白されているために、現在と過去のイメージのあいだの齟齬や差異はなくなっている。貧困についての説明が、急なテンポで積み上げられる。リヴァプールに住むサム・ワッツは、一九四〇年代のリヴァプールにて一つのベッドに五人で、「虫だらけの」マットレスの上に寝たという。エドガー・アンスティを監督に、ガス委員会の援助のもと制作された、ロンドンの貧困を取り扱った一九三五年の映画『住宅問題』の映像も挿入される。ガス委員会は当時、一九四三年の「あなたのイギリス——いまこのために闘え」というポスターに用いられた西ロンドンにある機能主義的なケンサル・ハウス団地をはじめとする社会的住宅に多少の投資をしていた。ほかの映像——ある工業町を移動しながら撮影されたショット——は、福祉国家支持を途方もなく明確に表現したプロパガンダであるポール・ローサの一九四八年の『約束の地』から取られている。

これらの引用映像の選択と編集は奇妙である。それらはさまざまな場所と時間に由来するもので、監督の政治的熱意によってのみ統合されている。たとえばわたしたちは、一九三〇年代の労働党党首、ジョージ・ランズベリーがスピーチをしている映像を見せられる。彼は、強いロンドン訛りと熱のこもった聖書風の話し方でもって、銀行家を糾弾している。「紙切れを流通させて富をつくることなどできない！」そして彼は、わたしたちが「未来の征服に向けて行進し、この緑と快楽の土地においてエルサレムの建

4　ここでハサリーは最初のドキュメンタリーと述べているが、一九八五年に制作されたこの作品はローチの最初のドキュメンタリーではない（NGO「セイブ・ザ・チルドレン」に委嘱され、一九七一年に監督した *The Save the Children Fund Film* のほうが先）。

設へと進んでいる！」と告げる。そこに、サム・ワッツによる別の発言が続く。「われわれは世界で最大の帝国だったが、ヨーロッパで最悪のスラムを有してもいた」。さらに、聞けばすぐにだれだかわかる声でトニー・ベンは、戦時中に彼の知り合いの労働者たちが、「ドイツ人を殺す機械をつくれるのに、なぜ住宅と病院をつくらないのか」と問うたことを思い起こす。スクリーンには、一九四五年の労働党のマニフェストからの引用が現れ、「労働党は社会主義の政党で、それを誇りにしている。わが党の究極の目的は、社会主義のイギリス連邦の設立である」と告げる。この映像の最中、ブラスバンドは「エルサレム」を演奏している。

国民保健サービス（NHS）設立の感動的な描写がある。その映画のなかでインタビューされる多くの医者のなかの一人が言うように、NHSは「医者が借金取りをし」なくてよいようにしてくれた。厚生大臣だったアナイリン・ベヴァンは、「病院に見えるあらゆる施設はすべて国有化され」、サービスの利用者負担は無料になると保証した。

鉄道も買い取られ、すべての公共交通機関が国有化される――貨物輸送、道路、港湾、運河、すべてが。さらに決定的な記録が、これらの国有化された産業のセクションで紹介される。まず、炭鉱が国有化されることになって炭鉱労働者たちが涙を流しているところが映し出される。「これで生活を安定させられる」。これは、短命に終わったゼネストを引き起こした一九二六年の長く苦しい産業労働組合の行動も含め、数十年間にわたって労働者たちが要求してきたものだった。これらの国営産業をつくりあげた大臣のハーバート・モリスンが、社会主義のこの「偉大な実験」、「偉大な進歩」について語るシーンもある。しかし、取材された炭鉱労働者たちは、戦前の炭鉱の大物実業家が、あたらしくできた石炭庁の長に指名されたときの恐怖を思い出している。別の例を挙げると、当時の港湾労働者たちは、一日の最低限度の仕事量は法的に定められていたが、それでも本質的には不安定だった。この映画はそこに、あたらしい団地、ニュータウン、そして一九五一年に開催されたフェスティバル・オブ・ブリテンを映した楽天的な映像をつないでいく。そして突然、悪夢への転換のように、サッチャーの登場だ！

一九五一年から一九七九年にかけて生じたあらゆることがほとんど無視され、そして当然帝国の歴史も無視されているといった、『一九四五年の精神』の弱点を見つけることはできるだろう。しかし、そういった指摘はすべて少々的を外している。というのも、ローチは議論する決意でこの映画をつくり、その作品のすべては彼の考えに従っている。基本的な枠組みとしては、一九四五年に、戦前のイギリスの貧困と不平等が二度と生じないことを保証するために、福祉国家——もちろんそれは完璧なものではなかったが——が設立され、一九七九年からは、ＮＨＳの残骸だけを残してそれらの制度は一つずつ解体されていった。この確固とした一つの論点を主張するのに無駄なところはなにひとつない。それはこう訴える。あなたがたは、あるいはあなたがたの祖父母は、本当に重要なものを打ち立てた。やつらにそれを破壊させるな。

インタビューされた者たちのなかでは比較的若い社会主義者で経済学者のジェイムズ・ミードウェイによれば、社会民主主義の勃興に対するチャーチルの反撃は、フリードリヒ・ハイエクの著作『隷属への道』を広めることであり、約束されたあらたな制度がゲシュタポによって管理されなければならなくなると論じることだった。当時彼は笑い者にされた。一九七九年に、サッチャーは閣僚たちにハイエクの本を投げつけて、「これがわたしたちの考えです」と平板な調子で言った。

映画の最後の数分は、公益企業の売却、港湾労働の再度の不安定化、鉄道の売却、警察に殴られる炭鉱夫たちの映像といった、福祉国家に対するサッチャーの攻撃を凝縮している。映像はすべてモノクロのままだ。しかし、NHSが部分的私有化とあたらしい官僚制に痛めつけられた最後の残存物であると知らされることで、いまや映像が過去数年前からのものだとわかる。「NHSを救え」というプラカードの映像のあと、近年のオキュパイ・ウォール・ストリート運動、UKアンカット〔反緊縮を訴える抗議グループ〕のイメージが続く。「エルサレム」のブラスによる演奏がそれら運動のキャンプの映像に重ねられる。そして突然カラーに変わり、ヨーロッパ戦勝記念日のトラファルガー広場での、あのおなじ浮かれ騒ぎの祝祭の映像が挿入される。この意図は明白である。この幸せそうな若者たちを見よ、なんと満足げで自信に満ちていることか。彼ら彼女らは途方もなく素晴らしいことを達成したのだ。だから、わたしたちにもできるのだ。

政治的主張の熱烈さとインタビューを受けた高齢の人びとのウィットと恨みが組みあわさった『一九四五年の精神』のポピュリズムは、悪いものではまったくない。それは感動的かつ感傷的で、なるべくしてそうなった。これは非常に感情に訴える(エモーショナル)出来事についての映画なのだ。

問題は別のところ、ヴァルター・ベンヤミンが一九三〇年代に「左翼メランコリー」[5]と呼んだもののなかにある。あなたはこの映像を見て、さまざまなことに取り組む人びとを見て、この抵抗の言葉を聞き、実人生のなかで生じた現実の改革について知り、さらに、煙突のある都市のスカイラインの美と散らかったトラファルガー広場の古ぼけた優美さを感受し、ほかのだれかの可能性の感覚を享受する。これを見ながらブラスバンドの執拗な音楽を聞いていると、最寄りの街灯にエリック・ピックルズ〔キャメロン政権の大臣を務めた保守党議員〕を吊るし上げたいと思いながらも、郷愁でため息をついてしまうのだ。

そしてここで、この映画の白人性、「世界でもっとも偉大な帝国」を扱うのを避けたことの問題があらわになる。【3】もしこれが、いまここにおいて福祉国家でまだ壊されていないものを守るべきだと人びとに説得する試みだとしたら、現代の労働者階級のほとんどとは無関係の、これほど過去に強固に根ざした映像を使うことは奇妙に思える。ブラスバンドと組合のバナーは、まさにいま現状を変化させる力を有している大半の人びとにとってはほとんど馴染みがなく、一七世紀の名誉革命を物語るのとおなじである。現代の映像を脱色するという判断は、今日の議論すらもメランコリックで切ないものに見せてしまう。たとえばそれがクレメント・アトリー〔一九四五年労働党政権の首相〕とUKアンカットのあいだのつながりをつくろうとする試みだとしても、そこでは過去の映像の美学に現代の映像がのみこまれてしまう。

このことは、つぎに検討する左派緊縮ノスタルジアの作品によりいっそう当てはまる。

ベンになるべきか、ベンにならざるべきか（トゥ・ベン・オア・ノット・トゥ・ベン）[6]

スキップ・カイトによる二〇一四年のドキュメンタリー『遺書と遺言』の宣伝ポスターは、「KEEP CALM AND CARRY ON」のポスターを真似て、おなじフォントとおなじ赤を使用している。しかし、

5 「左翼メランコリー」は、『ベンヤミン・コレクション4 批評の瞬間』浅井健二郎編訳、土合文夫、久保哲司、岡本和子訳、ちくま学芸文庫、二〇〇七年に所収。

タイトルの下には、やさしい親戚のおじさんのような人物がいる。パイプでタバコを吸い、紅茶を飲み、貴族の出自をいやがり、キリスト教社会主義者で、一九六〇年以来イギリスでもっとも重要かつ影響力をもった熱心な左派政治家、故アンソニー・ウェッジウッド・ベンが。

イラク戦争に反対して二〇〇三年二月の凍てつくロンドンの街路を行進し――というよりも苦労しながら歩き――その途中ハイド・パークでベンが演説するのを聞いたわたしたちは、どこからともなく生じてきたあるプラカードを思い出すだろう。それは「MAKE TEA, NOT WAR（戦争せずに紅茶を入れろ）」というスローガンで、マシンガンをもち、逆さまになったティーカップが頭に載せられたトニー・ブレアのイメージを用いていた。それは「KEEP CALM」ポスターに似た、のんきで自虐的な「いかにもイギリス的なウィット」を表していた。ベンが濃い紅茶を好んだことを考えると――かつて馬を殺すほど飲むと言われていた――その重ねあわせはなかなか適切であるが、彼のこの趣味嗜好は、映画の核にある問題を浮き彫りにしてもいる。

というのは、その映画が、ベンの趣味の居心地のよい美学から彼の政治的ラディカリズムを引き出せていないからだ。映画の最初のシーンでは、ベンを演ずる役者が、報道記事の見出し――それらはほとんどの場合辛辣で、「イギリスでもっとも危険な男」、「独裁者ベン」と書かれている――に囲まれた部屋に座しており、それからボイスオーバーが彼を「あらゆる方面から賞賛された」人物と言い表す。少ししてから、二〇一三年にインタビューを受けるベンは、数年ぶりに殺害予告を受けたことに安堵したと回顧する――それは、ある人びとにとっては少なくとも、彼が国宝ではなかったことを意味した。「わたしは大喜びしたよ！」

『遺書と遺言』は、『一九四五年の精神』と似たような形式を採用しており、多くの箇所でまったくおなじ一九三〇年代と四〇年代のドキュメンタリー映像を繰り返している。年代順に進んでいくこの作品は、引用元の映像に入っている、すべてを支配するようなプロパガンダ的ボイスオーバーを退けている。その代わりに、ベンに対する綿密なインタビューと、散りばめて配置された当時の映像と時折の長編映画（新自由主義の教えを悪名高くも暴露したパディ・チャイエフスキーのマスメディアを風刺した作品『ネットワーク』など）からの引用で進んでいく。大空襲後のロンドンを走っている小さな少年を映した奇妙に短い映像、そして、スーパー8ミリフィルムのホーム・ムービーを見るベンに扮した俳優。妻のアメリカ人教育者・歴史家キャロライン・ベンと死別したベン本人は、その映像を少々やりきれないと感じたかもしれない。妻を亡くし、政治で敗北した非常に年老いた男性についての映画をメランコリックすぎると非難することは、あきらかにフェアではないだろう——ほかにどのようにしようがあったというのか？

この映画はしっかりと、ベンの政治がなんであり、それがどのように形成されたか、そしてどのように敗北したかを説明しようと試みている。幼い頃彼は、キリスト教社会主義者の母から教訓を得た。「彼女はわたしに、本当の問いは倫理に関わると教えてくれた」。一方、聖書は「預言者と王」のあいだの争

6　この節で扱われる映画『遺書と遺言』は、「このままでいいのか、いけないのか（To be, or not to be）」という、シェイクスピア『ハムレット』からの有名な引用がボイスオーバーで読み上げられながら始まる。ハサリーはそれにかけてこの節のタイトルを'To Benn or Not to Benn'としていると思われる。

いであると教わった。それから大空襲（ブリッツ）が起こって、「全世界が終わりそうな感覚を抱いた」。「わたしは戦争中に本当の教育を受けた」とベンは述べるが、それは、戦争が彼を左翼にしたからではなく（彼の父親は労働党の国会議員だった）、彼が初めて貴族ではない人びとに出会ったからだった。

そしてここで、『一九四五年の精神』とは異なり、パイロットだったベンが「当時は南ローデシアだった場所」で飛行機の操縦法を習ったこと、そして多くの人から「いまでいう人権が奪われていた」のを理解したときのことを回想する場面で、わたしたちは植民地主義を意識させられる。「植民地解放は」、ここでの自由を獲得するための「プロセスの一つの段階でしかなかった」。彼は、CND〔核兵器廃絶運動〕の初期のメンバーだったことを思い出す。この部分では終始、映画監督かベンか、あるいは二人とも、一九五〇年のブリストルで「新米議員」として当選した中道の労働党議員という実際のベンの姿よりもはるかに彼をラディカルに見せようとしている。

作品中のイメージはしばしばナラティブに勝り、ノスタルジア的なもののさらなるごた混ぜとなる。下院議員たちを議場から離れさせるために熱意ある演説をするベン。ローレンス・オリヴィエ男爵が国際連合憲章を読み上げている古いラジオ放送——緊縮ノスタルジアのマーケットでよい値で売れそうなラジオだ——を聞くベン。上流階級訛りで、第二次世界大戦を道徳心に訴える最上の脅迫手段として用い、富裕層への課税の必要性を説くヒュー・ダルトン。モノクロのブラスバンドと国有化された産業。戦艦や戦闘機がかつてつくられていたように組み立てられるプレハブ住宅。「労働党に投票してスラムを粉砕しよう」と宣伝する選挙カー。これらの並べられた映像はすべてまったくいいかげんなものに見え、「われわれの民主主義」、「われわれの偉大な過去」、「政治が本当に重要だった古きよき時代」といったシニフィアンのまとまりのない連続に見え始める。

これは残念である。というのも、ベンの物語は——とりわけ一九七〇年代前半から八〇年代前半、かなり左翼的になり、野党労働党の非公認のリーダーになったときの話は——魅力的で重要だからだ。この部分ではメランコリックなダラム炭鉱祭の映像の漠然とした流れが優先され、観る者の注意はそらされてしまう。

ベンは技術官僚として仕事を始めた。郵便局長として、そして「ミンテク〔技術省（Minister of Technology）の略〕」の創設者として、「技術の白熱」[7]の責任者となった。彼はガラスの超高層建築ミルバンク・タワーの美（それは二〇一〇年の学生の抗議者たちに危機にさらされたが）について語り、いかに技術が「より少ない資源でより多くのことをできるよう」手助けしてくれるかを語る。この場面でのノスタルジアは、自動化、コンピューター、コンコルド〔超音速旅客機〕に関わる近未来的なものである。当時を思い出して彼は、原子力発電に関してとてつもなく後悔しており（「核の平和利用」を信じていたベンは、セラフィールド〔原子力発電所〕とそのほかの原子力発電所がじつのところ「ペンタゴンのための爆弾工場」であったのを知ったときにショックを受けた）、コンコルドについては、航空産業における「未来が」記録更新にではなく「大量輸送にあった」ときに、無意味なプロジェクトであったと批判する。北海油田

7　一九六四年—一九七〇年、一九七四年—一九七六年に首相を務めた労働党議員のハロルド・ウィルソンが、一九六三年の労働党大会で行なったスピーチで用いたフレーズ。彼は「ニュー・ブリテン」の発展のために技術開発が重要であると述べた。

の発見に際して、油田の収益でノルウェー式の国家基金――ノルウェーを世界でもっとも富裕な国にするのを助けたシステム――の設立を推進しようというベンの計画には、ほとんど未来はなかった〔当時の内閣の説得にも失敗した〕。サッチャーは歳入を「失業手当と減税にあてるため」に用い、ベンが望んでいた産業の設備投資と再構築のためには用いなかった。彼は、これらすべてに応答する際わたしたちの知るベンになり、アッパー・クライド造船労働者共同事業体の職場占拠の場では労働者側の生産管理の必要性を訴え、キャラハン政権のもとでIMFから押しつけられた緊縮体制に対しては――ここではそれほど深く論じられてはいないものの――「オルタナティブ経済戦略」〔ベンが一九七〇年代―八〇年代に提唱した経済政策〕についての話を展開する。

どれも知られてはこなかったこれらの具体的可能性に対する注目は短時間しか続かず、ザ・ビートの曲「辞めろマーガレット」にあわせてモンタージュされたサッチャー、トックステス、テビット[8]の映像へと消えていく。ベンが英雄的に闘いそして完全に敗北した労働党の内紛は完全に無視され、炭鉱労働者のストライキも――ITN〔イギリスのテレビ番組制作会社〕で問題になっていたメディアの情報操作を糾弾する彼の印象的な映像をのぞいて――さらなるブラスバンドと悲しげな行進を映し出すきっかけでしかなくなっている。

一九八三年にベンはブリストルでの議席を失い、それからダービーシャーのある炭鉱町で議席を獲得した。その後に続くのは、できるかぎり最善を尽くし、大部分が高齢者のオーディエンスに対してよりよい未来を約束し、W・H・オーデンの「哀悼のブルース」を読み、「銀行がギャンブルのために貧者に金を払わせるのが緊縮だ」とわたしたちに語る、無力な政治家の姿である。これらの映像は、敗北し絶望したわたしたちの心を芯から温めて元気づけているともとれるが、最終的には、いまよりも物事がシンプルですべてに意味があった時代を楽天的に喚起する映像となってしまう。

最後の場面で、カーディガンを羽織りパイプをくわえ、海峡をじっと見つめるベンは、「社会主義か野蛮かどちらかの選択肢しかない」という思いにふける。彼は正しく、たしかに英雄的だ。ただ、結局残るのは、「彼のような人物は二度と出てこないだろう」という感情なのだ。これは武器を取れという呼びかけではなく、この政治家が牙を抜かれて無害にされ大英帝国人の殿堂に祀られる前に、彼を武装解除するために呈される賛辞なのだ。

後代の見下しに反対して

一九四〇年代のマス・オブザベーション〔本書第四章冒頭を参照〕の日誌のアンソロジー『われらの知られざる生活』のなかで、労働者教育協会(WEA。一九〇三年に設立された成人教育の団体)地方支部の熱狂的メンバーであるジョージ・テイラーは、聞きなれないあたらしいプログラムを発表する。協会の月例執行委員会会議で、彼は以下のように述べる。「来年、ためしに映画鑑賞の講義を取り入れる予定で、非常に魅力的なシラバスができあがった。しかし、委員会のメンバーはこの講義がたんに娯楽目的に利用されてしまうのではと少々心配していたので、真面目な勉強が意図されていることを強調するた

8 一九八一年、リヴァプールのトックステスにおいては、黒人コミュニティと警察とのあいだの長期間の緊張関係が原因で反乱が生じた。当時の雇用国務大臣ノーマン・テビットは、その反乱を批判した。

め、授業料を一授業あたり一〇ペニーとした」。【4】人びとはきちんと集中することはないかもしれない――学びに来るというよりも、ただ刺激とお楽しみ目当てに来るだけかもしれない。スコットランドの芸術家ルーク・ファウラー監督のWEAについての映画『貧しい靴下編み工、ラダイトの剪毛工、ジョアンナ・サウスコットにたぶらかされた信奉者たち』に、そのようなおそれはほとんどない。

それはそうと『貧しい靴下編み工』は、『遺書と遺言』や『一九四五年の精神』といった類似作品と比べると異色である。それは、Fopp(フォップ)〔HMV所有の、音楽、映画、本などを取り扱うイギリスの小売会社〕やネットフリックスで五ポンド〔約七五〇円前後〕で売られる大衆迎合的ドキュメンタリーではなく、アートギャラリーで流される意識的に前衛的な作品であるという理由からだけではない。映像の大部分がアーカイブ映像によってではなく、今日のイギリスの風景から成り立っている点でも異色なのだ。映画の主題は、E・P・トムスンの仕事である。彼がイングランドのラディカルな運動の根源に関心を抱き、「自由の身に生まれたイングランド人」[9]という左翼に根強く支持される考えの重要性に注目したことは、ビリー・ブラッグのような左派活動家や「ブルーレイバー」に影響を与えてきた。トムスンはこのように、アトリーとオーウェル、その仲間たちとともに、イングランド人であることに自覚的で愛国的な左翼の殿堂に入っている――彼自身の政治はあきらかに、彼らよりはるかに厳格なものだったにもかかわらず。ファウラーの映画は、一九五〇年代のトムスンのWEAにおける活動に焦点をあてたもので、映画で描写される当時の状況は、通常予想されるよりもはるかに厳しい。戦後期の日常のなかの社会主義思想を探求するこの試みは、よくあるノスタルジックなナラティブからはかけ離れたところにある。

ファウラーの映画のアプローチはかなりシンプルだ。アーティストのケリス・ウィン・エヴァンズが、ヨークシャー・ウェスト・ライディング〔一九七四年まで存在した行政区画〕のWEA支部で教えていたときのトムスンのノートを読む。そのあいだ、画面にはおなじ地帯のアーカイブ映像と固定カメラで撮影された現代のその地域の映像が現れる。非常に通りはよいがたどたどしいウィン・エヴァンズの音読と、しばしばメランコリックな映像の色調は——いくらかの悲哀を感じることなくウェスト・ヨークシャーをきちんと眺めるのは難しい——それが悲しい映画であるかのような、もはや存在しないものについての映画であるかのような印象をはじめに抱かせる。しかし、そのなかからわずかな希望が、たしかに生じてくるのである。

この映画のタイトルは、トムスンの『イングランド労働者階級の形成　一七八〇—一八三二』の痛烈な序文から取られているが、彼はそこで、その著作がそれまで実践されてきたマルクス主義的歴史学から方法論的に断絶していることを説明する。当時目に見えて実を結んでいた労働者階級の政治運動の源泉を追うのではなく、実際に存在した人びとが感じた希望や送った生活、抱いた夢、なした主張、そして思いがけない行動を真剣に扱っている。それゆえ、トムスンの著作は、暴徒や略奪者、ラダイト、セクトの信徒、反乱を導引する極左ジャコバン派など、あらゆる人びとを「途方もない後代の見下し」から救済し、考え行動する人びとの集団を一つの全体として発見する。その人びとは、みずからに対して

9　エドワード・P・トムスン『イングランド労働者階級の形成』市橋秀夫、芳賀健一訳、青弓社、二〇〇三年、九一頁。一六八八年の名誉革命によってイングランド人の独立と自由が保障されたという考えをもとに、多くのイングランド人が「自由」を称賛し、しばしばそれを政治行動の動機とするようになった（同書、九一—一二〇頁）。

行使された力によって自分たちがつくりだされたのとおなじほど、彼ら彼女ら自身の歴史をつくったのだ。

トムスンのもっとも有名な本を考えることなしに、この映画を観ることはだれにもできない。ここには二重の、あるいは三重の隔たりがあるように思われる。一つは、昔のプロレタリアートがいて、トムスンはその人びとが残した教訓を教えている。二つ目に、彼の授業を受けている工場労働者、炭鉱労働者、退職者、事務職員がいる。そして、古い中学や高校、使われなくなったり荒れ果てたりした工場の建物の周りをぶらついている現代のプロレタリアートの映像がときおり短く挿入される。このなかのいずれかに、トムスンが「後代から見下された」と述べる人びと──「貧しい靴下編み工、ラダイトの剪毛工、「時代遅れ」の手織り工や、「空想主義的」な職人や、ジョアンナ・サウスコットにたぶらかされた信奉者」[10]──は、後継者を見つけるのだろうか？　コールセンターの労働者、シングルマザー、疾病手当を受ける元炭鉱夫、ネスレの工場の従業員、ブラッドフォードのウェストフィールドの工事現場を占拠する人びと、ハダーズフィールドのソルフェドのアナーキスト、リーズのイスラム教徒たちのなかに？[11]

これは、今日の労働者階級が実際なにによって構成されているのかという問いを──感傷的なノスタルジアなしに──生じさせる。

歴史家としてのトムスンの最大の洞察は、労働者階級を彼がそうであってほしいと望むものとして、すなわち、ジェルジュ・ルカーチの言葉で言えば「客観的・経済的な総体に帰属される階級意識[12]」をもった理想的プロレタリアートとして描かず、つねに労働者階級が実際にそうであったように記述する点にあった。しかし、トムスンと同世代のイングランドのマルクス主義者の多くは、彼が現在について書くときにはそれができていないと主張した。それどころか、彼らが言うには、トムスンはブリテン諸島におけるラディカルな社会主義と共産主義の影響を誇張し、失敗に終わった革命の序曲としての第二次世界大戦という慰みのイメージをつくったという。トムスンはその著作で、一七八〇年代から一八三〇年代の期間を舞台として、政治的に活発な労働者階級が「神と国王の暴徒」[13]——抑圧者たちとの同盟を高らかに主張し、急進的な集会や行進をぶち壊した愛国主義を誇る反動的な一団——から、ラダイト運動とスウィング・ライオッツ[14]、ユートピア的「オーウェン主義」、そしてチャーティズム運動に参加する活

10 同書、一五頁。

11 二〇〇四年に建造物が取り壊されたブラッドフォードのある一区画は開発途中のままで停滞しており、その開発をウェストフィールド社が担っていた。あたらしい施設の建造工事は二〇一四年に始まり、ブロードウェイという買い物とレジャーのための複合施設が建てられた。ソルフェドは、一九五〇年に結成されたソリダリティ・フェデレーションの略称で、イギリスのアナーキストの団体。

12 ルカーチの論文「階級意識」(一九二二年)における表現。その論は、ルカーチの主著の一つ『歴史と階級意識』城塚登、古田光訳、白水社、一九九一年に所収。

13 一七八〇年のロンドンでは、その後ゴードン暴動と呼ばれる英国史上最大の暴動が生じた。ジョージ・ゴードン卿が一七七八年にカトリック教徒に対する差別が一部撤廃されたことに憤り、プロテスタント連合に働きかけて反対運動を組織したことから始まった。「神と国王の暴徒」は、この暴動の参加者を指す。

14 一八三〇年のイングランド東と南で農業労働者たちが引き起こした暴動。農業における機械化と納税の仕組みを含む労働者を苦しめる労働条件に抗議した。

発で、意識的・自律的な、みずから学んでいく一団へと変化した物語を語っている。

ブルーレイバーやそれに類する人びとからすれば、労働者階級はいまだ神と国王の暴徒のままで、政治は、こういった人びとの抱く偏見に訴えかけなければならない——この見方は、「白人労働者階級」という部分的真実からつくり上げられる一つの虚構なのだが。この語りにおいては、労働者階級は色々と考えようとせず、即位記念祭(ジュビリー)には旗振りのために足早に出てくるかもしれないが、そうでないときには自分たちの「コミュニティ」の外の世界をほとんど気にかけることのない、単純な人びとであるとされる。それゆえ、この人びとは、ここに移住してきて仕事と公営住宅を奪う「異質の文化」出身者に憤る、というのである。この議論はこう続く。その結果、彼ら彼女らは、悲しいかな全人口の多数派であるので、政治家たちはこの人びとの苦情を聞くしかなくなるのだ、と。

このような系統の初期の著作にマイケル・コリンズの『われわれと似た者たち——白人労働者階級の歴史』があり、事実これは、南東ロンドンの片隅における神と国王の暴徒の歴史である。コリンズにとって、「白人労働者階級」とは、「忘れられた部族」、一つの民族であり、その「文化」によってもっともよく定義づけられる。その「文化」とは、訛り、たち居振る舞い、服装、趣味、伝統のことであり、リベラルとサヨク、外人たちはしばしば一緒になってそれらすべてを嘲笑する。

労働者階級育ちという出自は、元下層労働者がどれだけ富と財産を蓄えたとしても、どれだけしたたかに自分たちより下にいる人びとの階級上昇を妨害したとしても、みずからがまだ「労働者階級」であると頑固に述べるための、生涯有効なアリバイとなる。これはトムスンのアプローチとは逆である。『イングランド労働者階級の形成』の序文において、彼は「労働者階級」を、社会学的に固定されたカテゴリーあるいは不動の構造としてではなく、「人びとに生じるなにか」として、すなわち前進と敗北がともなうプロセスとして機能し、つねに変化し変化を与える条件として定義していた。[15]

少なくともトムスンを批判する者たちにとって、この考えをめぐる問題は、トムスンが戦後期について書く際、「客観的・経済的な総体に帰属される階級意識」をますます不合理な仕方で当然視し、変化しうるものとして階級を扱うという彼自身の教えに則っていないという点にあった。ペリー・アンダーソンは、イングランドの「未完のブルジョワ革命」についての白熱した議論の一端である論考「エドワード・トムスンの神話」において、トムスンがイングランドのマルクス主義の射程の広さと影響力を無責任に誇張したと嘲弄し、その考えがトムスンに、適切にもウエスト・ヨークシャーの比喩を用いて、共産主義が労働運動の『嵐が丘』におけるヒースクリフのようなものだという大げさな主張に向かわせたのだとする。アンダーソンは、トムスンが現代の労働者階級を見るとき、過去のそれしか見ることができないと主張する。「一八世紀後半と一九世紀後半に対する彼の親しみや相性のよさと、二〇世紀後半に対する彼の距離および接触の欠如とのあいだの分離は、不可解である。これは、あきらかに彼の感性に深く根づいた分離なのだ」。労働者階級の構成――彼ら彼女らがどういった人びとで、生計を立てるのになんの仕事をし、政治的争点がどこにあるのか――は、「人民」という曖昧で中身のない不明瞭な観念が優先されることでますます無視されるようになり、「「普通の人びと」がだれであるかはけっして説明されない。この道徳主義的レトリックのなかでは、労働者階級はつくりものとしてしか存在していない。こ

15 トムスン『イングランド労働者階級の形成』、一一頁。

の時代のイングランドの人口の大部分が一貫して保守政権に投票していたという事実は無視されてしまう」。【5】

この問題が生じた理由は、映画『貧しい靴下編み工』において読み上げられる報告書のなかでは少し明瞭になっている。そこでは、過去の運動と、多くが労働者階級である現在の受講生たちとのあいだのつながりは非常に近いからだ。過去の経験は、年長の受講生たちがたえず依拠することのできる闘争と苦しみの記憶として、つねに背後に漂っている。これは、トムスンの活動と映画それ自体が特定の地方だけを舞台としていることと関係があるかもしれない。ファウラーは、独立労働党（ＩＬＰ）〔一八九三年設立の左派政党〕が生まれた場所のいくつかを映像で記録する――それらの場所はまさに、歴史家たちにもっとも見過ごされ、後代の人びとにもっとも見下されていた地域であり、おなじくらい現在においても見下されている。「ＩＬＰは、下から生じてきた」、とトムスンは「トム・マグワイアに敬意を表して」において書いている。

その党が生まれたのは、「地方」として知られるこれらの影のような場所においてであった。それは、ローカルな要素をナショナルな全体へと融合することによってつくりだされた。周辺から出てきたそのメンバーたちは、中心をつくろうとした。党の初めての議席は、コーン・バリーにおいて獲得された。国会に対する党の最初の真の挑戦はブラッドフォードとハリファックスから生じた〔コーン・バリー、ブラッドフォード、ハリファックスはいずれもヨークシャーの工業地域の町。以下、本章で登場する地名はすべて近郊にある〕。最初の党大会は、イングランド北部における影響力の圧倒的優位を見せつけた。党の初期の名簿は、その影響力が確実になったことをあきらかに示した。二党政治構造が壊れ始め、強固に社会主義的特徴をもった第三政党が現れたとき、これはウェストミンスターにおいてではなく、ヨークシャー・ウェスト・ライディングの煉瓦やガスなどの工場のなかで生じたのである。【6】

ファウラーの映画は、このときから一世紀後についての考察であり、教育と階級の関係についての映画でもある。この映画は、E・P・トムスンがテレビの討論番組においてウィリアム・ブレイクの詩「ロンドン」について話している映像で始まる。ロンドンの街路が「汚い」と書かれていた初期の草稿から、詩人が「特権保持者の手にわたった（チャータード・ストリート）いくつもの街路を歩きまわる」最終稿――これは、あらたに生じてきた都市資本主義を短く省略的・暗示的な仕方で分析した初期の例の一つである――まで、多くのことがその詩の変化に関わっている。しかし、わたしたちが映画のなかで見るのはロンドンではない。現代の「特権保持者の手にわたった街路（チャータード・ストリート）」は、駐車場であり、ホテルの空室である。ある建物がスクリーンに現れるが、それは、ビングリーにあったブラッドフォード&ビングリー〔ウェスト・ヨークシャーにあった公開有限会社の銀行〕本社で、一九七〇年代初頭にジョン・ブラントン&パートナーズによってその相互会社のために設計されたジッグラト〔階段状になったピラミッド形の古代バビロニアやアッシリアの神殿〕のようなブルータリズム様式の建築である。

この映画の暗示的構造は、こういった瞬間瞬間を基礎とし、そのたびごとに視聴者は、一見なにげないショットの含意を素早くくみ取らなければならない。ビングリーの建物の官僚的モダニズムは、トムスンならほとんど共感しなかっただろうが、映画が部分的に扱っている時代の市民的モダニズムを表している。あなたはその建物の不動なたたずまいと大きさ、形態の劇的要素を見る——そして、ブラッドフォード&ビングリーがゴードン・ブラウン政権によって最初に国有化された金融機関の一つとなった、現在の危機を思い起こす。【7】あたらしい巨額の電子金融取引を全面的に受け入れることで、それらの機関はほとんど破壊されてしまった。この北部は、もはや工業生産の風景ではなく、金融投資の風景になってしまった。

このことと、そこで奇妙な精密さとたどたどしさをもってケリス・ウィン・エヴァンズが読み上げているトムスンのテクスト、「大学水準への反論」はどういう関係があるのか？　その文章は、教育の闘争的なあり方を提案するものだ。それが、この風景を政治的に解釈する助けとなるのだろうか？

映画はここからトムスンのWEA報告書へと集中するのだが、この部分は、「ブック・ボックス〔入門者向けに集められた書籍群のこと〕の不足」により、学生が課題文献を読むことすら難しかった一九五一年のクレックヒートンから始まる。わたしたちが見るのは、丘の多い工場町の明滅する光であり、わたしたちが聞くのは、手織りから機械織りへと移行したのちに柄のデザインが劣化したという話題で議論がおおいに白熱し授業が盛り上がったと述べるトムスンである。手のデザインによる精緻さは機械では再現できないと機械織工たちみずからが考えるとき、政治的な問いは美学的な問いと交わる。

このシーンはバットリーへとつながり、そこでは、ネオ・ゴシック様式の学校、荒廃したフォックスズ・ビスケットの工場、無人の教室、「PPI〔債務返済補償保険〕を不当に買わされた」かどうかを尋ねる広告が見える。この映像は、学生の一人が「グラッドストンの誠実さを擁護してテーブルを叩き」、ほかの者たちは無関係な地元の記憶をたがいに話し始め、教師でありアジテーターでもあるトムスンがその場をどうにもできなくなったあとに敗北を認める報告書の記述と重ねられる。トムスンは、受講生たちがそうありたいと望んだこともない主体でないからといって、彼ら彼女らを非難することはできない、と悲しげに述べている。

メランコリーと失敗のこの感覚は、社会史の授業についての一九五四年から一九五五年の記録をトムスンが綴っているハリファックスの場面へと移るときに、少々明るいものになる。トムスンは、彼の学生たちが「社会史を福祉国家の冗長な前置き」であると思わないように、ことば巧みに説得しようとしたと語る。

ブラッドフォードにおいては、異なる人びとの声の数が突然多くなる――わたしたちはトムスンの報告をたんに聞くだけでなく、WEAの学生だった人びとのいく人かの声を聞く。そのうちの一人は、トムスンはマルクスの政治経済学と同様にバードウォッチングにも興味があったと語る。別の学生は、リーズで受けたストライキについての授業を思い起こす。また別の者は「わたしたちはそれを、労働運動のなかの右派と左派のあいだの闘いの一部として理解しました」と述べる。ある反対の声は、「だれにでも授業を開いておいて、それが大学の授業とおなじ水準になることを期待しても、うまくいくはずがないと思った」と述べ、そして別の名も無い声は、WEAは「公式の」大学と比べて懐疑的に見られていたと述べる。労働者階級の性質そのものが変わりつつあったというコメントを、だれかがする。これらの授業は死にゆく文化の一部だったのだろうか?

映画の最後に、あたらしいモスクの緑のドーム、荒れ果てた工業団地、まあたらしいポートランド石が使われた大学の建物といったリーズの映像を見ても、この問いへの手がかりはほとんど得ることはできない。この映画は、省略的で一貫性を欠いたかたちで、まるでさもなければ失われてしまうかつての「コミュニケーション手段」[16]を再建しようと試みたかのように感じられる。その映画は——完全には——死んではいない伝統が、陰鬱な現在において後退したことを提示している。しかし、リーズの無計画で猥雑な風景のショットが現れては消えていくとき、この場所のためのラディカルな教育とはどのようなものなのだろうかという問いは、どこかほかの場所で答えられるべきものだろう。安易な左翼メランコリーを避ける決意をもったこれほど知的で良心に満ちた作品ですらも結局、廃墟の風景としての現在というイメージをつくりだしてしまう。

『一九四五年の精神』や『遺書と遺言』にみられるいくぶん誤った、懐古的な楽観主義をものともせず、『貧しい靴下編み工』は安易な結論に行き着くことを、またわたしたちが抱える諸問題と過去の諸問題とを簡単に結びつけてしまうことを厳格かつ徹底的に拒絶するが、このことはとくに賞賛すべきことのように思われる。この映画において、戦後の数十年間は、一九四五年の喜ばしい解放から一九七九年の有害な反革命へとジャンプして通り過ぎる対象としてではなく、ベンが晩年を捧げた産業労働者の文化が、一九八四年に暴力的に虐殺される前ですらすでに死へと向かっていた、複雑で厄介な弁証法的時代として提示される。『貧しい靴下編み工』に、ブルーレイバーが使えそうだと思う部分はまったく存在せず、緊縮ノスタルジアにお馴染みのテーマに対するそのアプローチは、ありふれた形式的常套手段を採用しない——ここには、ギル・サンも、レディオフォニック・ワークショップも、We Love Our NHSもない。しかしながら、そのテーマに対するより繊細なこのアプローチが、アート界隈に限定されていることとは示唆的だ。ファウラーはここで、議論の争点をつくり、「以前はよい状態だったが、これこれが失われてしまった、つぎにわたしたちがすべきなのはこれだ」と説得するのを期待されないという贅沢な状態にある。この映画では、なに一つ和解されない。というのも、和解こそが、その映画が問題にしているすべてだからだ。一九四〇年代には愛国主義と社会主義を和解させることが可能に見えたということに対するノスタルジアの議論はすべて、一つのいくぶん奇妙な事実を見落としている。当時においてでさえも、それはかなりの反対に遭った、意図的な構築物だった、という事実を。わたしたちが郷愁を感じる緊縮は、当時すでにノスタルジックであったのであり、そのあたらしさは、一見相いれないものたちを——近代と伝統、都会と田舎、アヴァンギャルドのデザインとアーツ・アンド・クラフツを——和解させようという試みだったのだ。ここに来てわたしたちが見る必要があるのは、そのような緊縮的美学の伝統がそもそもどのように創造されたかである。

16　「コミュニケーション手段」と訳した'lines of communication'には、兵站線という意味もある。

第三章 英国社会主義（イングソック）の美的帝国

18 世紀には、デザインの高い水準は貴族の洗練された趣味によって定められた。かつての貴族とおなじ役割を担うこととなった現代の官僚制は、それと同様の影響力を発揮できるほどの確固たる独自の水準をまだ獲得してはいない。とはいえ、われわれはそこから同等の利益を得てきた。それは、大戦間期におけるデザインに計り知れない影響をおよぼしたロンドン運輸局のような、巨大な公共の事業法人がもたらした利益である。

——

J・M・リチャーズ、『近代建築とはなにか』（1940 年）【1】

緊縮ノスタルジアの波とともに、おのずとそれに呼応する歴史が現れる。デザイン史を修正したベストセラー本、アレクサンドラ・ハリスの『ロマンティック・モダンズ』（二〇一〇年）は、近所のキャスキッドソンの支店で売っているストッキングにぴったりな歴史を提示する。ゴースト・ボックスとその仲間たちが、ストーンヘンジと総合中等学校（コンプリヘンシブ・スクール）、ペンギン社のブックデザイン、ＢＢＣレディオフォニック・ワークショップ、情報中央局、アーサー・マッケン〔ウェールズ出身の怪奇小説作家〕、そしてＢＢＣの怪談シリーズを組みあわせて過去を遡及的に構築したのだとすれば、美しい装丁の、独創的でよく売れたハリスの本は、ストーンヘンジと貴族の邸宅（ステイトリー・ホーム）、コーンウォール〔南西イングランド、海沿いの風光明媚な観光地〕の村々、ジョン・パイパー、ポール・ナッシュ、エドワード・ボーデン、エリック・ラヴィリアス、ラスロ・モホリ＝ナジ、セシル・ビートン、ビル・ブラント、そしてヴァージニア・ウルフを混ぜあわせた。ハリスの著作はポップカルチャーの寄せ集めではなく学術的な著作だが、ゴースト・ボックスの作品とおなじように、歴史修正主義的な願望を充足させるものである。ゴースト・ボックスは、もし一九六〇年代と七〇年代に実在したポップカルチャーの熱狂がロックやその類いのなにかに対してではなく、国家や擬似国家的な組織による公共モダニズムに向けられたとしたら、と問いかける。アレクサンドラ・ハリスは、もしモダニズムが実際には、空間をつくりかえること、スラムを取り壊して代わりに労働者階級にとってよりよい住宅を建てること、一九世紀とその物質的遺産を乗り越えることなどを目指したのではなく、起源（ルーツ）の再発見をめぐる上流階級の運動だったとしたら、と問う。この仮説は、説得的に聞こえる程度には真実を含んでいる。それによりハリスの本は、いわばラヴィリアスの版画やマムフォード＆サンズのレコード、そして「KEEP CALM AND CARRY ON」ティータオルの美術史版となっている。

ハリスの著作は、『チャップ』〔男性に親しみを込めて言及するときに用いる語〕という隔月刊行の雑誌に掲載された書評にもっともよく要約されている。その雑誌は、わざとらしく滑稽な貴族ごっこ、意図的に時代遅れの男性優位主義〔誌面に写る肉体は、『ナッツ』〔ヌードや下着姿の写真を載せた青年誌〕とは違い、皮肉まじりのバーレスク・コスチュームに包まれている〕、そしてこれまたわざとらしく馬鹿らしい上流階級のマンネリズムの組みあわせが意外な人気を呼び、その影響で東ロンドンには千人もの口髭が現れた。『キスして、チャドリー！　オーブロン・ウォーの見た世界』と『雲の帝国――イギリスの飛行機が世界を支配したとき』の書評と並んで掲載されたその記事で、書評家はつぎのように述べる。「ハードコアなモダニズムが殺風景な建築とミニマルな抽象を目指したのに対し、ロマンティック・モダニストたちは田舎の教会やジプシーのキャラバン、生垣に喜びを見出した。ハリス氏は、彼ら彼女らを古風で時代遅れな変わり者という烙印から救い出し……［そして］読者に、イギリス人であるとはどういうことなのかをもう一度考えさせる」。【2】イギリス人であるとはどういうことなのかをよく考えるのは、この手の本にはつきものである。しかし、ハリスがおこなっているのは多くの点においてより危険なことだ。と

1　パイパー、ナッシュ、ボーデン、ラヴィリアスは、いずれも一九三〇年代から第二次大戦期にかけて活躍したイギリスの画家。モホリ＝ナジはバウハウスでも教えたハンガリー出身の画家・写真家で、一九三五年から三七年までイギリスで暮らした。ビートンは第二次大戦前後にとくに活躍した、ポートレートで知られるイギリスの写真家。ブラントはドイツ生まれのイギリスの写真家。

いうのも、ゴースト・ボックスの空想的な歴史と違い、ハリスの本は歴史的現実にいくらかの関連性をもっているからである。

ハリスはまず、ジョン・パイパーやグレアム・サザランド、ポール・ナッシュなどの画家が、一九三〇年代のほんの数年のあいだに、構成主義に影響を受けた抽象から、イングリッシュな（ほとんどつねにイングランド的な）風景へと移っていったことをたどる。それは自然豊かな景色や、農村、新石器時代のような景観、あるいはカントリータウンのようになかば都市的な風景でもありえた。「一九三〇年代後半までには」、ハリスによれば、「観察者の目には、まるで国民的な自己発見のプロジェクトが一斉におこなわれているかのように見えた」という。【3】このプロジェクトを構成したのはなんだったのだろうか？

ハリスの挙げる主要な例の一つは一九三七年パリ万博におけるイギリス館である。この万博は災難に見舞われたヨーロッパが向かう先を雄弁に恐ろしく示した三つのパビリオンによって記憶されている。まずは、エッフェル塔を挟んで立つ巨大な石版とその上の彫像たちに特徴づけられた第三帝国とソ連のパビリオンである。後者の英雄的な労働者と農民たちはまるで前者の鷹に突撃しているようだった。そしてもう一つは、抑制の効いたモダニズム的なスペイン共和国のパビリオンであり、ピカソのゲルニカはここではじめて一般に公開された。イギリス館は、このような緊迫した文脈では、穏やかなオアシスだった。建築家のオリヴァー・ヒルはファサードにル・コルビュジエに影響を受けた簡素な表現を用いたが、ロンドン運輸局の局長フランク・ピックに監督された展示そのものは、あたたかく、安心できる古めかしさに満ちていた。「どこの土地とも連想されない、荷造り箱のような建物のなかには、土と釣り用ブーツ、そしてラヴィリアスによる芝生のテニスコートの模型[2]が置かれることとなった」のに加えて、釣竿をもったネヴィル・チェンバレン〔当時の英首相〕の実物大のハリボテまで並んでいた。【4】

二年後、イギリスが平和にテニスをしたり釣りにいそしんだりできるように、二つの全体主義国家の衝突を避けようとチェンバレンが決意に満ちた（というふうには言われなかったが）努力を見せたのにもかかわらず、イギリスはヨーロッパの戦争に引きずりこまれた。ロマンティック・モダニストたちの反応は、当時ナショナル・ギャラリーにいたサー・ケネス・クラークによってキュレーションされた「イギリスの記録」プロジェクトにもっともよく見ることができた。この計画は、最近テート・ブリテンで開催されたある展覧会で中心的に取り上げられた。その展覧会では、豊かに重々しい緑・茶・紫のイングランドの風景のなかで、丘や街路、教会、廃墟などを描いた目を見張るような水彩画が壁にかかり、その背後には空襲（ブリッツ）のさなかのナショナル・ギャラリーでユダヤ系イギリス人のピアニスト、マイラ・ヘスがベートーヴェンを弾く映像が流れていた。それが心を揺さぶるものだったことは否定できない。クラークは「一五〇〇もの土地を描いた水彩画」を依頼したが、その多くは「爆弾が最初に消し去ることを目指した」南イングランドの風景を扱っていた。ことによると、これは不正確な記述かもしれない。というのも、大聖堂のある街を狙ったベデカー爆撃〔ベデカー社の旅行ガイドを参考に爆撃地が決められた〕を除いて、空襲の主要な標的は東ロンドン、リヴァプール、マンチェスター、コヴェントリー、サウサンプトン、プリマス、ブリストル、クライド川、そしてハルといった工業地帯の労働者階級居住区だったから

2　ハサリーは「模型」（model）を「壁画」（mural）と誤引用しているが、ここではハリス原文にしたがった。

だ。東ロンドンを除き、これらの地域は展覧会では顧みられていないが、それはこの展示が「小規模のもので、小規模の対象を描いている」ものだと意図されていたからだろう。【5】

イギリスはひどい状況の大陸から逃げてきた亡命者たちにとっての避難地であり、少なくともその人たちがイギリスを変えたのとおなじくらいに、その人たちもイギリスによって変えられた。サージ・チャマイエフ〔ロシア出身の建築家〕はその土地に馴染んだカントリーハウスを自宅用に設計し、ヴァルター・グロピウス〔ドイツ出身の建築家でバウハウスの設立者〕はケンブリッジシャーの村に学校をつくり、モホリ＝ナジはオクスフォードとペチコート・レーン〔東ロンドン〕を写真に収めた。イギリスの不平等と偽善、軽微な残酷さを糾弾しているようにみえる作品ですら、ハリスによれば、実際は興味に駆られた大陸人の視点を示しているのだという。シュルレアリスム的でコントラストの強い、見る者を遠ざけるようなイメージのなかに、虫に食われるような耐え難い貧困とブルジョワの貴族的な快適さとを併置した、オーストリアからの亡命者で写真家のビル・ブラントの本、『家のイングランド人（ジ・イングリッシュ・アット・ホーム）』は、「富裕層と貧困層とのあいだの格差を扱ったエッセイ写真集であったかもしれないが、それはまた人びとが自分の環境を所有する方法をめぐる愛情に満ちた研究でもあった」。【6】

このバイアスは、ハリスの記述が戦争とその直後の時期にさしかかるときに、とくに顕著となる。彼女の著作の主要人物たちの多くは福祉国家のプロジェクトに関わっており、そのうちの何人かは中心的な役割を担っていた。だが、女性的（キャンプ）で飾りの好きなスコットランド出身のモダニスト、サー・バジル・スペンスとジョン・パイパーやグレアム・サザランドなどのロマンティック・モダニストたちによるモダニズムとゴシックの融合であり、そのデザインに廃墟までをもとりこんだコヴェントリー大聖堂のようなものは、ハリスにとっては、少しばかり暗く、社会主義的で、お役所くさすぎたようだ。『ロマンティック・モダンズ』[3]において一九四〇年代は、クラークの戦時中の水彩画をのぞいて、カントリーハウスの衰退との関連でしか触れられない。それぞれ自覚している度合いは異なるが、イーディス・シトウェル、イーヴリン・ウォー、そしてエリザベス・ボウエン[4]による貴族の邸宅(ステイトリー・ホーム)の運命についての嘆きは困惑するほど強調される。とくにウォーとボウエンは、社会主義政権が自分たちに生まれながらにして保証されていた権利をないがしろにしたことに怒りを露わにするが、その政権がナショナル・トラストを通じて多くの邸宅を一般公開しようとした事実は、その怒りには影響しない(あるいは、むしろその怒りの原因となっている)。ウォーの熱烈な抗議は、『回想のブライズヘッド』における貴族の邸宅の擁護と並んでよく知られている——ハリスの本において驚くべきなのは、ウォーがなんらかの意味でモダニストだったのだという主張だけである。カントリーハウスの運命についてのこの三人の著作は「実用性に反対するためのキャンペーン」【7】であったとされるが、あたらしい福祉国家体制のもとではじめて実用性というもの(医療や、セントラルヒーティングと風呂場を備えた害虫や腐食とは無縁の住宅な

3　コヴェントリーは第二次大戦初期の一九四〇年に集中的な爆撃を受け、大聖堂も半壊したが、戦後建築家のスペンスによって設計された新大聖堂は、半壊した旧大聖堂の隣に、それと調和するかたちで建てられた。パイパーはステンドグラス、サザランドはタペストリーをデザインした。

4　シトウェル(一八八七—一九六四年)はヨークシャー出身の詩人で、二〇年代ロンドンの社交界で影響力をもった。ウォー(一九〇三—六六年)は、ロンドン出身のカトリック作家。ボウエン(一八九九—一九七三年)はダブリン出身の小説家で、短編の名手として知られる。

ど）を経験することができた数十万もの人びとにとって、その標的の設定は少し奇妙で、不愉快にすら思えたかもしれない。だが、この福祉国家のプロジェクトはあきらかにロマンティクではなかったのだ。

この三人のなかでもっとも怒っているのは、イギリス系アイルランド人の小説家エリザベス・ボウエンだったようだ。コーク州〔アイルランド南西部〕にある彼女の家族の屋敷を描く『ボウエンズ・コート』についての記述は、『ロマンティック・モダンズ』でもっとも盛り上がる箇所だ。ボウエンは、ハリスを通じて、つぎのように主張する。

> 物的対象をもたない力は封じ込めることができない。だから彼女〔ボウエン〕は、「所有せざる者たちはわれわれにとって脅威である」と考える。ここで合理的に正当化されているのは、『ボウエンズ・コート』をつらぬく、所有と連続性に対するあの深い感覚である――その本は、はじめに地図が示され、つぎに北コーク全土の風景を手に入れようとばかりにその土地の情景を謳いあげる長い序奏、そして恋する人が、感情と表情をもった屋敷を描写することで幕を開ける。【8】

ここではもはや労働者階級のみならず、もう一つの重大な主題が無視されている――大英帝国である。北コークの風景は、まったく別の人たち――別の「感情と表情」[5]をもった、生きて考える人たち――が所有していたかもしれないのだ。イギリス系アイルランド人の貴族の権力が限定されていて、注意深く封じ込められていたという主張は、その貴族たちに代わって土地を所有していたかもしれない人たちにとっては、せいぜい疑わしい話にしか聞こえなかっただろう。ボウエンがそうした人たちのことを認知するのは、アイルランド共和軍〔IRA、南北アイルランド統一を目指した武装組織〕の一団にボウエンズ・コートを占拠される――そしてその一団が熟慮のすえに、ほかの多くの「アセンダンシー・ハウス」[6]のようにボウエンズ・コートを燃やしてしまうことはしないと決める――という恐怖の体験を通じてのみである。アイルランド内戦のあとには、そうして燃やされた屋敷の黒い残骸がアイルランドの風景と「対峙」したのだった。ハリスはIRAの破壊行為から福祉国家のもたらした影響へと一文で飛び移り、「イングランドでは〔屋敷の〕相続者たちは破滅的な税制に直面した」のだと説明する。【9】モダニズムと同盟を結んでいるかぎりにおいて、帝国と貴族制が終わるのは嘆くべき事態なのだ！　自分たちのロマン主義を手放さなかったロマンティックなモダニストたちとは、ジョン・ベッチマン[7]のように、戦後の年月の大部分を、福祉国家による建設計画がもたらした美的効果を非難することに費やした者たちのことなの

5　先のブロック引用の最終部の「表情」(expressions)はハリスの原文にしたがっており、ハサリーは「経験」(experiences)としているが、誤引用とみられる。引用後の訳注をつけた箇所で、ハサリーはブロック中の誤引用にあわせて「感情と経験」(moods and experiences)としているが、訳文では、ブロック引用されている元のハリスの文章の意味の整合性をとりつつ、引用への言及をわかりやすくするために、ハリス原文の「表情」に統一した。

6　一六世紀以降にアイルランドに移り住んだプロテスタントのイギリス人貴族(アングロ・アイリッシュ・アセンダンシー)によって建てられた屋敷。

7　ロンドン出身の詩人(一九〇六―八四年)。ロンドン郊外の醜い新興住宅地スラウに爆弾が落ちることを願った詩「スラウ」(一九三七年)によって知られる。

である。

この時点ですでに、わたしたちはまだ緊縮ノスタルジアの領土内にいるものの、福祉国家からは遠く離れたところにいるように思えるかもしれない——ここで福祉国家はそのノスタルジアの結実としてではなく、敵対者として現れるのである。じつに興味深いことに、『ロマンティック・モダンズ』にはいかなる公的機関も出てこないのだ。モダンデザインやアート、建築を支援したロンドン運輸局やロンドン・カウンティ・カウンシル、郵政省、情報省、そして帝国マーケティング局などの公的機関は、すべて不在なのである——唯一それらに相当するものは、ベッチマンやナッシュ、パイパーなどによって編集された旅行ガイドの発行を援助し、ナッシュやサザランド、ヴァネッサ・ベルなどによる、やんわりとシュルレアリスム的な広告を生み出した、石油会社シェルの広告プログラムである。ハリスの本にはまた「公衆」も不在であり、大恐慌、それからイングランドの都市部全般についてもほとんど書かれていない。

しかしながら、イングランドのモダニズムについての記述からもっとも穏健な社会民主主義の痕跡ですら消し去るという行為は、じつに現代的である。ハリスがつくりあげた美術史は、「KEEP CALM AND CARRY ON」、空襲（ブリッツ）、そして不屈の精神などがつねに呼び起こされ、戦前・戦後の近代建築の選りすぐりが保存されながら、同時に福祉国家の最後の残存物が破壊されようとしているこの国の現状にぴったりなのである。それに比べれば、社会民主主義や社会主義に対してモダニストたちが——田舎の教会や巨石群を好んだ者でさえ——結んだ緊密な同盟は、歴史から書き落とされたところでなんの問題もない。

この点において、ハリスは緊縮ノスタルジアの同時代人たちと少し袂を分かつ。緊縮ノスタルジアのフェティッシュの対象のほとんどは、大体一九三〇年から一九七〇年のあいだにイギリスに存在した、なんらかの公的機関や企業、国営事業によってつくられたもの、あるいはその模倣だった。たとえばロンドン・カウンティ・カウンシル（ＬＣＣ）は、一八九〇年代にロンドン中心部の自治区から組織され、一九六〇年代に、より権限は弱いが範囲の広いグレーター・ロンドン・カウンシル（ＧＬＣ）へとつくりかえられ、それはやがて一九八〇年代に廃止された。ロンドン旅客運輸局（ＬＰＴＢあるいはロンドン運輸局）は、一九三三年に私企業の地下鉄グループが国営化されたことでつくられた。戦時中にとくに活躍した政府のプロパガンダ機関である情報省は、のちに情報中央局を生むこととなった。ＧＰＯ（郵政省、すなわちロイヤルメール）の映画部門は一九三〇年代に画期的な作品を制作し、戦時中に情報省の管轄のもとクラウン・フィルム・ユニットへと改組された。そして最後にこれらすべてが集結し、「国民への気つけ薬」として、フェスティバル・オブ・ブリテンという祝賀イベントが一九五一年にテムズ河岸で開催された。その祭の建物のほとんどは、のちに選挙で勝利した保守党政権に「三次元の社会主義プロパガンダ」とみなされ解体された。

今日のロンドン地下鉄のポスターの少し不気味な権威主義的モダニズムは、ロンドン旅客運輸局によって実際につくられたポスターからの皮肉な借用である。ケン・ローチやスキップ・カイトの映画は、『夜行郵便』や『英国を聴け』などＧＰＯやクラウン・フィルム・ユニットによって制作された映画を想起させる。現代ロンドンの煉瓦造の建物は、ＬＣＣによって戦間期に大量に建てられた集合住宅を思わせる。フェスティバル・オブ・ブリテンは、飾り物、ガジェット、ポスター、ノート、ティータオル、模型などといった数十もの品々の元ネタにされてきた。そしてすでに確認したように、「KEEP CALM AND CARRY ON」ポスターは情報省の制作物だった（実際には使われなかったのだが）。

ところがあのポスターと違い、これらの公的機関のほとんどは実在したし、イギリスに、とくにロンドンとそれを取り囲む通勤地域に消えることのない痕跡を残した。だがこれらの組織による建築、デザイン、映画を少しでも覗いてみれば、それらもまたきわめて強力なノスタルジアに突き動かされていたことがわかる。それらすべては、勃興しつつあったアメリカ化された消費社会、J・B・プリーストリー[8]が一九三四年の著作『イングランド紀行』のなかで発見した「バイパス・イングランド」への恐怖に対抗しようとしていたのだ。そのイングランドのあたらしい国民は、「ガラスとコンクリートとクロム板」や「ポテトチップス、香料、歯磨き粉、水着、消火器」【10】を製造するアール・デコの工場を特徴とし、「幹線道路とバイパス、ガソリンスタンドと展示場のような工場、大型の映画館とダンスホールとカフェ」、「カクテルバー、ウールワース〔一八七九年創業のアメリカのショッピングチェーン〕、女優のような女工たち」【11】によって構成されていた。

このような消費社会への代替案として、これらの民主的でありながらも根深く官僚的な公的機関は、かつて存在したはずの、民主的とはいっても敬意を忘れない、趣味のよいイングランド（ほとんどの場合スコットランドとウェールズは含まれない）という蜃気楼を呼び起こした。それらの組織はこの空想上のイングランドの大部分を、当時は映画館やバイパス道路沿いのショッピングセンターへと群れをなして押し寄せていた労働者階級のなかに見いだした。

この慈悲深くフェビアン協会的な、ノスタルジックで民主的なモダニズムの独特な形式は、歴史的に一つのまとまりとして扱われることはめったにない――もちろん緊縮ノスタルジアの皮肉で権威的で消費主義的な夢の世界においては別だ――が、じつのところ、ロンドンに拠点を置く（とはいえ多くが北

戦間期の消費主義の建築：ペリベールの掃除機工場

部出身の）互いにつながりのあった少数の男たちによってつくられた。

一九三〇年代の大部分を通じてロンドン・カウンティ・カウンシルの長を務めたハーバート・モリスンは、ロンドン旅客運輸局（LPTB）の主たる組織者で支援者だった。LPTBは、一九四五年以降にモリスンが内務相として築いた国営産業のモデルとなった。そのモデルの欠点――利益を上げねばならず、職場がじゅうぶん民主的でないこと――は、一貫性や計画性、そして視覚的・社会的秩序といった美徳とおなじく、LPTBにおいてすでに現れていた。モリスン大臣はフェスティバル・オブ・ブリテンの政府側の主要なパトロンでもあり、乗り気でない同僚たちを熱心に説得した。

LPTBの管理局長でリンカーン出身のフランク・ピックは、アメリカ出身のビジネスマン、アシュフィールド卿とその組織における権限をわけあっていた。だが二人のうちでよりよく記憶されているのはピックのほうで、その主たる理由は、ピックが地下鉄とバスの

8 ヨークシャー出身の作家（一八九四―一九八四年）。第二次大戦中はラジオの司会者として大きな人気を博し、その左派的な内容は労働党政権の誕生にも貢献したと言われる。

大拡張計画を支援したためだ。ボルトン出身の型破りな古典主義建築家チャールズ・ホールデンによって、優美で明るく「本質的にイングランドらしい」とされる一連の駅が、かつてないほど雄弁にモダニズム的な様式で設計された。ピックはまた地下鉄ポスターデザインの責任者でもあり、当時のイギリスおよびヨーロッパの名だたる芸術家たちに仕事を依頼した。そのめまいのするようなリストには、E・マクナイト・カウファー、モホリ＝ナジ、マン・レイ、ジョン・パイパー、ポール・ナッシュ、グレアム・サザランド、そしてエイブラム・ゲイムズが含まれた。ピックのキャリアは一九三〇年代後半に頂点を迎え、一九三七年パリ万博のイギリス館でのキュレーションを手がけたのち、戦時中の情報省の総局長に任命されたが、戦争プロパガンダをつくれという良心の咎める要求に恐怖を感じ、たった四カ月でその職を辞した。そして一九四一年にはこの世を去った。

情報省総局長に任命された官僚のスティーヴン・タレンツは、一九三〇年代にGPOフィルム・ユニットを設立し、ジョン・グリアスン、ポール・ローサ、バジル・ライト、ハンフリー・ジェニングズ、レン・ライ、そしてロバート・フラハティといった、ソヴィエトやドイツの映画に影響を受けた監督やプロデューサーたちに多大な創作上の自由を与えたことでもっともよく知られていた。のちにタレンツはフェスティバル・オブ・ブリテンの実行委員となり、そのロゴを地下鉄ポスターもデザインしたエイブラム・ゲイムズに依頼した。

戦時中、情報省それ自体はチャールズ・ホールデンが本来はロンドン大学のために設計した、冷たい、装飾のはぎとられた古典的な摩天楼セネット・ハウスに拠点を置いた。セネット・ハウスは、一九四三年に戦後の福祉国家の礎となる「報告」文書を発表することとなる、自由主義思想家のウィリアム・ベヴァリッジによって依頼されていた。こうした思想家、建築家、芸術家、映画作家、官僚たちのほとんどすべてが、とある組織に関わっていたのだが、それが話題にのぼることはほかの組織にくらべてずっと少なく、そこで制作された作品はアイフォーンのケースやノートの表紙になることもなく、なぜかずっと見過ごされてきた。その組織とは、帝国マーケティング局（ＥＭＢ）である。ＥＭＢは、イギリスの消費者に、徐々に保護貿易主義へと向かっていた（そして戦間期にオスマン帝国領の大部分を獲得したことによりさらに拡大していた）地球全土にわたる帝国の遠隔地域からもたらされる商品の購入をうながすために設立された。

以上のリストは、第一期緊縮ノスタルジアの素材のカタログとして完成してはいない。美的問題についてはより保守的（少なくとも当時は）だったＢＢＣは欠かせない元ネタである。同時に、まったくの私企業だがたしかに「教育的」な出版社であり、独学者に愛されたペンギン・ブックスもそのリストに入るだろう。そして忘れてならないのは、当時はとるに足らない人物だったが、現在ではこの時代のほとんどが彼の著作を通して知られることとなった、ときに好意的ときに批判的に皮肉な調子でこの時代を記録したジョージ・オーウェルである。

それでは、これらの人びとはどんなイギリスをつくりあげようとしていたのか、そして、なぜそれは二一世紀の緊縮時代においてこれほど人目をひくようなかたちで再来したのだろうか？

あたらしいエルサレムとしてのロンドン地下鉄

建築評論家のジョナサン・グランシーは、緊縮ノスタルジアのジャンルに属する早い時期のエッセイで、役に立たない「見世物（サーカス）」9をこよなく愛する都市のなかで、古びてはいるが、いまだに市民としての目標を示し続ける灯火として、ロンドン・カウンティ・カウンシル（LCC）、フェスティバル・オブ・ブリテン、そしてなによりもロンドン運輸局を称揚した。これらの公的機関は、ミレニアム・ドーム（現在のO2）や大英博物館のグレート・コートとは対照的だった。こうしたブレア時代の建築群は、数年後にはカタールの投資家たちに所有されるとてつもなく高いガラスのシャード〔二〇一二年竣工の三一〇メートルを誇るロンドン最大の高層ビル〕によって街全体が見おろされる事態を招くこととなる。このすべては、グランシーによれば、戦間期（さらに戦後最初の十年かそこら）のロンドンを築いた人びとを真っ青にさせただろう。それらブレア主義の聖堂は、「ロンドンが社会主義者と自由主義者たちによって運営され、学校ではLCC印の教科書が使われていた時代のLCCの、上から目線で堅苦しい、「あなたたちのための知性的設計とまともな公共サービス」を掲げたアプローチの真逆をいくもの」だった。【12】

そのようなブレア派の遺物の代わりに、グランシーは「ロンドンの偉大な知られざる英雄のうちの一人である正直で信念のある男」【13】、フランク・ピックの功績を覚えておくように読者にもとめる。「あなたがステップニー、サウス・ケンジントン、アーノス・グローヴ、あるいはアマーシャム〔いずれもロンドンおよび近郊の地名〕のどこ出身であろうと平等に親切に扱われるべきだとピックは信じていた」。【14】グランシーは都市をつまらない飾りの寄せ集めとみなす見方を批判したが、皮肉なことに、この批判こそが、のちによりいっそうシックで簡素な見た目の飾りが大量に現れる際のネタ元となってしまった。

緊縮ノスタルジアによって掠奪されることとなった最大の組織はロンドン旅客運輸局だ。歴史家のマイケル・T・セイラーにとって、ロンドン地下鉄はラスキンとバウハウスを接続した「中世的モダニズム」の一例だった。それは「近代絵画、彫刻、そして建築を、つくり手にも使い手にも喜びをもたらす栄光の総合芸術(ゲザムトクンストヴェルク)へと統合した公共芸術であり、アーツ・アンド・クラフツ運動が最高潮に達した事業」【15】だった。これはかなり踏み込んだ主張である。しかし、今日の緊縮ノスタルジアのもつ奇妙な魅力に対する説明は、地下鉄を通してロンドンを合理化しようとした当時のピックの非凡な試みの成功と失敗を抜きにして語ることはできない。

フランク・ピックによれば、それまでのロンドンは「偶然まかせ」であり、「だれの手によってつくられたわけでもなかった」。しかし一九二〇年代までに、ピックは、「ロンドンの未来は絶対に、これまでのように偶然まかせであってはならない……ロンドンは計画され、設計され、組織されなければならない」と主張した。【16】もし実際にそうなったのだとすれば、大部分は彼のおかげである。一九六〇年代以降に墓場から掘り起こされたほかの多くの者たち（かつては忘却されていたイラストレーターのラヴィリアスとボーデン、写真家のエドウィン・スミス）とは異なり、デザイン史におけるロンドン運輸局の地位はすでに安泰だった。とはいえ、ロンドン交通博物館のショップで購入できる豪華なポスター図録やポストカードの大量発生を目にしたいまになって、わたしたちはようやくその事業の視野の広さを悟ったのかもしれないが。

奨学金を得てヨークで教育を受けたピックは、最初は広告マンとなり、「地下鉄グループ」——腐敗し

9 ここで言及されているグランシーの著作 *London: Bread and Circuses* (2001) では、後述のブレア時代の建築が「見世物(サーカス)」として批判的に議論されている。

たアメリカの「ゴム男爵」チャールズ・タイソン・ヤーキーズ【17】によって設立あるいは買収された、いくつかの私営地下鉄路線の複合企業――において、企業アイデンティティの確立における突出した手腕によって出世した。ロンドン地下鉄の管理局長としてピックが最初におこなったことの一つは、タイポグラファーのエドワード・ジョンストンにサンセリフ体の書体の制作を依頼したことだった。そのフォントの読みやすさと明瞭さと親しみやすさの稀有な組みあわせは、エドワード朝の無秩序な街の景観のなかでは際立って見えた。

小文字のIの上に小さなひし形のドットを乗せたこの書体ですらも、近代性に対するイギリス独特のアプローチ、すなわち、工業的な明快さとあたたかみ、さらにはあそび心との組みあわせを体現しているとみなすことができたし、実際にそうみなされた。おなじことは、「チューブ」と呼ばれるトンネルそれ自体を象徴する赤い円の中心に、「UNDERGROUND」という文字またはたんに駅名が書かれた青いバーがかかった、有名な「円形（ラウンデル）」ロゴにも言える。

こうした革新に続いて、一連のポスターキャンペーン、すべての駅での合理化による広告と乱雑さの抑制、さらに大部分が地下鉄ノーザン・ライン、セントラル・ラインそしてピカデリー・ラインを対象とした路線拡張がおこなわれ、チャールズ・ホールデンや彼に近しい協力者たちの手によってあたらしい駅が建てられた。ファインアートと産業デザイン、建築とエンジニアリングを統合したこの仕事の全体をもって、マイケル・セイラーはこの地下鉄グループを、そして一九三三年以降はLPTBを、戦間期イングランドの唯一にして真のアヴァンギャルド、それなしにはイギリスには存在しなかったような、真の「生活のなかの芸術」運動と呼ぶ。

セイラーの見方は、『ロマンティック・モダンズ』とはちがい、時代錯誤なあとづけによって歴史を構築したものではない。ピックの同時代人たちもおおむねおなじ見方をしていたからだ。ニコラウス・ペヴスナーはピックを「マエケナス」〔文人のパトロンとして名高い古代ローマの政治家〕と褒めたたえ、ホールデンの地下鉄駅を「イギリスに近代の語法を確立したすばらしいデザインの一群」であり、「控えめで機能的、かつ優美さを兼ね揃え」、「少しだけ変化をつけたおなじ要素がいたるところに用いられている——標準化とバリエーションの正しい配合だ」【18】と評した。

ロンドン地下鉄の標識

ペヴスナーの同僚で『アーキテクチュラル・レビュー』の編集者J・M・リチャーズによる一九四〇年の記述では、「周囲の最悪な偽物のチューダー様式の住宅団地とはわかりやすく対照的」なこれらの駅は、ゴミ箱や標識から時刻表のタイポグラフィーにいたるまですべて総合デザインとして調和していることからわかるように、「イングランドの近代建築においてもっとも満足のいく事業だった」とされる。リチャーズによれば「世界のあらゆる場所で賞賛された」というそのポスターには、「近代芸術の多くの思想――キュビスム、抽象デザイン、シュルレアリスム――が用いられ、市井の人びとに愛された」。【19】これらすべてが組みあわさることで、公共の精神をもった企業を支援する完全なる官僚制が見事に具現化されるのだ。

　地下鉄グループの管理局長として、ピックはイギリスのポスターデザインに革命を起こした。退屈なことで悪名高い郊外の行き先――ハットフィールド、エッジウェア、エプソム、ルイスリップ――が、E・マクナイト・カウファーやチャールズ・シャーランドによるポスターに現れたとき、それらは野獣派の猛々しい色づかいによって姿を変えられていた。それらのポスターは、そこから通勤することになるかもしれない者たちに、毎日ピナー〔ロンドン北西ハーロウ区〕の端にある丘にたどりつくたび、絵画（ピクチャレスク）のような教会の尖塔のほかにはほとんど遮るもののない波打つ丘陵の風景が、紫や緑に輝き脈打つ様子を目にすることになるのだと約束した。地下鉄とそれにまとわりついて現れる投機ねらいの住宅建設業者がただちに破壊するであろう田園は、つねにセールスポイントとして前景化された。時間の止まった、青々としたのどかなルパート・ブルック[10]的世界である。ここでは風景も人びとも穏やかで、友好的で慎ましいのだ、そうポスターは語る。ここにはこれからもずっとイングランドがあるだろう。

　ケニントンやファリンドンの煤汚れた地下鉄駅に貼られたこれらのイラストは、ロンドンの小市民（プチブルジョワ）が群れをなして消費することを咎められるいわれはないのだと約束した。「モダニズム」的な技術――反リアリズム的で、ときに夢を描いたような画家の色づかい――は、時間の止まった田園のイングランドをちょうど手の届く範囲に収めておくための「反モダニズム」的な効果を伝えるための巧みな手段だった。典型的とは言えない例を挙げれば、グレアム・サザランドの《ロンドン運輸局がロンドンの田園の窓を開く》は、ジョージアン様式風の窓のサッシから陽光に満ちた緑の庭、そしてそのむこうの生垣と一本の木を覗きこむ。それが典型的だと言えない理由は、その田園派モダニスト様式のせいではなく、ロンドン郊外の住人が見ることのできるのは、窓のむこうに広がる田園地帯のほんの一片にすぎないということを認めてしまっているからである。

ほかのポスターはそれほど巧妙につくられてはいない。広がる野原、朽ちかけたコテージ、中世の教会などの野獣派あるいはキュビスム的なイメージの下に現れたのは、「ゴールダーズ・グリーン――うれしい眺望、うれしい未来」、「あたらしい街かどに住みませんか――ドリス・ヒル」、「サリーに住めば悩み（ウォーリー）から自由（フリー）」、「エッジウェアに住んで生き生きと！」【20】などといったスローガンだった。こうしたイメージの形式が今日の緊縮ノスタルジアの世界でほとんど目立った扱いを受けないことは興味深い。その理由はもしかすると、これらの土地にセミデタッチドハウスが敷き詰められてから八〇年経ち、中産階級が都心部に戻ってくるなかで、現在の首都ロンドンのグラフィック・デザイナーやレストラン経営者や有力者たちの多くが、実際にそれらの郊外住宅地で生まれ育った人たちとなったからかもしれない。

もちろん地下鉄の広告キャンペーンは、ミル・ヒルやモーデンに新築住宅をもつ喜びだけを頼りにしていたわけではない。それはまたウェスト・エンドのネオンライト、劇場、映画館、デパートを、ある

10 イングランドのラグビー出身の詩人（一八八七年―一九一五年）。グロスターシャーのダイモック村に拠点を置きイングランドの田園を謳った二〇世紀初頭の「ジョージアン詩人」と呼ばれるグループの一員。第一次大戦に従軍した経験を綴った戦争詩でも有名。

いはウェンブリー・スタジアムでのＦＡカップ決勝やエプソム競馬場でのダービーを売りにした。またときには、とりわけ戦時中や終戦直後には、ただロンドンそのものを抽象的に賞賛した。このことによって地下鉄グループ／ロンドン運輸局による多くのポスターは、さらに明白にモダニズム的に、あるいはシュルレアリスム的にさえなった。その一例として、マン・レイはロンドン地下鉄の円形マークを二つ描き、土星の輪をつけた。エイブラム・ゲイムズやモホリ＝ナジ、ハンス・シュレーガーによる、キャンバスに描かれた、あるいはフォトモンタージュを用いた戦間期の作品は、同時代のモスクワ、パリ、あるいはベルリンで見ることのできたどの作品にも劣らず明るく表情豊かで、明瞭そして都会的だった――エスカレーターと自動ドアの喜びを謳い、断面図を用いてそれらがどのように作動するのかを示したモホリ＝ナジのすばらしいポスターとおなじくらいに。デザイナーたちが格闘していた矛盾を端的に示すのは、ポール・ナッシュによる「遊びにおいで、住みにおいで」と書かれたポスターである。そこでは通勤者が毎晩帰っていく郊外が、擬似チューダー様式の現実ではなく、ヴァイマル共和国時代のフランクフルトに似た一連の簡素なコンクリートとガラスのモダニズム的な別荘（ヴィラ）であるかのように描かれている。

地下鉄の建物はもちろんポスターとは違いその場に残っており、いまでも訪れることができる。すべての駅が一九一〇年以降にピックによって推し進められた断捨離（ディクラッタリング）の対象となった。「ビフォー・アフター」写真は、広告やガラクタ、ゴミ、調和のとれていない設備の乱雑さが、なめらかで優美な木製のキオスクや、快適で余計な飾りのないベンチ、そして明瞭でモダニズム的な広告にとって代わられたことを示せる点において、地下鉄グループ／ＬＰＴＢにとって大いに有用なプロパガンダの道具だった。

それからというもの、かなりの部分を「また散らかして(リクラッタリング)」しまったために、今日ではこの精神はほんの少ししか残っていない。だが、アーノス・グローヴやサドバリー・タウン、サウスゲイトやコックフォスターズ、アクスブリッジやオークウッドの駅に郷愁を感じることなく足を踏み入れることができる者などいるのだろうか? ピカデリー・ラインを北上しマナー・ハウス駅を過ぎれば、そこはフランク・ピックのロンドンだ。ボリス・ジョンソンのロンドンに住むことをほとんど余儀なくされたサザーク、グリニッジ、ルイシャム、ベクスリー、ハックニーあるいはニューアムの住人たちにとっては存在しない魔法の土地である。

ロンドンに一六年間も住んでいるにもかかわらず、わたしが「フランク・ピックのロンドン」に住んだことがあるのは、留守番を任され、あるクリスマスをハムステッド・ガーデン・サバーブで過ごしたときだけだ。フランク・ピックは一九二〇年から一九四一年に死ぬまで、この計画的に建てられたユートピア的コミュニティに住んでいた。この区画は「会館(インスティテュート)」(現在では女子校)と二つの教会のみに面する広場を中心にデザインされており、そこから伸びる道の多くは、保存された林に道を譲る一連のビアトリクス・ポター[ピーター・ラビットの作者]風の行き止まり(クロース)や袋小路(クルドサック)[12]へと続いている。退行的で郷愁

11 ハサリーは'Come Out to Play, Come Out to Live'としているが、これは誤引用であり、実際のナッシュのポスターは'COME IN TO PLAY'と'COME OUT TO LIVE'の二枚組となっている。

12 ともにイギリスの住宅街でよく見られ、クロースは行き止まり。クルドサックも行き止まりだが、先がロータリーとなっている。

に満ちたこの住宅地は、当時世界最大の大都会の中心部にいながらも、同時に田園にいることができる場所だった。そこは現在でも丁寧に計画・管理されており、権威主義的で居酒屋もなく、風変わりだが目を見張るほど綺麗である。設立者たちが地下鉄を通さないことを徹底したという事実をのぞけば、それはピックの理想都市の縮図である。とは言っても、そこはイースト・フィンチリー駅から徒歩圏内だ。その駅がデザインされたのは、当然、一九三〇年代にチャールズ・ホールデンによってだった。

サドバリー・タウン、アーノス・グローヴ、バウンズ・グリーンそしてサウスゲートの駅は、一九三〇年代前半の国営化のあと最初につくられたため、例外的に大事に扱われ、特別に重要な指定建築物としてグレードII[*13]に登録され、公式に「象徴的」であると認められている。もっともよく保存されており一番整理されたアーノス・グローヴ駅で、電車から一歩踏み出してみれば、その簡素な美に打ちひしがれるだろう。まず目にとまるのはプラットホームの標識だ。やや粗い打放しコンクリートの上にみられるサインの多くは一九三三年以来変わっておらず、自信に満ちて明瞭で、いまとなっては遺産としての上品な古めかしさをまとっている。切符売り場はじつに荘厳である——巨大なコンクリートの太鼓のようなかたちの建物は一つの柱に支えられ、柱の下には近未来的な小さな券売所がある。それは混雑時にも、純粋なる空間の驚くべき感覚を与える。快適で風通しがよく、気どらず、近代的であるが大げさでもやかましくもない。駅を出て振り返れば、古典への言及は一切なく、それでいてイニゴー・ジョーンズ[14]の設計した別荘（ヴィラ）に劣らないほど静謐で秩序のある、論理的で純粋な赤煉瓦とコンクリートの建物が見えるだろう。

これらの——北はターンパイク・レーン、西はボストン・マナーではじまる——ピカデリー・ライン

上　フランク・ピックのロンドン：ハムステッド・ガーデン・サバーブ
下　アーノス・グローヴ駅

沿いの駅は、ピックによるロンドン地下鉄の改革の頂点であり、テムズ河岸においてモスクワ地下鉄やベルリンのUバーンのような英雄的インフラ設備に匹敵するものだった。この計画は完成するまでに十年以上を要した。駅ごとにその進捗をたどると興味深い。まずピックとホールデンがヨーロッパのモダン・ムーブメントに接近するにしたがって、彼らのモダニズム的な計

13　イングランドでは、保存の価値があるとみなされる建造物は、重要度に応じてグレードⅠ、グレードⅡ*、グレードⅡの三等級に指定される。

14　一七世紀イングランドの建築家（一五七三―一六五二年）。イタリアに留学し、ルネサンス建築の影響をイギリスに伝えた。

画がだんだんと硬化していき、そして突然ゆり戻しが来るのがわかるからだ。

ヨーロッパでは、一九一七年頃に、政治的そして美的に多様であったが根本的には似通った多くの運動や団体——ソ連の構成主義とシュプレマティスム、オランダのデ・ステイルとアムステルダム派、ドイツのバウハウス、フランスのル・コルビュジエとエスプリ・ヌーボー——が、優美に合理化された産業デザイン、芸術、そして建築を国家に奉仕させるという計画のもとに集結した。これはブルジョワの価値観に反抗し、それを軽蔑したアヴァンギャルド運動に根ざしていた。イギリスでは、実質的には一九〇八年頃のパリの美的趣向を氷漬けにしたようなブルームズベリー・グループの思想が近代性の頂点と考えられていたために、そのような運動が生まれることはなかった。

この状況は、各国からの移住者たち（ソ連からはバーソルド・リュベトキンとサージ・チャマイエフ、ドイツからはエーリヒ・メンデルゾーン、ヴァルター・グロピウス、モホリ＝ナジ、オーストリアからはエルンスト・フロイト、チェコスロヴァキアからはユージン・ローゼンバーグ、フィンランドからはシリル・マーダル、そしてハンガリーからはマルセル・ブロイヤーとエルノ・ゴールドフィンガー〔いずれも建築家あるいはデザイナー〕）によってこれらのあたらしい思想がイギリスに持ち込まれるまで変わらなかった。慣例では「イングランド人」に分類されてきた建築家たちの多くですら、日本生まれのカナダ人ウェルズ・コーツやニュージーランド人のエイミアス・コネルとバジル・ウォードのように植民地出身だった。[15]一九三三年頃から、これらの亡命者たちはヨーロッパ式の方法で、おもにロンドン郊外の私邸などを建て始め、これに怒った王立英国建築家協会会長のレジナルド・ブロムフィールドは彼らを、あきらかにレイシストな含みのある、根無し草のコスモポリタン「モデルニスムス」〔Modernismus〕[16]の信奉者という言い方で糾弾した。ピックはこうした建築家たちの仕事に敬意を抱いたが、完全に追従して白い壁に囲まれた抽象と革命的な技術美学に振り切ることには乗り気でなかった。

だからはじめから妥協が目指されていた。ロンドン地下鉄に依頼されチャールズ・ホールデンによって設計された一九二〇年代の建築の代表は、セント・ジェームズのブロードウェイ五五番地にあり、セント・ジェームズ・パーク地下鉄駅の上に立つ地下鉄グループの本社である（のちにＬＰＴＢ、最終的にはロンドン交通局に引き継がれた）。一九二六年に着手されたブロードウェイ五五番地ビルは、デッサウのバウハウス建築やハルキウのゴスプロム建築のような、恐れも妥協も知らない近代建築の代表たちとちょうど同年代である。またそれは、戦間期のイギリスを実際に席巻した様式――エドウィン・ラッチェンス、ハーバート・ベイカー、ジョン・ベルチャーやジョン・バーネットらの、ややいたずらっぽく型破りなネオ・バロック建築――と同年代でもある。これは帝国の黄昏の建築であり、尊大であると思えばおどろくほどに謙虚で、古典の伝統から離れることをかたくなに拒絶しながらも、内輪の凝った自虐ネタのようなものになりがちだった。

15　コーツは一八九五年に東京でカナダ人の両親のもとに生まれ、ブリティッシュ・コロンビア大学で学んだのちにロンドンに移住しモダニスト建築家として活躍した。コネルとウォードはウェリントンで修行中に出会い、ともに一九二四年にロンドンに移住した。

16　ブロムフィールドは『モデルニスムス』（一九三四年）でモダニズムを批判した。ハサリーがこれを「レイシスト」と評すのは、同書のつぎのような主張のためだろう。「戦争以来、モダニズム、あるいはドイツの先例に従えば「モデルニスムス」が、この国を疫病のように侵略している」（v―vi頁）。

ブロードウェイ五五番地ビルは、摩天楼と言ってもよいスケールの鉄骨造の高層ビルだが、非構造材の重いポートランド石の外装のために低く見え、窓のプロポーションもジョージアン様式である。だがこの「妥協」は、建物をモダニズム彫刻で装飾するという、なんとも恐れ知らずな方法によって相殺されている。ヘンリー・ムーア、エリック・ギル、そしてエリック・オーモニアによる「風」の彫刻など[17]は高い翼部にさりげなく配置されているが、地下鉄駅の入り口の上に置かれた、素朴と不遜、活気と陰気の交錯するジェイコブ・エプスタイン[18]による「夜」と「昼」の擬人化彫刻のように、臆面もなくこちらに向かって構えるものもある。当時のロッテルダムやモスクワやベルリンであれば、この建物もまったく地味に見えただろう。しかしロンドンでは、とりわけその彫刻（その一つにはあきらかに男根がついていた）は、タブロイド紙でちょっとしたモラル・パニックを引き起こした。同時期にピカデリー・サーカス地下鉄駅は、ロンドンにありがちな混沌とした状態から、インペリアル・トラバーチン〔クリーム色の石灰質の石材〕内装の、当時のいかなる公共建築よりも大々的にエスカレーターを備えた、合理化された地下円形大広間へとつくりかえられた。ホールデン設計のほかの駅の多分に漏れず、ここでもエスカレーターに沿って、やや異教的なアップライトが配された。

ピックとホールデンは一九三〇年にヨーロッパを旅して回りアイディアを集めた。その成果はピカデリー・ラインを行き来すればいたるところに見つけることができる。スケールとタイル張りはベルリン地下鉄でのアルフレッド・グレナンダーの仕事から、駅のインフラは新築のハンブルク高架鉄道から、そして付帯施設や調度品（椅子、標識、照明など）は、ソ連やヴァイマール共和国で規範とされたよりも明るく親しみやすいモダニズムをお披露目した同年のストックホルム万博から借用された。繊細だが箇潔な煉瓦造はこのデザインのもっとも「イングランド化」された部分だとみなされることが多いが、実際にはオランダ人建築家ウィレム・マリヌス・デュドックの「保守的モダニズム」の仕事から取られている。そしてあのアーノス・グローヴ駅の円形建築は、型破りのスウェーデン人古典主義者グンナール・アスプルンドによる、おなじように完璧なプロポーションのストックホルム市立図書館の円形ホールを参考にしているが、けっして真似に終わっているということはない。

いたるところで、大陸モダニズムのより硬い特徴——ドイツやチェコスロヴァキアの機能主義者たちによって用いられた、ますます全面ガラス張りになっていく壁、ソヴィエトの構成主義者たちによって用いられた宙に浮いた歩道や廊下、純粋で白く、まるで砂糖でコーティングされたケーキのようなル・コルビュジエの表現——は、あたたかさとやわらかさをもとめて避けられた。このことは大戦間期イングランドが自己を提示した際の、あるやり方にとても密接に適合していた。ピーター・マンドラー〔イギリスの歴史家〕の言葉では、「イギリスが全体主義を忌避したことは……イングランドの国民性を解剖し、褒めそやし、自画自賛する狂騒を引き起こした」。【21】その国民性により、ヒステリックな外国人たち

17　ブロードウェイ五五番地の建物にはギリシア神話の「アネモイ」と呼ばれる東西南北四人の風の神を模した彫刻が二組ずつ施されている。ヘンリー・ムーア（一八九八—一九八六年）はヨークシャー出身の芸術家で、おもに彫刻家として知られるが、第二次大戦中に空襲から身を守るために地下鉄駅に避難した人びとを描いた絵画も有名。エリック・オーモニア（一八九九—一九七四年）はイングランドの彫刻家。

18　ニューヨーク出身、一九〇五年からイギリスで活躍したモダニズム彫刻家（一八八〇—一九五九年）。一九一〇年代にはヴォーティシズム運動（本章訳注二一）にも関わった。

が興じていたあらゆる極端さを避けることができると考えられたのだ。イギリス本島が穏健な姿勢をとっているあいだにも、もちろんその帝国はアラビア半島一帯へと拡大し、メソポタミアの高慢な住民たちをガスで懲らしめていた。

一九三〇年代が進むにつれて、多くの場合、この飼いならされたモダニズムは、駅が建てられる土地の歴史を呼び起こす応用芸術と組みあわされた。地下鉄は、そうした土地のほとんどすべてを、実際に郊外住宅地へと開発させる助力となった。無計画の投機的開発を引き起こしたのは、計画的な、なかば社会主義的な国営のインフラだったのだ。そのことは、たいていは地下鉄駅が建てられたあとに、以前にはなかった、途切れることのないチューダー様式まがいのセミデタッチドハウスの連なりがロンドンの通勤地域を埋め尽くした様子に見てとることができた。

マイケル・セイラーは一九三〇年代のピックを罪悪感と不吉な予感に苛まれた男として描いている。ピックは、ハーバート・モリスンのLCCによる、首都の周囲へのグリーンベルトの設置（一九三四年）に賛成した主要人物の一人だったが、それはまるで、そうしなければ止めることのできない自分の会社の拡大を制限しようとするかのようだった。ピックはやがて、自身が広めたモダンアートとモダンデザインを、倫理的・美的感覚を貶めるものと考えて非難するようになった。一九三二年に鉄道技術者たちの会合での講義のために書かれた彼のメモには以下のように記されている。「未来を見てみよう。暗い。飛行機の大群。パラシュートの洪水。諸民族のあらたな大移動。暗黒時代が再び訪れる。もう一つの文明だ。すべてが運動力の助けを借りている」。【22】

機械化と「運動力」がつくりだしていた恐怖を受けて、ピックの計画がそれまでになくあきらかに近代性とイングランドへの深い郷愁とを融合させる試みとなったのは驚くべきことではない。すでに見たようにアレクサンドラ・ハリスに賞賛された一九三七年パリ万博で彼が企画したイギリス館は、この一例である。伝統との和解へのあの突然の移行は、一九三〇年代後半に完成されたいくつかの駅にも見てとることができる。ピックの最寄駅だったイースト・フィンチリーのプラットフォームでは、まるでヴァルター・グロピウスの作品からそのまままもってこられたような見事なガラス張りの階段の横に、まるで中世初期の装飾写本から飛び出してきてそのままコンクリートで固められたような、エリック・オーモニアのデザインによる、近代化されたゴシック様式の、かわいこぶった金属製の射手の像が置かれている。アクスブリッジ駅でも似たようなものを見ることができる。ホールデンのもっとも自信に満ちたモダニズム的構造の一つである全体を覆うコンクリートの格納庫のような広間は、凝り固まったように左右対称でなかば古典主義的な出口から外の通りへと続いており、そこへ導くのはアクスブリッジの歴史的な街の紋章を描いた中世風のステンドグラスである。ピックはしばしば、自身がある種の伝統へと突然回帰したのは、モダニズムがイングランド人の精神に本質的に適合しなかったためだと述べた。だがそれはもしかすると、彼がソヴィエトの前例から学んだことだったのかもしれない。奇妙なことに、ここで議論するほかの多くの者たちと同様に、共産主義——まさに古きよきイングランドがその常識のおかげで避けることができた「極端さ」の最たるもの——に対する敵意は、ソヴィエト連邦にある程度魅了されることや協働することをさまたげなかった。ピックはモスクワ地下鉄の相談役となり、その仕事によりレーニン勲章を受けた。ホールデンが最後に設計した地下鉄駅の一つであり、ピックの死後に建てられたガンツ・ヒルは、ソヴィエトのシステムへの文字通りの賛辞であり、建設中には「モスクワ」

上　イースト・フィンチリー駅
下　エセックスのモスクワ：ガンツ・ヒル

というコードネームで呼ばれた。古典主義的なアップライトを備えた巨大なかまぼこ型天井のホールは、ロンドンでまったくほかに類を見ない。この全体主義様式との戯れは、ピックとつながりのある――とはいえＬＰＴＢではない――ある建物においてさらに印象的に見ることができる。セネット・ハウス〔ロンドン大学本部棟〕だ。

未完成に終わったロンドン大学のマスタープランの一部として設計されたセネット・ハウスは、ホールデンがロンドン運輸局のために建てた駅とはまったく異なるものを体現している。それらの駅が示した公的な官僚制のイメージは、せいぜいもっともヒステリックなアイン・ランド[19]的リバタリアンくらいしか恐れを抱くことはないようなものであった。一方でセネット・ハウスは長いあいだ、なんともいえない恐怖、俗物（ミドルブラウ）のイギリス知識人たちがとくに殺風景な建築を目にしたときにわざとらしく装うような、偽物の恐怖を呼び起こしてきた。ヨーロッパツアー後に最初に設計された一群の地下鉄駅の直後に設計されたその小型の摩天楼は、一部にポートランド石の耐力壁を用いているが、これはじつに高価で野心的な選択であり、まさに字義通り千年続くように設計されている。ファサードの中心をつらぬく巨大な石の控え壁は機能的な役割をもち、塔をいくらか重たくしている。ウィリアム・ベヴァリッジによって依頼された当初の計画では、ジョージ朝時代に建てられたブルームズベリーの一部を大規模に取り壊し、いくつか小さな塔を建てるはずだった。実現したものはそれより小規模なものだったが、それでも強い印象を与える。一九三〇年代のさらに印象的な多くの建物とおなじく、よく「ヒトラーの基地」と呼ばれるが、このことは事実にもとづいていない。【23】

セネット・ハウスがナチスの基地ではありえないとしても、共産主義者の基地ならばありえたかもしれない。それはよく「スターリン的だ」と悪口を叩かれるし、その塔の量塊性には、たしかに多くのス

19　ロシア系アメリカ人の小説家（一九〇五―八二年）。『水源』（一九四三年）、『肩をすくめるアトラス』（一九五七年）など、能力をもった個人が因習的な集団主義に打ち勝つ様子を描いた作品で知られ、リバタリアニズムおよび新自由主義に大きな影響を与えている。

ターリン時代の摩天楼の段状の輪郭を思わせるところがある。一般人も立ち入り可能な、印象的で雰囲気のある照明を備えた一階ロビーには、アルベルト・シュペーア〔ナチスの党主任建築家〕が好んだ祝祭的な通路を想起させるものがあるだろう。だがセネット・ハウスをめぐる本当の問題は、いかなる意味においてもご機嫌をとろうとするようなイングランドらしいイメージを提示しないことである。地下鉄駅の明るい赤煉瓦はもっともありふれた郊外の街路にもうまく収まるように意図されていたし、ブロードウェイ五五番地ビルを飾るジョージアン様式の細部や彫刻は、見るものに親しみをもつように訴えかけた。だがセネット・ハウスでは、わたしたちは純然たる権力のイメージを目にする。この高層建築をのちに利用することとなった組織についてはこれから見よう――しかしまず、この時代のイギリスの権力の美学とはいったいなんだったのか？　そしてそれは、わたしたちが議論してきた郷愁的モダニズムのオブジェの世界となんらかの関係があるのだろうか？

ベヴァリッジの基地

ベンガル飢饉記念ティータオル

この運動の背後にある政治性はやや曖昧でぼんやりしており、ボルシュヴィキ的とまではいかず、心地よい程度に左翼的だった。それはアーツ・アンド・クラフツ運動の影響を受けたフェビアン社会主義のような、だれも脅かすことのないものだった（たとえオーウェルがそのなかにソヴィエトの第五列部隊の萌芽を見たとしても）。それにかかわった者たちのほとんどの政治的立場は、ウィリアム・ベヴァリッジのような自由党のケインズ主義者たちからハーバート・モリスンのような労働党右派まで、おおむね連続していた。しかし彼らの思想は、大戦間期に最大規模に拡大した大英帝国という、なるべく言及は手短に済ませ、けっして語るべきではない事実と根本的に結びついていた。

帝国の実践と、慈悲深い原-社会主義的な官僚制をめぐる物語とが絡みあう媒介となったのは、帝国マーケティング局（EMB）という戦間期の組織だった。この文脈でわたしたちは、元LCCの指導者でフェスティバル・オブ・ブリテンの支援者のハーバート・モリスン――数千人ものロンドン市民にそれまでになかった高水準の住宅と教育を与えたあの「昔なじみのアーブ」[20]――についても、明白に帝国主義的で白人至上主義的な外相という顔を見ることになる。緊縮ノスタルジアの美学の暗黒面は、すぐれた公共交通機関と明瞭なデザインのもつ全体主義的と揶揄されてきた性質ではなく、むしろこの帝国主義的な側面なのである。興味深いことに、緊縮ノスタルジア産業によって生産されたティータオルやマグのなかにはロンドン運輸局や一九五一年のフェスティバル・オブ・ブリテンのためにつくられた作品を扱ったものはあるが、同一のデザイナーたちによってEMBのためにつくられた作品を扱ったもの

20　Herbertの略称Herbの、さらに語頭のHを抜いたかたちで言及されていることから、モリスンがHを発音しない訛りで話すロンドンの労働者階級にも親しまれていたことが示唆されている。

はほとんど一つもない。この組織の目的を見れば、その理由を理解するのは簡単である。

戦間期の「慈悲深い官僚制」の主要なプロジェクトは、深い郷愁、広範囲におよぶ国家的な自画自賛の実践のもとに成り立っていた。だが現代のノスタルジアのプロジェクトとは対照的に、「国民」とその帝国の周縁とは、当時は強くわかちがたく結びついているとみなされていた。EMBはスタンリー・ボールドウィンの保守党政権によって一九二六年に設立されたが、その目的は、それまでの自由貿易から帝国内特恵関税制度と呼ばれた方針へと移行していた大英帝国において、あたらしい保護貿易政策を奨励し宣伝することだった。簡潔に言えばEMBの役割は、イギリスと、そのいくつもの大陸をまたいだ広大な帝国の消費者たちに、必ずしも本国のものよりも安価ではない帝国製の商品を買うように説得することだった。

EMBは官僚のスティーヴン・タレンツに管轄された。タレンツは、ロシア内戦にイギリスが介入した際に反ボリシェヴィキ反乱において一役買い、短命に終わったラトヴィア・ソヴィエト共和国がイギリスの軍艦によって制圧されたあとに、一時はリガの総督まで務めた人物だった。しかしイギリスの帝国官僚にしてはきわめて進歩的だったタレンツは、自分の周りにフランク・ピックのような者たちを集めた。ピックはEMBのポスター部門を率いることとなった。若い左翼の映画作家・批評家であり「ドキュメンタリー」の推進者ジョン・グリアスン（「ドキュメンタリー」という語を考案したのも彼だった）は、映画部門を設立した。

EMBと、ロンドン地下鉄やロンドン・カウンティ・カウンシル、郵政省、フェスティバル・オブ・ブリテン、そして情報省といったプロジェクトとのあいだのつながりは、たんなる人脈の問題ではなかった。それは大英帝国が機能し、みずからを思考する方法における大きな変化を反映していた——その変化は、けっしてイギリスの外の植民地臣民たちにとってより公正なものではなく、むしろ福祉国家のいくつかの側面において結実した、ますます増大する国家主義と保護貿易主義の傾向と軌を一にしたものだった。

ＥＭＢの設立は、「社会帝国主義」、あるいはよりテクノクラート的な言い方では「関税改革」と呼ばれる、長期にわたる運動に向けた大きな勝利だった。それは、帝国の商品への関税が帝国外の商品よりも低くなるように関税法を改正することで、世界市場において単一の帝国ブロックをつくりだすことを意味した。この運動が生じた背景には、元来ぼろ儲け事業であり、人種至上主義の曖昧なイデオロギーはおまけにすぎなかった帝国を、巨大で意図的にイデオロギー的な（ついでに中心部に経済的利益をもたらす）プロジェクトへとつくりかえるべきだという信念があった。セシル・ローズなどその主導者たちは、これによって、敵対的になりかねない労働者階級からイギリス国家への忠誠を買おうとしたのだ。

これと戦後のケインズ主義思想との関連性は、主要な「関税改革」運動家の一人だったヴィスカウント・ミルナーの以下のような言明の数々に明白に見ることができる。

> 商品に多少余分の出費をして何千人もの人びとを生産活動に携わらせるほうが、多少出費を抑えて節約した金を結局は失業による貧民救済のために注ぎ込まねばならないよりもたしかにましである。【24】

これは統合され保護された帝国市場を実現するための「公共事業」論だった。このプロジェクトを一般に宣伝するために、ミルナーは帝国をめぐるあたらしい観念に訴えかけた。そこでの帝国は、イギリスの労働者たちが戦争のときに旗を振りながら、あるいは自分たちが工場で回している綿がどこから来たのかに思いを巡らしたときにぼんやりと考えたかもしれなかったような帝国ではなく、「偉大な家族」としての帝国だった。【25】この比喩は人心を掴んだ。地球規模での搾取と貿易をおこなう広大な産業部門が、家庭という規模で再想像されたのだ。

これはまた左翼の側からも一定の支持を得た。大きな影響力をもった初期のイングランドの社会主義者で、熱狂的な人種差別主義者でもあり、広く読まれた社会主義新聞『クラリオン』の編集者だったロバート・ブラッチフォードはおなじ比喩を用いた。自分が帝国での衝突を支持すること（ブラッチフォードはボーア戦争と第一次世界大戦の両方を支持した）を説明しながら、彼はこう宣言した。

> わたしは社会主義者である。国家は一つの家族であるべきだと確信している……わたしは市民同胞に対して自由主義や保守主義を放棄し、イギリス国民として帝国の危機に対処するよう要請する……まず家族を一家族として安全なものとしよう。その上で、われわれの家族内（ドメスティック）の差異については、家族として守られたなかで解決しようではないか。【26】

彼の独特な社会主義的帝国主義は、社会民主連盟のような小さなイギリスのマルクス主義政党と、それよりずっと大きな独立労働党のどちらにもみられた「清教徒的」で「かた苦しい」反戦政治への反発にもとづいていた。それらの指導者の多くが――一貫して反帝国主義者だったとはいえないラムジー・マクドナルドですら――第一次世界大戦に反対したのに対し、ブラッチフォードは単純にこう述べた。「イングランドが戦争をしているとき、わたしはイングランド人だ。政治も政党もない。わたしはイングランド人だ」。【27】

ここに挙げたものは二〇世紀前半のイギリスにおいて孤立した声ではなかったが、ここでの主要人物たち、および彼らによる社会改革と保護貿易主義的な統一市場、国家権力、伝統主義そしてナショナリズム的なレトリックの不安定で矛盾をはらんだ組みあわせは、慈悲深い官僚制というイメージに象徴される世界に向けて駆り立てる大きな力となった。なによりもそれはイギリスあるいは帝国の「家族」という、避けることのできないイメージを支えたのだ。

ボールドウィンの保守党政権は、ロンドンのシティの影響力が大きすぎて自由貿易を深刻な危険にさらすことはできなかったこともあり、社会帝国主義へ完全に転向したというよりは、道楽でやっているようなものだった。ＥＭＢは妥協の産物であり、全体的な経済の再編成というよりは、広告キャンペーンを通じて保護貿易主義の可能性を試そうとする試みだった。

本書の議論にとって重要なＥＭＢの二部門、すなわちポスター部門と映画部門は、それぞれ重要性の度合いが異なる。フランク・ピックにより選ばれた芸術家たちの一団は、地下鉄グループからＥＭＢへとそのまま再配置された。Ｅ・マクナイト・カウファーによる一九二七年の「今日のジャングルは明日の金鉱」と書かれたポスターは、通勤者たちにチングフォードを訪れてそこに住むことを勧めたのとおなじ、明るくとげとげしい、ややヴォーティシズム[21]風の手法で描かれていた。そのポスターには、伝統的な頭飾りを身につけてパイナップルを掲げる女、盾と棍棒を手にしている男という二人のアフリカ人が描かれており、二人とも現代の感覚ではきわめてあからさまに人種差別的に見える顔立ちをしている。【28】帝国の「家族」のなかで、ここで描かれている人たちが子どもであるということは明白だ。二人のからだのあいだには船と、ポンドで金額を表した数字の行（購入額と売上額、通常は後者のほうが大きい）が描かれており、イギリスとそのアフリカ植民地とのあいだでの、一八九五年――「アフリカ分割」のあいだにこれらの植民地の多くが獲得された頃――から一九二五年までの期間における貿易の拡大を示している。

この明白な略奪の図像は、ピックがEMBに込めた高尚な意図の偽善を暴いてしまっている。彼は通常の商業ポスターにもとめられるよりも高い芸術的水準を強く目指し、アーティストやデザイナーの選抜を完全に管理することで、EMBの宣伝広告があえて店舗のメインの売り場や道路の看板から離れた場所に設置されるようなマーケティング計画を練った。ポスターは学校に配られ、店舗のショーウィンドウでは一斉に、ピックが「一つの広大な帝国広告」【29】と呼んだものがつくりだされた。

ポスターの多くは、最近の第一次世界大戦でのプロパガンダでも使われた小ぎれいなセリフ体のフォントを用いて、単純なメッセージを発していた。もっとも率直なものとしては、さまざまな植民地や白人自治領の製品を買うようにもとめるものがある。ガゼルの絵の上に「南アフリカのオレンジを買いましょう」と書かれたもの。バイソンの絵の上に「カナダのハムとベーコンを買いましょう」と書かれたもの。さらに奇妙なのは、ウミガメの絵の上に書かれた、「イギリス領西インド諸島のセントビンセント島産クズウコンを買いましょう」と書かれたもの。自治領ではなく植民地である西インド諸島だけがイギリス領と名指されなければいけないということには注意が必要だ。

もう一つのキャンペーンは、それぞれ「昔の東アフリカの交通手段」、「今日の東アフリカの交通手段」と書かれた二枚のポスターに見てとることができる。「昔」のほうでは、アフリカ人の一団が——ここでもあの様式化された、過剰に強調された頭蓋骨、唇、鼻、眉が、ほとんど紫に見えるほど黒く描かれている——家畜を引き連れて、野獣派風に描かれたオレンジ色のサバンナの草原を行進している。対照的に「今日」では、おなじ東アフリカ人たちが、構図の前面の高いところに陣取った白いシャツの寛大な白人と交易をおこなっている様子が描かれる。これらの絵がいくら不気味だとしても、いくつかの重要な点を見逃してはいけない。ピックによる選別と監修が意図しているのは、帝国が、フェルディナント・テンニースの有用な区別を用いるならば、ゲゼルシャフト、すなわち近代の国際交通、産業そして通信によって結ばれた近代的なネットワークなのだと強調することだ。それと同時に、これらのポスターはまたゲマインシャフト、つまりあたたかい、だれでも迎えてくれる家族も想起させる。みんなが互いを知っていて、互いのために一緒に働く家族。そこには、地球上の離れたところに住んでいて、そのネットワーク／家族の年長者たちの手で「大人」に育ててもらう家族の一員たちも含まれる。

現在であればこれらのイメージは確実に退けられるだろうし、事実これらはデザイン史からほとんど

21　キュビスムやイタリア未来派の影響を受けて、一九一四年にイギリスで画家ウィンダム・ルイスや詩人エズラ・パウンドらが起こした芸術運動。『ブラスト』という雑誌を発行し、第一号にマニフェストを掲載したが、運動は二年足らずで終わった。

完全に消え去っている。EMBの認証マークの知名度はロンドン地下鉄の円形マークのような人気に近づくことはけっしてなかった。このプロジェクトはほとんど影響力をもつことなく、一九三三年に終わりを迎えた。それは抗議によってではなく——アムリットサル事件〔パンジャーブ地方での非武装市民の虐殺事件、一九一九年〕とイラク鎮圧〔一九二〇年からの英国によるイラク統治〕の時代にあって、多くの人びとが帝国での抑圧に対するうしろめたさを感じていた時代ではなかったし、ましてやEMBのポスターに描かれたような慈悲深い搾取に抗議することはなかった——金の無駄だとみなされたためだった。イギリスの消費者は、その消費行動においてはとくに帝国主義的ではないということがわかったのだ。

ポスターや産業デザインにおいては忘れ去られたとしても、EMBはイギリス映画史においてはもっとずっと重要である。なぜならばそれは、のちにGPO（郵政省）フィルム・ユニットと情報省のクラウン・フィルム・ユニットを生み出すこととなる、官僚スティーヴン・タレンツと社会学者・批評家・映画作家ジョン・グリアスンの二人組による最初のチームだったからだ。ロバート・フラハティの『産業の英国』、バジル・ライトの『セイロンの歌』、そしてグリアスン自身による『流し網漁船』など「イギリスのドキュメンタリー運動」の作品の多くはEMB映画部門のためにつくられた。普段は冷徹なリアリズムを賞賛される男にしては驚くほどの素朴さをもって、グリアスンは「古い搾取の旗に代わり、（EMBは）あたらしい共通の労働の旗を掲げるのだ」【30】と想像を膨らませた。この社会帝国主義はタレンツにも共有されていた。タレンツは、それを喧伝する手段については顕著に前衛的な考えをもっていて、それは歴史家のスコット・アンソニーの辛辣な言葉によれば、「最先端をいくノスタルジア、田舎風のSF、そしてネオ・ソヴィエト的な大言壮語の組みあわせ」【31】だった。

スティーヴン・タレンツのプロパガンダと広報活動についての考えは、イギリスの公務員としては珍しい二つの経験の賜物だった。リガの総督を務めていたタレンツは、エストニアとラトヴィアで、諸帝国の利害関心の複雑で多面的な衝突（ドイツ義勇軍（フライコーア）、イギリスの砲艦、そしてロシア白軍の将軍たちがバルト海をめぐって口論する様子）を、そしてボルシェヴィキとスパルタクス団の止めどないプロパガンダが、例の一節にあるように「祖国をもたない」プロレタリアートの兵士たちに訴えかけることに大きく成功するなかで生じた革命を、第一線で観察することができたのだ。さらに、職業安定所の管理人として短期間働いた経験によって、既存の公共サービスのやり方は非効率であるばかりでなく、戦間期の骨抜きとなった福祉制度を利用する労働者たちにとってきわめて屈辱的であるということを彼は確信していた。

したがって、タレンツのPRとプロパガンダに関する考えはきわめて人道的で民主的に見える。そのことは、アメリカの同時代人エドワード・バーネイズ（「PRの父」と称された広報の専門家）の残忍なシニシズムと比べれば、とくに際立つ。タレンツの伝記を書いたスコット・アンソニーは、タレンツがみずからの意図を語った、つぎのような発言を参照している。広報活動とは、「公衆が、自身のために整備された制度から最大の経済的利益を受ける」【32】ようにするものでなければならない。慈悲深い官僚制のプロジェクトをこれよりも手短に言い表すことはできないだろう。同様に、タレンツは帝国において「人間の命と健康が莫大な規模で損なわれていた」ことを疑ってはいなかった。しかし、彼は帝国の問題は帝国の方法によって、つまりたんなる搾取ではなく「帝国による開発」を奨励することで、解決できるのだと想像した。【33】

タレンツのこの刷新された帝国へのアプローチは、もう一つの、もっとずっと確信をもって刷新された帝国から大きな影響を受けていた――東ヨーロッパの大きな区画と「すべてのルーシ」、コーカサス、そして「トルキスタン」を有したロシア帝国が、いかなる国民あるいは地域も主導権を握らないとされる多様な主権国家の連合であるソヴィエト社会主義共和国連邦へとつくりかえられたことである。これはもしかすると逸脱したほうが名誉になるような手本だったかもしれないが、それでもタレンツにとって偉大なる模範でありつづけた。彼の関心はソヴィエトのプロパガンダ、とりわけソヴィエト映画にあった。

この時期がちょうど「ボルシー」〔ボルシェヴィキの略〕が侮蔑語に加わった頃であったこと、それからイングランドの自己像そのものが全体主義的なヨーロッパ人とは違うということによって成り立っていたこと、さらにソヴィエト映画がよく上映禁止処分を受けていたことを考えれば、これはじつに大胆な方針だった。タレンツは、一九三二年の小冊子「イングランドの投影」のなかでみずからの考えを提示した。この本はしばしばGPOフィルム・ユニットでのより有名な仕事の予兆とみなされるが、それとおなじくらい帝国マーケティング局の意図を表明したものともみなすことができる。このことは一見してそう思われるほど奇妙なことではない。タレンツが参照したソヴィエト映画――『戦艦ポチョムキン』、オレクサンドル・ドヴジェンコの『大地』、ヴィクトル・トゥーリンの『トゥルクシブ』、そしてフセヴォロド・プドフキンの『アジアの嵐』――のなかで、ロシアそのものを舞台にしたものは一つもない（そして「ロシア民族」である人物に監督されたのは一つだけだ）。これらの映画は、タレンツによれば、「映画がどのような国民的表現のための比類なき道具になりうるか」【34】を示した。このことによって、これらはＥＭＢによって定義された帝国の空間にイングランドを投影するための有用なモデルとなったのだ。

典型的なイギリスのレトリックとはこうである——やつらは美的な意図を偽りプロパガンダをつくったが、帝国マーケティング局は無私無欲に南アフリカの田舎の美しさを見せただけ、あるいはルートンやゴスフォース〔ともにイングランドの町〕でハムやタイヤを買う人たちに、帝国から買ったほうがいいと知らせただけだった、というわけだ。

ＥＭＢの映画のなかで今日もっともよく顧みられている二作品は、実際にはＥＭＢ解体直後の一九三四年に公開されたバジル・ライトの『セイロンの歌』と、フラハティの『産業の英国』（一九三一年）だ。『セイロンの歌』は、大英帝国のためのプロパガンダ映画に期待されるような芸術的水準をはるかに上回っている。脈打ち目が回るような音楽、儀礼の踊りの映像、そして現在によみがえる過去の空気を伝えるこの映画は、激しく陶酔的だ。それは社会学あるいは一般化——シンハラ人にとって、たとえば、「雇われて働くのは大きな恥であり、そんなことをする者はほとんどいない」そうだ——から構成主義的な労働の美の描写を経て、グローバル化の非人称的な諸力を映画において表象する試みへと、たえまなく移り変わる。映画の第三部では、どこからともなく聞こえる声が、これら田舎の労働者たちにあたらしい技術、あたらしい通信、「国家資源の新発展」を約束しながら、画面には象に乗る男のイメージが映る。

男たちが森のなかを裸足で歩くのを見れば、これらの語りがセイロン茶葉の貿易と、その株式市場における立場に関係があることが徐々にわかってくる。これら二つの事柄が直接結びついていることを悟るのである。ラジオの雑音がだんだん大きくなるなかで、そこに映される男女はかがんで茶葉を摘みとる。そして茶葉が加工される様子が映る。少し見方を変えれば、この映像はこの人びとが搾取されていることへの批判であるのだと想像することもできるかもしれない――少なくともわたしたちにはこの人びとが、自身の労働の果実がヨーロッパの各地に売られ分配されることによって利益を得ているようには見えない。そこに感じとることができるのは、そんなことは実際どうでもいいのだ、なぜならこの人たちはこれまでそのようにして生きてきたのだし、これからもずっとそうして生きていくのだから、ということである。

もう一方のロバート・フラハティ『産業の英国』は、左派ロンドン知識人によるものではなく、少なくともその一部は、自然と人間との闘いを描いた『極北のナヌーク』や『アラン』などによって知られるアメリカ人監督による作品だ。英雄的なナレーションは（グリアスンによるものだが）しばしば、フラハティによる陶器工場や炭鉱、ガラス炉などの複雑な作業工程の注意深く感受性豊かな描写と衝突しているように見える。「産業都市は見た目ほどには退屈ではない――その煙の裏で、美しいものたちがつくられているのだ！」というボイスオーバーが低く響き、フラハティは鉄鋼業や煙を吐き出す煙突、細長いクレーンの美しさを撮ることにかけてはヴェルトフ[22]とおなじくらいに長けていた。しかし結局、数人の労働者個人ではなく社会を扱っているのだという感覚が不在であることによって、『産業の英国』は、フラハティのより有名なドキュメンタリー作品とおなじような、自然に立ち向かう孤高の人間への賛辞になってしまう。

『セイロンの歌』も『産業の英国』も形式的にはラディカルで、深く悲痛なほどに美しいものとなりえているが、同時にその主人公たちが世界のなかでの自分の立ち位置にただ満足しているような印象を与える。

『セイロンの歌』は広く高い評価を受けているものの、「イギリスのドキュメンタリー運動」について興味深いのは、それが帝国を刷新し活力を取り戻すことを目的に設立された機関から生まれた運動であるのにもかかわらず、スリランカやカリブ海についての作品よりも、イギリスについての映画によってずっとよく知られていることだ。これは部分的には、帝国マーケティング局映画部門が解体されてすぐにGPOフィルム・ユニットへと、ほとんどおなじスタッフ――ジョン・グリアスン、バジル・ライト、アルベルト・カヴァルカンティ[23]、そして寛容だがつねに目を光らせている監督者サー・スティーヴン・タレンツ――を有したままつくりかえられたことに起因する。

GPOフィルム・ユニットは、ロンドン旅客運輸局と同様に、概してあらゆる種類の実験に敵対的であると考えられる一般公衆に向けて、アヴァンギャルド的な作品を広めた功績によって評価できる。し

22 ソ連におけるドキュメンタリーのパイオニアとみなされる映画作家(一八九六―一九五四年)。一九二〇年代に「キノ・グラース」(映画眼)という方法論を提唱し、革新的な方法で真実を追求した。代表作に『カメラを持った男』(一九二九年)。

23 ブラジル生まれの映画作家(一八九七―一九八二年)。一九二〇年代にパリで映画作家としてのキャリアをスタートし、『時のほか何ものもなし』(一九二六年)などの作品を撮ったあと、三〇年代にイギリスに渡りGPOフィルム・ユニットに参加、若い映画作家たちの指導的役割を担った。GPOがクラウン・フィルム・ユニットに改組されたのちにはイーリング撮影所に移り活躍した。

いて言えば、GPOフィルム・ユニットはその時代の真の最先端を広めようとした点で、ロンドン運輸局よりもさらにラディカルだった。とくにその短編アニメあるいはモンタージュ映画――本編の長編映画の前に上映されるためにセットで配給されたが、学校や映画愛好会向けにも流通した――は、映画の可能性をめぐるきわめて活気に溢れた、明るく、あらゆる方向に開かれたドキュメントである。

　イギリスのドキュメンタリー運動のもっともめざましい作品は、ロンドンからスコットランド各都市へと向かう郵便特急列車の一夜を描いた、一九三六年公開のバジル・ライトとハリー・ワットによる『夜行郵便』である。のちにGPOフィルム・ユニットによる労働者階級の表象――そのころまでには、熱心にも時代錯誤な学者たちから「パターナリスト」と評されていた――について語った際、アルベルト・カヴァルカンティは、「それまで映画で描かれた労働者たちは滑稽な浮き彫り細工のようなものだった。ドキュメンタリー〔運動〕以降、その人びとは人類の一部となったのだ」【35】と正当に指摘した。これらの労働者たちは世界を変えるための道具である集団の名もなき部品なのではなく、煙草を吸いビールを飲む浮気がちな男たち（だいたいは男性）であり、よく働くが、おそらく本当は一杯の紅茶を飲みながら休憩することを望むような人たち――根本的には愚かだが高貴な動物としてジョージ・オーウェルが理想化し対象化した、「本質的に人間らしい（ディーセント）」、そこに「希望」があるかもしれないし、ないかもしれない、イギリスの労働者（プロール）たちなのである。スコット・アンソニーが書くように、「労働者が「おいそこの若いの、それどけてくれ！」と叫び、それに明るく「わかったよ、この美男子！」と答えるというような会話は、ジガ・ヴェルトフにはない」【36】のだ。これは労働者の描き方としては、一九三〇年代の滑稽な引き立て役としての描写と、二一世紀のぶつぶつ唸るテレビ中毒のルンペンとしての描写の、どちらと比べてもかなり改善されたものではある。鉄道労働者組合の「ギルド社会主義者」たちがGPOフィルム・ユニットの活動の熱心な支持者だったことを考えれば、『夜行郵便』の最初に、ライト、ワット、カヴァルカンティの名前のすぐあとに「鉄道の労働者たち」がクレジットされていることに驚きはない。クレジットされていないのはこの映画に参加したもっとも有名な者たちの名である。作曲家のベンジャミン・ブリテンと、この映画でもっとも記憶に残る最後の場面で読み上げられる詩を書いたW・H・オーデンだ〔実際には小さくクレジットされている〕。

もしこのドキュメンタリー運動が「イングランドの投影」なのであれば、それは図らずもその手本となったソヴィエト映画に劣らない確信と平等主義、ユーモアとすぐれた視覚的感性をもっておこなわれた。それはすべてを、そしてみなを迎え入れようとするイングランドのビジョンを提示したのだ。

ただ、もちろん、イギリスの帝国をのぞいて。

このフィルム・ユニットが、以前よりもやや穏当な機関のためのプロパガンダというあたらしい役割を担ったことを考えれば、そこには主題の重複はほとんどないように見えるかもしれない。ただ一つだけ例外がある——完全に忘れ去られた一九三八年の『神の子どもたち』という映画である。この映画の制作時の仮タイトルは「ニグロたち」という示唆深いものだった。ここでは、『夜行郵便』の主役たちの多くがふたたびその役回りにつく。音楽はふたたびベンジャミン・ブリテンで、W・H・オーデンによる詩もあり、バジル・ライトによる映像は帝国マーケティング局の出資による一九三三年の「英領西インド諸島」への旅行の際に撮られた。

EMBの平均的なポスターの表現とは異なり、『神の子どもたち』は単純に明白な帝国のプロパガンダ作品として受け取ることはできないし、『セイロンの歌』と異なり、その映画はイギリス帝国主義のある側面を批判しようとしている。それはジョン・グリアスンがEMBフィルム・ユニットにおいて目指した、不可能な反帝国主義的帝国主義に近い。この映画は一六世紀の新世界のイメージとともに始まり、現在そこに住むさまざまな民族について語る。つぎに原住民の殲滅についての詳細な記述へと移り、「すべての河口を取り囲んだ奴隷船」に言及する。わたしたちは交互に切り替わるRP〔容認発音〕とカリブ訛りの声を聴きながら、これら悪名高い船の設計図のスケッチを見せられ、背後にはオーデンによって書かれた「奴隷の歌」が聴こえる。

ライトの一九三三年の映像は黒い身体が過酷な農場での肉体労働に従事している様子を映しており、そこにモンタージュされる歴史的なイメージは、一九世紀にこれらの人びとを自由にすることを支持した「先進的なヨーロッパの思想家たち」がいかに善良だったかを示すが、映像そのものの残酷さは別の物語を語る。監督たちはそこであたかもやりすぎを心配するかのように、ケンブリッジで教育を受けた西インド諸島出身の白人クリケット選手に最後の一言を語らせる。彼は、状況はよくないかもしれないが、とりわけ初等教育が義務化されたあとでは、帝国の助けのおかげで改善されている、とわたしたちを安心させる。「光は黒人にも白人にも等しく降り注ぐのだ」、そうボイスオーバーが唱える。『神の子どもたち』のようなものがほとんど跡形もなく消え去った一方で『夜行郵便』がモダンクラシックになったことの理由を見てとるのは簡単である。それは、帝国が存在しないふりをするという昔のやり方が、いまではそれはけっして起こらなかったふりをするというやり方に変わったからというだけではない。それだけでなく、この映画では妥協がいきすぎるあまり、いくつもの越えることのできない限界にぶつかっており、あらゆる論旨が理解不能で首尾一貫しないものとなってしまっているのだ。帝国に関して言うかぎり、社会主義者でありながら帝国主義者であろうとしたり、平等主義者でありながらパターナリストであろうとしたりすれば、聞こえのいい決まり文句のごた混ぜになってしまうことは避けられなかったのである。

　グリアスンのような社会主義者、そしてフランク・ピックのような社会民主主義者は、大英帝国をみずからが想像したイギリスの「家族」の一部として表象しようとある程度真面目に試みた。彼らにとって、たとえばラジオや大量生産方式によってセイロンやジャマイカの人びとが受けるかもしれない利益を強調することは、郵便や地下鉄がロンドンを文明化し統合したことを喧伝するのとおなじくらい重要だった。この組みあわせは、帝国がとてつもない規模の残忍さと搾取のもとに成り立っていたことを考慮すれば、いくらか奇怪に見えざるをえなかった。したがって、緊縮ノスタルジアの想像力から、帝国とのあらゆるつながりが——そこで回想され参照される時代における帝国の存在と美学だけでなく、帝国の周縁から来た移民たちの子孫によるイギリス文化へのあらゆる文化的あるいは政治的貢献についても——ここまで徹底的に削り落とされていることは、よりいっそう興味深い。憑在論の世界は、『ロマンティック・モダンズ』の世界とおなじくらいに、イギリスがけっして大量の移民に直面しなかった世界であり、わたしたちの音楽や文化がけっしてそのことによる国際化やアメリカ化、脱ヨーロッパ化を経験しなかった世界なのだ。緊縮ノスタルジアは、一九七九年とサッチャー不在のイギリスという想像上のビジョンとおなじくらいに、一九四八年とエンパイア・ウインドラッシュ号[24]が不在のイギリスを示してもいるのである。

一九四八年にオーストラリアからイギリスへ渡ったクルーズ船。途中ジャマイカに寄港した際、植民地出身者に市民権を与える国籍法が議会を通過しようとしていたことを受けて、五〇〇人ほどの人びとがイギリスへ移住するために乗り込んだ。このため、この船は第二次大戦後のカリブ海からの移民の象徴とみなされ、この時期の移民は「ウインドラッシュ世代」と呼ばれる。

第四章 家族写真

わたしは共産主義者ではない、社会民主主義者だ。わたしは現代の知性をもった共同体が、しかるべき優先順位を決めて、その経済生活を合理的に組織することが可能であるし、そのために独裁政治に頼る必要などないのだと信じている。それが可能だと信じている。だからわたしは社会主義者なのだ。もしそのことを信じていなければ、共産主義者だっただろう。資本主義者だっただろうということはない！　われわれのこの国と、この運動が、障害に直面しながらも、世界中から民主的代表制政治の守護者とみなされているのだと、わたしは信じている。しかし、同志たちよ、もしわれわれがその守護者になろうというのであれば、同時に自分たちの仕事がなにかを悟らなければならない。その仕事とは、われわれがなんらかの優先順位にしたがって、代表制政府のもとで、自分たちの経済生活を知性的かつ合理的に組織することを目指し実行しなければならないということだ。……現代の複雑な社会においては、私人による経済的冒険に物事を任せておくことで合理的秩序を得るなどということは不可能だ。だからわたしは社会主義者なのだ。

——

アナイリン・ベヴァン、1959 年の労働党大会での演説【1】

「続けなければいけないんだろうけど、でも……」

「人民の戦争」に始まり、一九四五年から五一年までの社会革命のように見えた時代へと向かった一九四〇年代は、緊縮ノスタルジアのあらゆる変種が共通して固着する対象であり、左翼と右翼を、審美家と料理人を、そして政治家と美術史家を結びつけている。そのため、このぼんやりとしたロマンティックな見かけを歴史の記録と照らしあわせて確認するために、過剰な固執の対象となっているいくつかの時期について、もう少し詳細に見ていくべきである。この作業にあたり、緊縮ノスタルジアの賛美者たちの心を和ませる戦後初期のもう一つの組織が貴重な情報源となる。その組織とは、マス・オブザベーション（MO）のことだ。構成員にハンフリー・ジェニングズのようなシュルレアリストと審美家を含み、現代を対象とした考古学のようなものをつくりだそうとしたこの組織は、その調査結果を定期的に政府に報告することで、よりエリート主義的でない政策をとるようにうながした。今日では、MOはおもにのちのマーケットリサーチに与えた影響によって記憶されているが、そのアーカイブから生まれた第二次大戦期に関するいくつかの興味深い本は、これまで信じられてきたものとは驚くほど異なる物語を提示している。サイモン・ガーフィールドが編集した『われらの知られざる生活』に収められた〔MOに参加したボランティアたちによる〕さまざまな日記を読んだあとでは、第一の緊縮時代の数々の政治運動のあいだの単純な区別を安易に受け入れることは難しくなる。その本では、ささいな歴史上の事柄について空っぽの部屋で言い争いながら不機嫌そうに保守党に投票する労働者教育協会のメンバーや、ゲイであることをほとんど隠していないエディンバラのアンティーク商、なぜヒトラーがユダヤ人を取り除きたいのかがわかると日記のなかで告白する労働党支持者で社会主義者のシェフィールドの主婦などについて読むことができる。

とりわけMOのトム・ハリスンによって編集された『空襲下（ブリッツ）の生活』は、いまわたしたちが消費する「一九四五年」がどれほどまでに構築されたものであり、数世代のちにパーツをひとつずつ組みあわせて築かれた便利なおとぎ話であるかをあきらかにする。本書の議論に関連してもっとも興味深いのは、「落ち着いてそのまま続けよ」という命令（印刷されなかったあのポスターに限ったことではなく、そのようなレトリック）が、実際にはじつに反対の効果をもったことを示す多くの証拠である。その上から目線のメッセージは、同書を構成する素材となった日記を書き、インタビューを受けた、大部分が労働者階級に属する多くの人びとを憤慨させた。『空襲下（ブリッツ）の生活』は、「人間らしい（ディーセント）」人びとと「人間らしい（ディーセント）」慈悲深い公務員たちとの連携ではなく、むしろ両者の利害関心の完全な不一致をあきらかにする。行政と地方自治体は、自分たちが爆撃から守っているはずの労働者たちに大きな恐れを抱いていたのだ。

たとえば、労働党の左派とラディカルな建築家たちが地域共同体のためのシェルターの設置を主張したのに対し、中央政府は爆撃からの避難に関して個人で対処（プライバタイゼーション）することをかたく支持した。「ホワイトホール」〔イギリス政府のこと〕は」、ハリスンによれば、「長いこと「シェルター精神」などというものがあってはいけないのだと断言していた。大きく安全な深いシェルターが設置されれば、人びとはたんにそこに横になって働かないだろう。もっと悪いことに、プロレタリアートをそのように一箇所に集めることはマス・ヒステリー、あるいは反政府的行為の温床になりかねない。その答えがアンダーソン式シェルターである」。【2】つまり、かならずしもより安全なわけではないが、暴動を煽動する可能性は低い、裏庭に設置する個人用シェルターのことだ。

このような避難の個人化の唯一の重要な例外はロンドン地下鉄であったが、それはまず夜間にロンドン旅客運輸局の抵抗を押し切って占拠され、そのあとで避難所としての利用が暗黙に認められたのであり、ピックとアシュフィールドの寛大さによるものではなかった。人びとがそのようにしてつくられた公共のシェルターで生きる様子は、わたしたちが想像するように仕向けられた落ち着いた陽気な集まりとはかなり違うものだったようだ。「「さあ歌いましょう……」「ここでは空襲警戒補助員がもう一度合唱を始めようとした」、ある日記はこう記す。「うるさい黙れ！」と五〇歳くらいの女性が叫ぶ。「お前がいなくても、もうじゅうぶんうるさいんだよ」」。【3】

いくつかの都市では、人びとと政府の分裂は、あきらかな暴動に発展しかけた。たとえばサウサンプトンは、一九四〇年にあまりに大規模な爆撃を受けたために、街を取り囲む弧状の田園地帯、イーストリー、チャンドラーズ・フォード、オタボーン、トゥイフォード、ショーフォード、ウィンチェスター、ロムジー、ニューフォレストなどに多くの難民が避難し、街に取り残された少数の、頼る親戚もなく、じゅうぶんな避難所をもたない労働者階級の人びとが攻撃の矢面に立つこととなった。市役所の上層部が街の外へ避難していたことで、街では空軍のクーデターが起こり、不運に見舞われた文民の指導部が身を隠しているあいだ、軍による独裁が敷かれた。「空軍はこの破綻状態を強く批判していた」のだとハリスンは書く。「彼らは街の指導層全体を非難していた」のであり、「指導層は知性的判断に関しては職務を放棄していたし、そのなかの一部は実際に逃げ出していた」。【4】

マス・オブザベーションは一九四〇年にサウサンプトンの空襲に対する反応について報告書をまとめており、そのなかで「何度も……家がない、年老いた、妊娠している、体調を崩した避難をもとめる人びとが……どこで必要な情報を得ることができるのかを知らなかった。つぎに挙げるある女性の証言は典型的なものとは言えないものの、そう遠くもないだろう。「どこに行っても、そこに行ってはいけないと言われる」」。【5】打ちひしがれた人びとを元気づけるためにジョージ六世が街を訪れたことについては、「一行はとくに気づかれることなく通り過ぎた。あとで大勢が、最初はラジオで、訪問者たちがだれだったのかを知ったときにも、反応は一様に熱狂的とは言い難かった……どちらかというと好意的なコメントの一例としては、「あの人らが来てくれたのはまあいいことだけど、どうせならあたらしい家をくれればよかったのに」というようなものだった」。【6】あるいは、ほかのだれかがより率直に述べたように、「みんな、[市会議員たちが]毎晩サウサンプトンから逃げ出して、王と王妃に会うためだけに戻ってきたんだってわかってたさ」。【7】

リヴァプールでは同様の場面が暴動や反乱さえ引き起こしそうになった。ここでは、このときまでに、何人かの最上層部の重要な政治家や役人たちと、不安で困惑した九九パーセントの人びととのあいだに「ほとんど完全な分裂」が生じたようだったが、九九パーセントに現在とるべき行動やこの先の見通しについて知らせようという真剣な努力はなにもなされなかった。どれほど困難な状況であったとしても、この完全な連絡の失敗、この沈黙は不可解に思えた。それでも噂によれば、市内の大理石の間では「栄誉」や大英帝国勲章について話しあわれているとのことだった。【8】

空襲（ブリッツ）に対する一つの反応は、怒りというよりも安堵だった。危険と、みなが感じていた退屈との両方から逃れたという二重の意味においてである。ある日記の書き手はこう述べている。「まるであたらしいドレスを試着するかのように、そのフレーズが自分に似合うかを試しながら、「わたし、空襲を受けたの！」「わたし、空襲を受けたの！——わたしが！」と、何度も自分に言いました。前の晩に多くの人が怪我をしたり殺されたりしたときにこんなことを言うのはひどいかもしれないけれど、人生でこれまで、こんな純粋で傷ひとつない幸せを感じたことはありませんでした」。【9】あるいは、同様に、別の日記にはこのようにある。「一週間に一度くらい、こんな晩があっても悪くないと思います。普段はこんな興奮はないから、やることなんてなんにもないし」。【10】

マス・オブザベーションの空襲（ブリッツ）に関する報告は、政府——そしてとりわけ情報省——に、空襲を受けている人びとが落ち着きのないモーロック族でも陽気なコックニー〔ロンドンっ子、とくに東ロンドンの労働者階級をさす〕でもなく、空襲も嫌だし上から目線で接されるのも嫌な大人の人間たちなのだということを悟らせた。あるマンチェスター在住の女性事務員のMO日記作者はこのように書く。「マンチェスターはこのまま続けて（キャリーイング・オン）いくのだと、みんな言っています。そうなるでしょう……けれど、ここに住んでいる者としては、このまま続けていくのは結構大変なことです。わたしたちは、そうせざるをえないんです」。【11】

ハリスンによれば、おもに情報省を通じて公衆の気運を指導することを目論んだ人たちは、ながいあいだ真逆の見方をとっていた。その人たちは、閣僚（われわれ）と大衆（あなた）とをはっきりと区別するポスターを用いて、「あなたの勇気が、あなたの元気が、あなたの決意が、われわれに勝利をもたらす」のだと激励した。

これが怒りの反応を引き起こし、大衆のパニックと暴動が危惧された（実際には起こらなかった）あとでは、「たとえば支援委員会などへの指示は、「丁重で思いやりに満ちた行動の必要性を強調するようになった」。そうした言及はそれまでには見られなかった」。【12】

こうした戦間期の公的機関の様子は、わたしたちが現在耳にする緊縮言説と響きあう。それらは近代化をうながすものでも慈悲深いものでもなく、残酷で、無自覚にもヴィクトリア朝時代を思わせるものだ。「貧困層、ホームレス、もたざる者たちが社会のすねをかじることは、けっして奨励されない。空襲（ブリッツ）は不幸と困窮を、無差別かつ不当に襲い来るものへと変えた。しかし、公的扶助を提供する組織や手続きは、寛容さや思いやりをもって自発的に状況に対処できる設計になっていなかった」。【13】一九四五年に現実に起こったのは、戦間期のこうした公共の文化の継続ではなかった。真剣かつ継続的な社会変革をもとめて投票した何百万人もの労働者は、幸運にも「援助に値する」と考えられた場合をのぞいて自分たちを屑のように扱ってきた、戦間期の諸組織を拒絶したのである。サウサンプトンの空襲を受け

---

1 H・G・ウェルズの小説『タイム・マシン』（一八九五年）に登場する、紀元八〇二七〇一年の未来の世界で地下に住み労働に従事する種族。

た港湾労働者やマンチェスターの織工が一九四〇年から二〇一五年に連れてこられて「落ち着いてそのまま続けよ」と告げるポスターがいたるところに貼られているのを見たら、見たことのないポスターに困惑することはともかく、自分たちが抵抗して闘ったものが悪夢のような笑劇として再演されていることを見てとっただろう。二〇一五年の人びとは、「そうせざるをえないから」——そうしなければ待っているのはナチズムだから——ではなく、倒錯したライフスタイルの選択によって、そして一九四〇年の人びとが死ぬほどもがいて倒そうとした経済的ドグマの帰結として「続けている」のだ。では、もし階級を問わず共有された「ブリッツ精神」という神話がそれほどまでに偽物なのだとすれば、ほかの——たとえばジョージ・オーウェルやクレメント・アトリーの——緊縮の神話はどうなるだろうか？

英国を聴きながら

実際に空襲を受けた者たちが、上から目線のポスターと非効率で臆病な官庁の対応にどれほど怒りを覚えたとしても、戦時中のプロパガンダのすべてがこの程度の水準だったと断じることはできない。一九三〇年代の官僚制のよりラディカルな思想が、ある役割を担ったのである。郵政省（GPO）映画部門は、一九三九年にほとんどの主役たちを残したままクラウン・フィルム・ユニットへと姿を変え、情報省という別の公的機関の下部組織となった。しかし、クラウン・フィルム・ユニットの傑作は、風変わりなアヴァンギャルド短編やネオ・ソヴィエト風の産業礼賛ではなく、シュルレアリストでGPOの無名監督ハンフリー・ジェニングズによる一連の感動的な戦争プロパガンダ映画だった。ジェニングズの映画を観れば、「進歩的愛国心」への呼びかけにもっとも強く抵抗するようなイングランド人の目も、理想化された平等な家族としてのイングランドの肖像に屈する。『火の手が上がった』や、会話もナレーションも排した『英国を聴け』（一九四二年）のような映画は、耐えがたいほどさみしく人間的だ。

『英国を聴け』は、詩的そして連想的なモンタージュと並列を多用する。飛行機、草原、そして海を見ていたと思えばヘルメットをかぶる人影。ゆったりとした踊り、砲身の轟音。汽車が進む音、飛行機の格納庫のガチャンと鳴る音、戦闘機の飛ぶうなり声。つぎに独奏会、煙を吐く煙突の前を馬に引かれるカート、産業都市のパノラマ。バターシー発電所の脇を列車が通りすぎていく。子どもたちが遊んでいる。装甲車が田舎の村々を走り抜けていく。ラジオが「すべての労働者よ！」と叫ぶと、車が高架の線路のほうへと向かっていき、その上を列車が煙を吐きながら過ぎ去っていく。さて、つぎは女性でいっぱいの弾薬工場で「労働者の遊戯の時間」だ。女性たちはぼんやりした様子でタンゴにあわせて歌い、踊る。ミュージックホールの歌い手たちと、反ファシストとして知られるフラナガンとアレンがわざとらしく左右に揺れ、その歌声は労働者たちの巨大な集団のなかに響きわたる。【14】つぎはナショナル・ギャラリーだ。ピアニストのマイラ・ヘスがベートーヴェンを弾くのを王妃が観ている。観衆の反応——感動しているが、ヒステリックではない。すべてがクレシェンドしていく。港湾、産業、戦車、街のパレード、揺れる農作物、冷却塔、離れていく雲、そして「ルール・ブリタニア」〔愛国歌〕の響き。

ジェニングズの遺作『家族写真』は、イギリスの技術的そして社会学的達成を総括しながら、奇妙にも感傷的な空気を感じさせる。この映画が上映された一九五一年のフェスティバル・オブ・ブリテンの「ライオンと一角獣」パビリオンは、「イギリスのアイデンティティ」を探求することを目的にキュレーションされたフェスティバルにおけるスティーヴン・タレンツの最大の貢献である。このパビリオンの名前と、大衆向けで人間らしい、本質的に社会主義っぽいイギリスのビジョンは、どちらも、すべての進歩的愛国主義者たちの祖先と言える、ある作家のことを思い起こさせる。インドで生まれ、イートン校で教育を受けた元ビルマ警察官のエリック・アーサー・ブレア、またの名をジョージ・オーウェルだ。彼の一九四〇年に書かれた小冊子『ライオンと一角獣――社会主義とイギリス精神』は当時それほど広く読まれたわけではなかった。兵隊たちのあいだでの左翼的な雰囲気はむしろ、回し読みされたJ・B・プリーストリーの『イングランド紀行』やロバート・トレッセルの『ぼろ服姿の慈善家たち』[2]によって醸成されていた。だがその後の議論に多大な影響を与えることになったのは、オーウェルだったのだ。

二一世紀の視点からふりかえれば、「人民の戦争」から福祉国家の成立を経て、冷戦へと導いた雰囲気をうまく捉えたのは、当時一般の認知度は低かったオーウェルだったのである。彼の存命中の名声がイングランドのアイデンティティをめぐる著作ではなく晩年の反共産主義的な風刺作品によって成り立っていたことを考慮すれば、オーウェルはわたしたちの時代の「法定ノスタルジア」（強いられたノスタルジア。第一章四三頁参照）にぴったりあてはまる人物だ。また、『ライオンと一角獣』はイギリスを「家族」と捉える見方のもっとも影響力の強い着想源の一つとなっている。この見方は、すでに見たように「社会帝国主義」あるいは帝国マーケティング局にみられた家族としての帝国という観念にはじまり、イギリスという国家の家計が「クレジットカードの限度額に達した」ため、負債を払うために「一致団結して」倹約し貯金を貯めなければならないという、デイヴィッド・キャメロンとジョージ・オズボーンのこぢんまりした家政学にも当てはまる比喩なのである。帝国主義の残忍さを目撃し、片棒を担ぎ、そしてその恐ろしさを知ったオーウェルは、帝国がどのような意味でも家族であるなどと述べるほど愚かではなかった。彼は意図的にその比喩をブリテン島に限定し、あのもっとも重要な留保をつけ加えたのだ。すなわち、それは「間違ったメンバーが牛耳っている家族」であり、「年寄りと愚か者」によって運営される国であると。【15】

オーウェルはだれが家族という巣への侵入者であるのかについて明白な考えをもっていた。左翼知識人たちである。これらの根無し草の事務屋たちは否認したり言葉を濁したりしたかもしれないが、事実はつぎの通りだった。

> 人は愛国心、民族的忠誠心のもつ圧倒的な力を認めないかぎり近代世界を正しく捉えることはできない。それはある状況のもとでは崩壊し、さらに文明がある水準に達すると存在しなくなるが、しかし現実的な力としてそれに比肩しうるものはない。キリスト教や国際社会主義もそれに比べれば藁ほどの力ももたない。【16】

真の自由な身に生まれたイングランド人〔E・P・トムスンの表現、第二章九四頁参照〕にとって、国民とは

2　ダブリン出身の作家（一八七〇—一九一一年）。ロンドンで育ち、看板制作や装飾などを職業とした。一八九一年頃に南アフリカに移住、ボーア戦争ではイギリス帝国主義に反対した。その後イングランドに戻り書いた『ぼろ服姿の慈善家たち』は死後出版された。同書は第二次大戦期にペンギン・ブックスから再版され人気を博し、一九四五年の労働党の勝利に貢献したといわれる。

永遠のものである。その国民は、オーウェルが、一九四〇年代の平均的な読者であればすぐさま感動とともに思い出せると考えたリストによって要約できる。「ランカシャーの工場町の木底靴の響き、グレート・ノース・ロードを行きかうトラックの列、職業安定所の前の行列、ソーホーのパブのピン・テーブルのガチャガチャという音、秋の朝の霧をついて自転車で聖餐式に出かける老嬢たち」である。いくら緊縮ノスタルジアの過激派が復活させようとしても、またレイバー&ウェイト〔ロンドン発の雑貨ブランド〕[3]のような緊縮ノスタルジア専門店が売り出そうとしても、このリストのなかに事実として存在するものはもはやなにもない――ただ一つ、「職業安定所の前の行列」、あるいは、言語の乱れについてのオーウェルの指摘が（本人は嫌がるだろうが）正しかったことを証明するようなニュースピーク風の名前の「ジョブセンター・プラス」[4]の前の行列をのぞけば。

グレート・ノース・ロードはいまやM1と呼ばれ、行きかうトラックがスピード監視カメラの餌食になっている。工場を失ったランカシャーの街々では、もはや木底靴は履かれていない。あの信心深い自転車に乗った老嬢たちはもうイングランドの田舎の一番奥の僻地にしか残っていないし、もし例外がいるとすれば西アフリカ福音教会の信者だろう。ジェイミー・オリヴァーの食品省ですら、かつてはどこにでもあったスエットダンプリングを復活させようなどという無謀な挑戦はしない。ジョン・メイジャー〔サッチャーの後任の保守党首相〕は、一九九〇年代初頭にこのリストに言及した際に、ぬるいビールやクリケット、「難攻不落の」郊外など当時はまだ残っていた事象を追加したが、オーウェルが挙げたものの多くが消え去ったことはわかっていたので、それらはリストから外した。こうした詳細はさておき、オーウェルは一九八〇年代と一九九〇年代にジョン・メイジャーやザ・スミス、あるいはビリー・ブラッグによって呼び起こされ、最近ではジョン・クラダスやマムフォード&サンズによって貶められた「感情の構造」を記述していたのだ。

『ライオンと一角獣』はまたオーウェルの著作のなかで政治的綱領にもっとも近いものだった。ここでの元ビルマ警察官の帝国に対する態度が、二重思考（ダブルシンク）と非難したくなるような方法で一つの視点から別の視点へとすばやく移っていくさまは興味深い。もっとも愛国心を強く表明しているときでさえ、オーウェルは、「労働党によって代弁される労働組合員の生活水準は、間接的にインドの苦力の汗と膏に支えられていたのである」【17】と主張し、帝国は連邦へとつくりかえられるべきだと提案する。これはわたしたちが知るような独立ではなく、「この戦車と爆撃機の時代に、インドやアフリカ植民地のような遅れた農業国が独立を保持しえないのは、猫や犬の場合とおなじことである」【18】ということを考慮に入れた、ある種の社会主義同盟である。

ここでは帝国の家族という表現は人間的すぎるので、むしろ帝国の家畜とでもいうべきである。だが、スペイン内戦でマルクス主義労働者統一党（POUM）の義勇兵として戦ったが弾圧を受け脱出してきたばかりで、独立労働党のメンバーとして活動もしていたオーウェルは、当初は戦争とその大義名分を

---

3 「ライオンと一角獣」一一頁。

4 ジョブセンター・プラス（Jobcentre Plus）は二〇〇二年に設立された、職業訓練・紹介や社会保障の給付を担当する施設。オーウェルの『一九八四年』に登場する架空言語ニュースピークでは、単語の意味を強調するために'plus'をつける規則になっている（例：'very good' = 'plusgood'）。

忌み嫌っていた。戦争前夜の一九三九年に書かれた、「黒人（ニガー）は抜かして」という機転のきいたタイトルのエッセイのなかで、オーウェルは「民主主義諸国」——その時点ではイギリス、フランス、低地諸国〔ベルギー、オランダ、ルクセンブルク〕、スカンジナヴィアそしてチェコスロヴァキア——を、第三帝国に対抗するための超国家連邦へと統合するべきだという提案について分析した。そのような提案は「ずうずうしくも、その本質は有色人種の低賃金労働を搾取しているという機構以外のなにものでもない巨大な英仏帝国を、民主主義の筆頭という名の下にまとめて扱っている！」〔「黒人は抜かして」三六三頁〕

　自由民主主義が地球上のほかの地域と取り結ぶ反自由で反民主主義的な関係を無視するこのような思考は、とくにオーウェルの遺産を守ろうとする者たちのあいだで、しぶとく生き残っている。オーウェル自身はそれを暴くことにおいて容赦なかった。

> その〔提案の〕なかでは、そうひんぱんにではないがあちこちで、民主主義国家の「属国」についても言及されている。「属国」とは隷属民族の意味である。……口に出しては言われないのだが、つねに「黒人（ニガー）は抜かして」なのだ。われわれが自国で自分自身を弱体化させておいて同時に、どうやってヒトラーに対抗して「強固な立場」をつくれるというのだろう。言い換えれば、はるかに大きな不正義を支持強化する以外、どうやって「ファシズムと闘う」ことができるのか。
>
> 　というのも、もちろんそれ〔帝国の不正義〕は実際にはるかに大きいのである。わたしたちがいつも忘れているのは、イギリスのプロレタリアートの圧倒的多数がイギリスにではなく、ア

ジア、アフリカに住んでいることだ。たとえば、普通の労賃が一時間一ペニーという現実はヒトラーの力のおよぶところではない。それはインドにおいてはありふれたことなのであり、その状態を維持するためにわれわれは苦労しているわけだ。一人当たりの年間所得がイングランドでは八〇ポンドを超えているが、インドでは約七ポンドであることを想起すれば、イングランドとインドの真の関係についても、なんらかの想像がつく。インド人苦力(クーリー)の脚が平均的イングランド人の腕よりも細くやせているのはごく普通のことである。同人種でもじゅうぶん食べている者は正常の体格をしているのだから、これについては人種的な相異はなんら関係ない。それはただ飢えのせいである。われわれはみなこの制度の上で生活し、変革の危険がなさそうなときにはそれを公然と非難している。ところが最近ではそれについて嘘をつき、その存続に手を貸すことが「よき反ファシスト」の第一の義務になってしまっている。【19】

その後の出来事のせいで霞んでしまったとはいえ(第三帝国のゲットー、捕虜収容所、絶滅収容所の大英帝国を越える非道さはすぐに知られるところとなった)、この手のレトリックは、現代のオーウェルの追従者たちが「相対主義」あるいは「そっちこそどうなんだ主義」として嘲笑するたぐいのものである。ここに帝国マーケティング局や社会帝国主義者たちの出る幕はない。

いったいどうして、オーウェルはここから、イギリスの家族がインドやアフリカの犬猫を手放さずに面倒をみるべきだという見解へといたったのか? オーウェルのきわめて率直だがどう考えても奇妙な述懐によれば、彼はイギリスが攻撃されることとなる戦争の前夜にある夢を見たそうだ。それによって、オーウェルはただちに進歩的愛国者へと転向し、平和主義者を「客観的に見ればヒトラー支持者」であると非難しはじめた。この啓示の瞬間は深い誠実さと正直さを示すものとされることが多く、たしかにそうではあるが、普遍的なものと考えるのにはあまりに個人的で、偏狭に中産階級的である。「その夢というのは、そのフロイト的な内なる意味とやらがどんなものかは知らないが、ときとして自分の奥にひそむ本当の気持ちを明かしてくれるような夢の一つだった」[5]。スペインでファシズムと闘ったあとで、たんにイギリス軍が闘っているからという理由だけでヒトラーと闘うのを拒否するのは無意味だというオーウェルの主張は説得的だ。しかし、彼はこれをたんなる事後的な説明にすぎないと認めている。「あの夜に夢を見てわかったのは、中産階級の人間が受ける、愛国心を植えつけるための長い訓練が功を奏したということであり、ひとたびイングランドが大変な窮地におちいったら、自分には妨害活動はできない、ということだった。だがその意味をとりちがえないでほしい。愛国心というのは保守主義とはなんの関係もない」。【20】オーウェルの書き方からもわかる通りまったく非理性的なこの主張は、それを支える理性的な論拠へと続く――オーウェルは、それがわからないいつもの敵、すなわち女々しい（パンジー）左翼知識人たちへの軽蔑をあらわにするのである。コスモポリタンにイングソックはワカラナイノダ〔Cosmopolitans unbellyfeel Ingsoc〕。

　オーウェルは、一九四七年の「ヨーロッパ統合のために」というエッセイのなかで、自分が一九三九年に修辞的に否定したものと非常に似通った北ヨーロッパのブロックをつくることを提案している（今回の目的はアメリカとソヴィエトに対抗して民主的社会主義のために闘うことである）。その主張の根拠は、この――フィンランド、アイルランド、フランス、そしてイタリアを角としたおよそ四辺形の――

地域が、なんらかの社会主義の観念を生き永らえさせることのできる唯一の場所であるというものだ――とりわけ「アジアにおけるナショナリズムの運動は、ファシズム的性格を帯びるか、モスクワの方向を向くか、……［あるいは］人種的な神秘主義の色を帯びている」【21】という事実を踏まえれば。このことは帝国の真剣な改造と両立しうるらしく、それは具体的には帝国の解体を意味するかもしれないらしい。なぜならオーウェルはつぎのことを忘れていないからだ。

ヨーロッパ諸国の人びと、とりわけイギリス人は、有色諸民族を直接または間接に搾取しているおかげで、長期にわたり高度の生活水準を保ってきた。この関係は、公式の社会主義プロパガンダによってはけっしてあきらかにされたためしがなく、イギリスの労働者は、世界的標準に照らして自分が収入以上の生活をしていることを知らされるどころか、自分を過重労働のしいたげられた奴隷であると考えるように教え込まれてきたのである。[6]

実現可能な民主的社会主義は、オーウェルにとっては、より貧しい西洋とより豊かな南半球を意味しないければならない。「モロッコなりナイジェリアなりアビシニアなりが、植民地もしくは半植民地であることをやめて、ヨーロッパ諸国民と完全に対等な自治共和国とならなければいけない」。このことはかなり

5 「右であれ左であれ、わが祖国」五二頁。
6 オーウェル「ヨーロッパの統合のために」三五九―六〇頁。

の確率でイギリスの労働者をより貧しくするだろう。「もし物質主義的な点から社会主義を考えるように教え込まれてきたならば」、イギリスの労働者は、たとえ自国の独立を守るものであっても自分をより貧しくするような社会主義は拒絶し、「たとえアメリカの下に立つという犠牲を払っても、帝国主義的国家として留まるほうがよいという決断を下す」かもしれない。

この議論は、自分たちの立場が外国人に脅かされているという不安をもつ労働者たちの偏見を煽るブルーレイバー〔労働党右派団体、一一頁訳注八参照〕の性向と並べてみれば、ハッとさせられる。オーウェルにとって、その名にふさわしい社会主義（彼にとってソヴィエト連邦はあきらかにこれに当てはまらない）は、ほとんど避けがたく、外国人の利益のためにイギリスの労働者の生活水準を下げる結果を招くのだ。オーウェルのときどき気味の悪い一般化のなかでも、これは賛同するにはあまりにもラディカルな含意をもつ主張だ――ヨーロッパじゅうで過酷な緊縮財政を維持することで、アジアとアフリカで搾取される諸民族の生活を豊かにしようというものだからである。

つまり、オーウェルの緊縮の考えはきわめて特異なものだ。しかし、このことでこの偉大な男と一九四〇年代という消費抑制と国民皆兵の時代との関係のすべてを説明したことにはならない。『一九八四年』を緊縮ノスタルジアの茹でキャベツとボブリル〔牛肉エキスから抽出された飲料〕の湯気ごしに読めば、その小説にどれほど緊縮の空気――その図像学、その建築、その仕事の描写において――が充満しているかに気づかないわけにはいかない。ウィンストン・スミスは真実省（情報省の分身）に勤めており、その職場は北ロンドンの汚らしい街並みを見下ろすようにそびえたつセネット・ハウスの巨体に非常によく似た、「視界に映るほかのどの対象とも驚くほどかけ離れていた……白いコンクリートをきらめかせ、テラスを何層も重ねながら聳え立っている、巨大なピラミッド型の構造物」【22】のなかに置かれている。ウィンストンは、ニュースピークという、一九三〇年代にオグデンとリチャーズによって考案され、その権利はイギリス政府によって買いとられたベーシック・イングリッシュ〔文法を簡略化し基本単語を定めることで学びやすくした英語〕のスターリン版を学び、その言語で書いている。彼が住むヴィクトリー・マンションは、リノベーションの済んでいない、みすぼらしい階段の吹き抜けでは聞かれたくない会話が筒抜けの一九三〇年代の集合住宅であり、彼は「黄金の国」を、田園が広がり、魅惑的な霞に明るい色が満ちたイングランドの田舎を夢見る——実際に経験された田園よりも、ロンドン地下鉄の通勤者にサリーやバークシャーを訪れることをうながしたE・マクナイト・カウファーの野獣派ポスターに多くを負っているようなビジョンである。彼は荒れ果てた食堂で質の悪いジンを飲み、本物を夢見る——本物のコーヒーや、本物の口紅を塗った簡単に抱ける本物の女を。

　マイケル・ラドフォードの映画版『一九八四年』では、一九八〇年代が、正確なRP〔容認発音〕で喋るアナウンサー、虫歯、静脈瘤、切れ目のない靄と視界一面の灰色・茶色・青の景色、荒涼としたアーチウェイ〔北ロンドン、イズリントン区〕の日曜日と化した二〇世紀の地獄をともなった、アポカリプス的な四〇年代へと変えられている。ラドフォードの優れた緊縮ノスタルジアのプロトタイプのような映画のほかには、アンソニー・バージェスが一九七八年に書いた『一九八五年』というエッセイが、『一九八四年』は少なくともスターリニズムや第三帝国についての書であるのと同程度には戦後の緊縮財政についての本なのであるという事実を指摘した数少ない議論のうちの一つである。一九八四年のエアストリップ・ワンは本当に一九四八年のロンドンが姿を変えたものだったのかと疑う尋問者を説得するために、バージェスは当時を振り返る。「戦争中よりも困窮がひどく、それが週を追うごとにますますひどくなってゆくようでした。肉の配給は、脂っぽいコーンビーフ二切れにまで切り詰められ、卵は月に一個で、しかもたいがいはひどい卵でした。キャベツなら、まだ簡単に手に入れることができたように憶えています。茹でキャベツの香りを抜きにして当時のイギリスの食卓を思い出すことはできません……ドイツ空軍による爆撃の跡がいたるところに残っていて、ヒカゲユキノシタ（ロンドンプライド）とミソハギが街角に輝くように咲いていました。すべてオーウェルの本に書いてあります」。【23】オーウェルの本には書かれていないが、おなじくらい強く当時を思い起こさせるものとしては、「起床ラッパ、野外炊事場、共同食堂、団体での娯楽や体操など、かなり軍隊じみた活動」をおこなった、恐怖なき全体主義とでも呼べるような戦後のビリー・バトリン〔キャンプをレジャー産業として確立した企業家〕のホリデー・キャンプがあった。

バージェスは、これらとおなじ体験をノスタルジックな娯楽として楽しむためにインディーロックのファンがキャンバー・サンズ〔ロンドン近郊のビーチ〕にたむろする様子を見ることができるほど長生きしなかった。

『ライオンと一角獣』でオーウェルが望むのは、一九四〇年が、チェカ〔ロシア革命政府の警察機構〕を設置し、土地を国有化し、反乱分子を粉砕しながらも、裁判官のかつらやロイヤルファミリーはそのまま維持するようなイングランド革命のための序奏となることである。一九四八年までには、彼は労働党政権の臆病さに幻滅し、そのかわりに『ニュースティツマン』〔イギリスの左派週刊誌〕が権力を握りイギリスをその似姿につくりかえるような英国社会主義（イングソック）に注意を集中した。しかしバージェスは、「英国の社会主義が一九四五年に政権の座につき……国会の開会式で「赤旗の歌」を歌い、その声が「ゴッド・セイブ・ザ・クイーン」と「ルール・ブリタニア」と「威風堂々」の唄声を打ち消した」【24】ことを記憶している。これは、戦争が、まさにオーウェルがそこに見出したような、人びとを急進化させるような効果を実際にもったためだった。「穏健な急進主義者が軍隊に入ったとすると」、バージェスによれば、「その男は一九四五年の選挙には激烈な急進主義者として臨むこととなりました。ウェールズ出身のある軍曹がこのことを短い言葉でうまく表現してくれました。「入隊したとき、俺は真っ赤だった。いまではべらぼうに紫だ」。もしイギリス共産党がもっと多くの候補者を立てていたら、戦後最初のイギリス議会の構成はとてもおもしろいことになっていたでしょうね」。【25】

じつに示唆的なことに、このあとバージェスは、労働者階級の兵隊や民間人をイラつかせ、群れをなして労働党に投票するように仕向けた（カトリックで保守のバージェスですら労働党に投票したが、それは彼の人生において最初で最後だった）ものの一つが、「情報省が配布した、だいたい不器用で、『一九八四年』の」イングソックのそれのような巧妙な曖昧さはないポスター」だったことを説明する。イングソックのものとは異なり、それらは貴族的な調子で高慢に見下すように、つぎのように呼びかけた。「**あなたの不屈の精神、あなたの忍耐、あなたの辛抱が、われわれに勝利をもたらすのだ。**あなたとわれわれ、というわけなんです。わたしたちみながべらぼうに紫になってしまったのも無理のない話ですよ」。【26】このポスターは、もともとは「**自由は危機にある**」とともに「**落ち着いてそのまま続けよ**」の脇に架けられることになっていたスローガンであるが、おわかりのように、バージェスは少し間違って記憶している。もしこれが実際に使われていたとしたら、おなじくらい怒りを買っていたことは想像に難くない。

オーウェルの「緊縮」が、いずれにしても現代の緊縮とは違うことはわかるし、緊縮ノスタルジアの美学をオーウェルのせいにするのは不当だろう。ではブルーレイバーとレッドトーリーによって彼が進歩的愛国心の預言者とされていることは、それよりはいくらか正確なのだろうか？　オーウェルの労働者階級に関する考えは、労働者とは偏狭で伝統を重んじる静かな人びとだという、現在人気のある考えとそう遠くない。彼はキャリアを通じて、どれほど汚くて臭いがきつくて愚かであろうとも、労働者たちは「人間らしい（ディーセント）」のだという信念を手放さなかった。そして労働者たちは、けっしてわれわれには含まれないとしても、オーウェルの友人アイザック・ドイッチャーの言葉を借りれば、「ロンドンの街のビリー・ブラウン[7]の人間らしさを貶めるような邪悪な陰謀を企てている」【27】やつらを敵視していることは間違いなかった。だれを労働者階級とみなすかについてのオーウェルの考えは、やや曖昧だった——レイモンド・ウィリアムズが指摘したように、オーウェルは『ウィガン波止場への道』の執筆期間中に北部の独立労働党と共産党の党員たちの家に滞在したが、このことを本のなかで言及するのはふさわしくないと考えた。というのも、政治的な意識をもっているその人たちは、どう見ても真の労働者ではなかったのである。【28】コスモポリタンな左翼に対するオーウェルの非難は、国民意識を弱体化させようというマルクス主義の目論みと新自由主義の影響の両方に反対するために、生来の品位と愛国心をもったイギリスの労働者階級に訴えかける者たちに大きな影響を与えた。

　しかし細かく検討すれば、オーウェルは一見してそう見えるほど、そのような者たちの味方ではない。たしかに中産階級左翼に対する彼の怒りは本物であり、それはほとんど正気とはいえない偏見とパラノイアとして噴出し、そのなかにある一抹の真実を沈めかけている。オーウェルにとって、彼がわたしたちに知らさずにいるウィガンの主人たちは、社会主義の代表者ではない。労働運動はふたりの尻の大きなハイカーたちによってもっとも適切に要約されるのだ。彼らはレッチワースの田園都市で（なんとそれらしい場所！）バスに乗り込み、それを見たひとりの乗客は小声で「社会主義者だ」と言う。この描写のあと、オーウェルはあの有名な怒号を発する。それは、イングランドのあらゆる「フルーツジュース愛飲者、ヌーディスト、サンダル愛好者、セックス狂、クウェーカー、「自然療法」信者、平和主義者そしてフェミニスト」、すべての「しおれたあごひげのベジタリアン、ボルシェビキの政治委員（半分はギャングで半分は蓄音機）、サンダルを履いた熱心な貴婦人たち、長ったらしい言葉をもごもご噛んでいるもじゃもじゃ頭のマルクス主義者たち、逃げ出したクウェーカーたち、産児制限狂信者たち、そして裏でこそこそ這いまわる労働党のご機嫌とり」【29】といった、社会主義の名を汚している者たちへと向けられる。これがジョン・クラダスやビリー・ブラッグよりもリチャード・リトルジョンやジェレミー・クラークソン[8]に大きな影響を与えていることはともかくとして、ここではいったいなにが起こっているのだろうか？　これはまず、政治をたんなるライフスタイルの選択へと変えてしまったとオーウェルが考えた、みなを不快にさせるボヘミアンやラディカル、狂信者たちへの罵りである。これはまた、ソヴィエトの支持者と戦間期のモダニストたちの機械美学への攻撃でもある。つぎのように述べたとき、オー

7　デイヴィッド・ラングドンによる第二次大戦中のロンドン運輸局のポスターに描かれた漫画に登場した、ロンドンのシティに勤めるビジネスマン風の服装をしたキャラクター。

8　リトルジョンは『デイリー・メール』や『ザ・サン』にコラムをもつ右派の論客。クラークソンはBBCの車番組『トップ・ギア』の元司会者（二〇一五年にプロデューサーを殴った事件で降板した）。両者ともホモフォビックな言動が問題視されている。

ウェルはフランク・ピックのことを考えていたかもしれない。「多くの社会主義者の心の底に横たわっている動機は、たんに秩序に対する異常なまでの願望なのではないか、とわたしは思う。これらの人びとにとって現状が気に入らないのは、それが悲惨さをもたらしているからではなく、まして自由が侵されているためでもなく、現状が乱れきっているためなのだ」。【30】また、ソヴィエト連邦の信奉者がみなドニエプル川のダムやマグニトゴルスクの溶鉱炉あるいは「最新のモスクワの缶詰工場」を賛美していることに怒りをぶちまけながら、彼はロンドン運輸局のポスターや建築を生み出したロンドンの審美家や亡命者たち、もしくはGPOフィルム・ユニットのドキュメンタリーのことを考えていたのかもしれない。しかし、『ウィガン波止場への道』か『ライオンと一角獣』をより詳細に読めば、これらすべてのライフスタイル社会主義者やソヴィエトかぶれたちに反感を抱いていたとされる人びととは、暖炉にあたりながら競馬新聞を読み、いやらしい海辺の絵葉書を好み、生涯にわたる無私の重労働を余儀なくされた、伝統を重んじ日曜日にはサンデーローストを食べるような労働者たち(プロール)、オーウェルが――とくに北部では――だいたいが労働組合員で、いずれにせよ労働党に投票するのだと考えた人たちではなかったということがわかる。そうではなく、それは事務職員や軽工業の技能労働者、そしてウールワースの化粧品によって「女優のように見える」ようになった若い女性たちから成る「あたらしい階級」だった。ロンドンやバーミンガムのはずれのセミデタッチドハウスや公営住宅に住む人びとだ。プリーストリーが『イングランド紀行』で描写し、フランク・ピックがロンドン地下鉄の拡大計画によって一貫した秩序へと合理化しようとした、あのあたらしい風景に住まう人びとである。

これらの「階級をもたない」集団は階級闘争を語ることに乗り気ではないし、すでに自動車と映画館と郊外住宅を兼ね備えた超モダンなライフスタイルを享受していることもあり、ソヴィエトによるトラクターやダムなど古臭いシンボルの賛美に興味はない。実際、ここでエリック・アーサー・ブレアは、ブルーレイバーの伝統主義的な確信よりも、トニー・ブレアに、そして彼のポスト産業社会のイングランドにおける「向上心のある」階級へのアピールに接近する。『ライオンと一角獣』では、この集団はさらに拡張され、「聡明な社会主義運動が、これまでのように侮蔑するのではなく、利用することとなる」【31】愛国心をもった「飛行士と海軍将校たち」を含むにいたる。一方で、労働者階級の愛国心は、いやいやながら仕方なく保持されているものだ。おなじ小冊子で、オーウェルはパブがいまだに軍人に給仕することを拒否していること、そして労働者たちが常備軍という考えそれ自体をいまだに嫌悪していることに触れている。とはいえ実際のところ、オーウェルを利用することで、一般人にはわからないような専門用語に固執し、その土地の善良な人びとよりも英連邦からの見栄え（ピクチャレスク）のよい移民たちを好むコスモポリタンな左翼を叩こうとする論法は、オーウェル本人の意図とは驚くほどかけ離れたものだ。オーウェルは、左翼が労働者階級を遠ざけることが問題だと示唆しているのではない。なぜなら労働者はいずれにしても本能的に労働党に投票すると思っているからだ。そうではなくオーウェルが言っているのは、左翼は不必要に、ブルジョワの見栄はもちながらもその特権にはほとんどありついていない、新興の、これまでの階級区分では分類できない郊外の階級を遠ざけるのだということである。現代において、「白人労働者階級」――一九四〇年を懐かしがりながら移民に疑いの目を向ける人びと――という集団が構築されるなかで起こっているのは、オーウェルによる実際の一九四〇年の分析の反転なのである。

　オーウェルは一九三〇年代と一九四〇年代の労働者階級を「小文字の保守主義者」であると考えたか

もしれないが、その人びとが実際には、政治観においては彼が考えたよりもずっと国際主義的だった可能性はある。オーウェルの記述を読んでいると、とりわけ注意を払わなければなおさら、ラディカルな社会主義――マルクス主義のさまざまな変種や、この文脈ではイギリス共産党――は、『ニューステイツマン』を読み、産児制限やベジタリアニズムのような狂った発想の実験にいそしみ、アヴァンギャルド絵画に詳しく、田園都市レッチワースに散歩にいくような北ロンドンに住む知識人の完全な占有物であるかのように思わされる。共産党が一九四五年の選挙でハムステッドの議席を総ナメにしたのではなく、ロンドンのイーストエンドとファイフ炭田〔スコットランド〕で二議席を獲得し、ロンザ渓谷〔ウェールズの炭鉱地域〕では三番目の議席に迫ったことを踏まえれば、オーウェルの時代においてもこれはすでにあきらかに誤った見積もりだった。労働者階級が本来的に偏狭で反共産主義的だという考えは、ヴィクター・シルバーマンの研究書『米英労働者の国際主義を想像する　一九三九―四九年』において完全に反証されている。同書は、数多い証拠（世論調査や報告書、マス・オブザベーションの記録、労働者による記述や民衆史研究など）を用いて、とくにイギリスの労働者階級が、オーウェルの「ヨーロッパ統合」よりもいくらかラディカルな社会主義世界連合の方針に沿って、世界の変革を強く目指していたことを示している。

戦時中に起こったことについて、シルバーマンはつぎのように書く。

国民的利害関心と階級的利害関心の衝突は、労働者が世界のなかで自分たちをどのように理解したかを反映していた。広く語られた「あたらしい世界」という考えは、国際的な再編成のみならず、国内の階級関係、職場での関係、そして組合の内部運営の再編も含意した。ある鉄道労働者は一九四二年に、産業別組合運動が世界政治の最適なモデルを示したと論じた。「今日のヨーロッパを見れば、戦前の職能組合の精神が諸国の外交政策においていかに悲惨な結果を招いたかを見てとることができるだろう。ポーランドが赤軍の支援を拒絶し、ベルギーがマジノ線〔フランスがナチス侵攻を防ぐためにドイツとの国境に築いた防御線〕を海岸まで拡張することを非友好的な動きだとみなしたことは、嘆くべき二つの事例にすぎない」。【32】

これは、オーウェルが労働者の世界情勢への無関心について書き連ねていたことを考えれば、興味深い話だ（オーウェルがある北部のパブの常連客に、ヒトラーによるラインラント進駐について興味をもたせようと試みた結果、返ってきたのは「パルレ・ヴー？」〔フランス語で「あなたは話せますか？」〕[9]という答えだった）。

シルバーマンの挙げる例は、バージェスのウェールズ人の友人が述べたように、人びとが戦時中にどれほど「べらぼうに紫」になっていたかを示している。「ラネリ〔ウェールズ南西部沿岸の工業都市、ウェールズ語では「サネシ」に近い発音〕の労働組合が一九四四年に「文明と人類のために」「国境の廃止」を主張したときには、多くの人びとが、おそらく実現性を疑いながらも、その趣旨には賛同した」。【33】労働者

9　第一次大戦中の流行歌「アルマンティエールのマドモワゼル」の一節。オーウェルのこの体験については、『ジョージ・オーウェル日記』三四七頁、四一年四月一五日の記述を参照。

たちは国際主義者だっただけではなく、ソヴィエト連邦そのものにも深い共感を寄せていた——オーウェルですら、『ライオンと一角獣』のなかで、労働者は自分の家の裏庭のことしか気にしないという法則の例外として、一九二〇年に兵士たちがボルシェヴィキに対する内戦でロシア白軍の側で戦うことを拒否し、港湾労働者たちは白軍のための弾薬を積むのを拒んだ「ロシアから手を引け」運動に言及している。[10]シルバーマンは同時代の調査と記録を用いて、一九三〇年代と四〇年代に親ソヴィエト感情がブルジョワよりも、また重要なことに知識人よりも、労働者階級のあいだではるかに広まっていたことをあきらかにしている。「政府やTUC〔労働組合会議〕後援のイベントにおいても、親ソヴィエト感情としてあらわれた階級的な怒りは抑え込むことができなかった。もっとも雄弁だったのは、ゴッド・セイブ・ザ・キングに対抗してインターナショナルを歌う声の多さだったかもしれない……インターナショナルの転覆的な力を見てとったBBCは、その歌を、一般の強い要請によってそうせざるをえなくなるまでは流さなかった」。【34】『ウィガン波止場への道』では無口で尊厳のある苦役を強いられた動物として描かれたランカシャーの労働者たちは、一九四一年のソ連参戦後、ソヴィエトの指導者や労働者、兵士、労働組合員がイギリスを旅してまわったときに大挙して押し寄せた。ある代表団のリーダーだったニコライ・シュヴェルニクは、マンチェスターの女性たちの人混みに取り囲まれた。彼の弾薬工場での演説のあと、一人の女性が舞台に上がり、「彼の首につかまり、額にキスして、「みんな来なよ、みんなでキスしよう」と叫んだ」。一瞬のうちに、「多数の年配の、髪の灰色がかった女性たちが舞台に飛び乗り、シュヴェルニクにキスしようと争った」。運営が席に戻るように女性たちを説得し、「彼女たちを落ち着かせるためか、その場の人びとはみなでインターナショナルを歌った」。【35】

このことは、労働者たちが、自分の身近な問題に関しても、偏狭さや外国人嫌悪をけっして見せなかったのだと示唆するわけではない。この点に関してシルバーマンが挙げる主要な例は、ポーランドからの移住者に対する労働者の態度である。ポーランド移民の多くは戦争により祖国を失い、工場や炭鉱で仕事を得ようとしていたが、いじめにあい、組合によっては公式の非難を受ける場合すらあり、それは共産党によって奨励されていたのである。労働力が深刻に不足していたのにもかかわらず、「やつらに仕事を奪われる」というような直接的なレイシズムが、親ソヴィエト（さらにスコットランドでは反カトリック）感情によって正当化された。「ポーランド人は、国際主義が寛容さを意味するのではないこと、そしてそれはあきらかに遠く離れたところの人びとにしか当てはまらないのだということを学んだ。あるポーランド人が悲しい様子で説明したことによると、「外国の、という言葉がこれほど攻撃的に口にされる国はほかにない」のだった」。【36】一九四八年以降はイギリスの労働者たちのあいだでの親ソヴィエト的熱狂はいくらか冷めたとはいっても、冷戦が支持を集めることはなかったし、一九四五年から少なくとも十年経っても、世論調査でアメリカの人気はソヴィエト連邦を下回った。NATOの設立に関わった外相で元港湾労働者のリーダーだったアーネスト・ベヴィンは、「アメリカ合衆国とのあたらしい関係を築くために国民的犠牲をもとめる労働党の要請に反対したとして左翼を批判し、そして自身のイングランドのナショナリズムを反映した口調で、「おもにウェールズ人」を非難した」。【37】フェスティバル・オブ・ブリテンを開催し、福祉国家の建設に着手し、国民保健サービスを設立した労働党政府は、同時

10 「ライオンと一角獣」二一六頁。

にまた冷戦の協力者でもあったのだ。以下で検討するのは、四五年の精神の背後にあるこの事情である。

緊縮ロンドンの自己賛美

もしオーウェルが想像したような「イングランドの革命」が実際に一九四五年には起こらなかったならば、いったいなにが起こったのか？　ケン・ローチの映画のほかには、「一九四五年」（あるいは一九四五年から五〇年までと一九五〇年から五一年までの二期にわたる労働党政権）は二通りの方法で緊縮ノスタルジアの想像力に組み込まれた。第一に、NHSを築いた体制として、そして第二に、フェスティバル・オブ・ブリテンを開催した体制としてである。これら二つを、それらがもっとも密接に関わっていた事業――一九五一年のフェスティバルとおなじく元ロンドン・カウンティ・カウンシルの局長ハーバート・モリスンの指導のもとおこなわれた戦後の国有化、そしてNHSとおなじくアトリー内閣お抱えの筋金入りの社会主義者アナイリン・ベヴァンによって計画された戦後の公営住宅事業の第一波――を見ることを通じて、順番に検討しよう。この二人はどちらも英国社会主義（イングソック）の独自の型を目指していた。そして、現在ではほとんど見過ごされているが、帝国の遺産をどう取り扱うかについての対照的な考えをもっていた。

フェスティバル・オブ・ブリテンは、まったくもって、アトリー政権の最左翼の構成員たちによってつくられたものではなかった。クリスタル・パレスでの大展覧会〔一八五一年のロンドン万博〕の百周年にふさわしい同規模のイベントを一九五一年に開催しようというぼんやりとした考えを最初に抱いた閣僚は、一九四〇年代と五〇年代初頭の連立政権と労働党政権で内務大臣と副首相を歴任し、そしてのちに外務大臣となるハーバート・モリスンだった。だが今日では、彼はおよそ十年間にわたりＬＣＣを統括したことによりもっともよく記憶されているかもしれない。一九三三年の選挙での当選後、ロンドンの労働者階級出身のモリスンは強固な支持基盤をつくりあげた。そのため、ＬＣＣが一九六七年にグレーター・ロンドン・カウンシルへと改組されたことで、範囲は広がりながらも権限は弱まるまで、労働党はその地域では実質安泰だった。根強く残る出どころの疑わしい逸話によれば、モリスンは早い段階から、「保守党をロンドンから追い出す建設計画」、すなわち大規模な公営住宅事業によって労働党支持層を都心部に留まらせて党への支持を盤石にすること、そしてあわよくばそのついでに、金に困った（つねに保守党支持の）地主たちが、より簡単に搾取できる場所をもとめて首都を出て行くようにすることを目論んでいたらしい。

このように言うとモリスンが、ピーター・マンデルソン〔ブレア政権の参謀を務めた労働党議員〕の祖父でもあるこの人物が、かなりラディカルであったかのように聞こえる。しかしアトリー政権のなかではモリスンは「穏健派」であり、最初の改革の波が過ぎたあとでは、つねに慎重論を唱えることで、自分がとてもよく知る南部の有権者たちを遠ざけないようにしたのである。モリスンがつくりあげた国営産業――公共交通、エネルギー、石炭、そして短期間だが鉄鋼――は、彼が一九三〇年代初頭に組織したロンドン旅客運輸局をほとんどそのままモデルにした。つまり、それらは公的なビジネスというかたちをとったのだ。株主や所有者を買収するために高額の補償金が支払われたが、たいていはおなじ監督者たちがそのまま指導的立場に残された――ピックとアシュフィールドがそうしたように。こうした指導者たちは労働者に対してよりも政府に対して説明責任をもっており（一九八〇年代に炭鉱労働者たちは身をもってそれを知ることになる）、スタフォード・クリップスのような一見すると左翼の大臣ですら、労働者による管理という原則を取り繕うことすら放棄したのだった。すべての「モリスン時代の」国営産業は一九八〇年代と九〇年代に売却された。はじめその措置は人気があったが、やがていまではわたしたちがよく知るヴァージン・トレインズやテムズ・ウォーターなどの潤沢な補助金を受けたハゲタカたちの餌食となった。これら後継者たちのひどさによって、国営企業は、当時はそうでなかったようなラディカルなものに見えるようになった。

保守党をロンドンから追い出す建築：LCCの団地

同様に、モリスンのLCCにおけるキャリアにおいて、彼が、フェスティバル・オブ・ブリテンにおいて示されたような、開放性と近代性と色彩の突然の爆発を支援するような人物になることを予兆するものはそれほど多くはなかった。彼はロンドン旅客運輸局の設立にあたって決定的な役割を担ったが、戦間期の文化を重んじる官僚としてモリスンが監督したLCCのデザインは、ピックとホールデンによる飼いならされてイングランド化されたモダン・ムーブメントよりもさらにラディカルさに欠けていた。モリスンは前任者から引き継いだ保守的な公営団地建設事業をおおいに拡大し、プラムステッドからホワイト・シティまでロンドンの都心部のいたるところにみられる、美しく統一された標識とLCCの紋章、そしてバルコニーと歩行者用通路に加えられた少し表現主義的な趣向がジョージアン様式のプロポーションの窓とおなじくらい目につきやすい、頑丈なネオ・ジョージアン様式の集合住宅を建てた。これと同様のリヴァプールとリーズでも実行された戦間期の集合住宅事業は、保守的で、多くがやや見分けのつけづらい「緑地帯」の周囲に建てられた。その「緑地帯」はいまではすべて駐車場になってしまったが、パブや店舗、カフェ、コインランドリーなどの施設を備えているものも多い。もっともラディカルな例としては、サマーズ・タウンにある巨大な白塗りのオスルストン団地のような、「赤いウィーン」[一一]の偉大な集合住宅をモデルとした記念碑的で英雄的な構造物があった。チャリング・クロス・ロードのセント・マーティンズ・コレッジやランベスの中央消防署など、LCCによるほかの公共建築には、二一世紀の建築家のあいだでおおいに好まれている煉瓦造の近代化された古典主義と同様のものを見てとることができる。しかしこれは、モリスンがLCCの助力を得て一九五一年におこなう事業の前段階となるものではない。

フェスティバル・オブ・ブリテンはいまでは神話化されるあまり、緊縮ノスタルジアの薔薇色の眼鏡を通さずにふりかえることは難しい。それはまず、そこで賛美される、うちひしがれて負債を抱えた国に近代的で進歩的な顔を与えることを目的として、一ダースほどのさまざまなテーマの一時的な建造物で構成されていた。バジル・スペンスによって設計された「海と船」は海軍力を賛美した。エドワード・

一一　左派のオーストリア社会民主党がウィーン市議会で与党となった一九一八年から一九三四年までの時期のこと。この時期には表現主義的な様式で知られるカール・マルクス・ホーフ（一九二六―三〇年に建設）をはじめ多くの公営集合住宅が建てられた。

ボーデンによる巨大な壁面装飾を備えた「ライオンと一角獣」は、すでに見たように、イギリスの風変わりな個性を賞賛した。一九三〇年代の妥協を知らないモダニスト、ウェルズ・コーツによる「テレキネマ」〔ステレオ音声と3D映像で映画とテレビを観る施設〕は、数年後に近所に建てられた国立映画劇場の先駆けとなった。そしてランカシャー出身のジョージ・グレンフェル・ベインズによって設計された「力と生産」は、まだ残っていた産業力を賛美した。これらのパビリオンは、万国旗や明るい色の飾りと調和のとれたスカンジナヴィア風の照明のもとで、ヒュー・カッソン〔フェスティバルの建築監督〕による階層的な秩序を拒絶するような型式ばらない配置の上に設置された、頭上を通る歩行路と三つのもっとも有名な建物——ラルフ・タブズ設計のドーム・オブ・ディスカバリー、「スカイロン」[12]、そしてフェスティバルのあとも唯一残されたロイヤル・フェスティバル・ホール——をめぐる歩道のなかに無造作に点在していた。ロイヤル・フェスティバル・ホールはモダニストたちの内部のクーデターによってLCCの建築部門に任されることとなった。それはおもに、高尚な社会主義モダニズムに装飾性とユーモアを加えたバーソルド・リュベトキンの強い影響を受けて、ロバート・マシュー〔当時のLCC主任建築家〕と亡命者のピーター・モロ〔ハイデルベルク出身の建築家〕によって設計された。

ジョージ六世が政府にプレッシャーをかけたことによりおこなわれた一九五一年の選挙で、保守党が労働党よりも得票数は少なかったのにもかかわらず権力に返り咲いたのち、チャーチルはこの「三次元の社会主義プロパガンダ」を解体するという宣言を実行にうつした。フェスティバルの会場は何年も野ざらしの駐車場として放置され荒廃したが、一九六一年に、巨大な石板のようで飾り気のない古典主義的なシェル・センターが建てられた。そのどんよりとしつつ同時に仰々しい事務所は河岸に広がり、哀れみを誘う――セネット・ハウスをより高く保守的にして様式美を抑えたような――高層ビルは、のちにほかの摩天楼が建てられるまでロンドンのスカイラインを支配した。

このことにより、フェスティバル・オブ・ブリテンは不在として、「実現しなかった未来」として想われることとなった。実際、「実現しなかった未来」の専門家たちは、かならずこのフェスティバルに言及する。ゴースト・ボックスのジュリアン・ハウスですら、一九五一年にフェスティバルに行った者たちが聴いたであろう、録音の残っていないアヴァンギャルド音楽を再現するという目標について語っている。だがこのことによって、のちにブルータリズムやポップアートをつくりあげることとなる若い建築家や芸術家たちが、このフェスティバルを、こびへつらうような、技術的に後ろ向きな奇行の産物として毛嫌いしていたことをうやむやにしてはいけない。ジェームズ・スターリング[13]はつぎのように述べた――一八五一年のクリスタルパレスは、理解されるのに数十年、建築のレパートリーに完全に加わるまでには百年以上かかるほどラディカルだったが、対して一九五一年のフェスティバルは、退屈な道楽で、本質的には一九三〇年のストックホルム万博のおどけたモダニズムの複製にすぎないではないか。

このような手厳しい評価――あれほど明白に人間的なフェスティバル・ホールのようなものがいった

12 フェスティバル・オブ・ブリテンにおいて建設された、垂直に宙に浮いているように見える細長い構造物。当時のイギリス経済になぞらえて、「支えが目に見えない」というジョークが流行ったという。

13 グラスゴー出身の建築家（一九二六―一九二年）。一九五五年に設計したロンドンのランガム・ハウス・クロースは初期のブルータリズム建築の代表例とみなされた。一九八一年プリツカー賞。一九九六年には、彼の名を冠したスターリング賞が創設された。

いなぜ問題だというのか——は、より不穏、攻撃的、媒介された、すなわちアヴァンギャルドな形式のモダンアートと建築が、フェスティバルから排除されたことを見れば説明できるかもしれない。建築史家のクリストフ・グラフによれば、ポップアートとブルータリズムの重要人物リチャード・ハミルトン[14]の作品は、フェスティバルの美術展示のキュレーターだったハーバート・リード[15]によってはっきりと拒絶された。フェスティバルは「ロマンティック・モダンズ」の独壇場として構想され、野心的なモダニストたちのための場所ではなかった。これはコンセンサスとしてのモダニズムであり、不協和のモダニズムではなかった。

しかしグラフの記述があきらかにするのは、ＬＣＣ建築部の「左翼」がいかにうまく一九三〇年代の禁欲的で官僚主義的な建築家たちからそのプロジェクトをもぎとったかである。戦後当初のロンドンの都市計画では、ランベス区に位置するこの元工業地域は文化センターへとつくりかえられる予定だったが、それはざっくばらんに配置されたモダニズム的なパビリオンと自由に流れるような空間によってではなく、ふたたびチャールズ・ホールデンの設計による、セネット・ハウスのような、強固に中央集権的で高くそびえる飾りをはぎとった古典主義的建築を通じてなされる予定だった。その意味においてシェル・センターの構想は、少なくとも、それが陣取る床部分を構成したフェスティバルのための建築に先立っていたのだ。フェスティバルのラディカルさは、そしてその人気の大部分は、それがこの場所においてこの種の尊大さ——一九五一年以降のシェル・センターの建設により、その会場に対する復讐を果たした退屈な古典主義——に直接とってかわったことを理解すれば説明しやすい。

今日そこに見える景色は、ほとんどがフェスティバルのあとに開発されたものだ。当初の会場東側のフェスティバル・ホールは、一九六〇年代半ばに「サウス・バンク・センター」（クイーン・エリザベス・ホール、パーセル・ルーム〔イベント会場〕、そしてヘイワード・ギャラリーから成る）、一九七〇年代にはナショナル・シアター、そして二〇〇〇年代にはフェスティバル・ホールの前面と側面に一連の小売店が建てられたことで拡張された。もっとも重要なことに、フェスティバル・ホールは一九八〇年代初頭にグレーター・ロンドン・カウンシルの長を務めた「レッド」・ケン・リヴィングストンの下で、そのロビーがすべて昼夜問わず一般開放されたときに、真に公的な建物になった。その建物が「人民の宮殿（ピープルズ・パレス）」と呼ばれ、広く一般から愛されたことの大部分はじつに、それまではチケットを買った者だけに制限されていたこの広々としたロビーを、一日のどの時間帯でも多かれ少なかれだれでも好きなことをできる場所へと変えた、この開放の行為によるのである。まとめるならば、真に社会主義的な空間としてのフェスティバル・ホールは、一九四〇年代の戦後コンセンサス建築と、一九八〇年代の「気の狂った左翼」の地方政治との組みあわせの結果なのだ。

　このことはもしかすると、美食家が集う一連の「ストリートマーケット」とそのおまけの飾り、高価

14　イギリスの芸術家（一九二二―二〇一一年）。一九五六年の《一体何が今日の家庭をこれほどに変え、魅力あるものにしているのか》と題されたコラージュはポップアート最初期の作品とされ、「ポップアートの父」と呼ばれることもある。

15　イギリスの作家、美術評論家、アナキスト（一八九三―一九六八年）。一九二〇年代からイギリスの美術評論において大きな影響力をもった。シュルレアリスムの輸入において大きな役割を果たし、四七年にはシュルレアリスム画家のローランド・ペンローズとともに現代芸術協会（ＩＣＡ）の設立に携わった。

みずからを食らうサウス・バンク

なコンサートホール、Wi-Fiつきのホールと緊縮ノスタルジアの品々を売る店舗がその空間を占拠し、ロイヤル・フェスティバル・ホールの職員が政治集会に干渉するようになった今日では、いくらか弱まってしまったかもしれない。だがそこはいまだにロンドンの基準で言えば、驚くほど自由で公的な空間である。リヴィングストンのグレーター・ロンドン・カウンシルは、フェスティバル・ホールを当初想定されたよりもずっとラディカルなものにした。グラフによればフェスティバルはもともと、トインビー・ホール——後期ヴィクトリア朝時代の憂慮した中産階級ロンドン市民が「最暗黒のイングランド」を扶助するために訪れたイーストエンドの社会施設——に始まる「国内植民地化」と、組織された労働者階級自身の手により設立された「人民住宅」や生協ホールおよび労働者クラブの双方の遺産だったのであり、両者の共存による緊張感を反映していた。

フェスティバルの中心的な組織者であった『ニュース・クロニクル』編集者のジェラルド・バリーは、きわめて恵まれた出自の人物たちで構成された委員会を率いた。そのうちの何人か——ケネス・クラークやスティーヴン・タレンツ——はすでに本書に登場したが、ジョン・ギールグッド[16]や（今日の言葉では）「赤い保守党員（レッドトーリー）」で教育改革者のラブ・バトラー[17]など、ほかの何人かはまだ出てきていない。バリーは、「われわれはこれを人民のショーとして、つまり人民が楽しむように恣意的に企画されたものではなく、大部分がその人びとによって、われわれみなによって、われわれが信を置く生き方の表現として企画されたものとして構想する」のだと主張した。実際には、マイケル・フレイン〔イギリスの作家〕が指摘したように、「人民はほとんど関わっていなかった……その結果できあがったものには、労働者階級が、愛くるしいほど人間的だが本質的にみずから行動は起こせない、慈悲深い行政の対象以上のなにものかであると「示唆するもの」はなにもなかった」。【38】その結果は、「知性的な市民たちのあたらしい待ちあわせ場所」になろうという図々しい計画と、「平等な関係で共存するという経験……あたらしい、平等な社会の表象」【39】とのあいだで引き裂かれていた。リヴィングストン以前、ホールはフェスティバル全体のなかで平等主義からはもっともかけ離れた部分だった。建設に携わった労働者の一人が開業後のホールで最初におこなわれたコンサートのうちの一つを訪れたことは語り草になったが、夜会服を強制され、ロビーも一般公開されていなかったので、一九八〇年代まで、その場所はとても平等主義的には見えるはずがなかった。ブルータリズムに共感を寄せる建築評論家のロバート・マクスウェルは、早くも一九六〇年代にはフェスティバル・ホールを「イングランド人が社会民主主義者ごっこをして遊んで

16 イギリスの俳優、舞台監督(一九〇四―二〇〇〇年)。二〇世紀イギリス演劇界でもっとも高い評価を得た俳優の一人とされる。

17 イギリスの政治家(一九〇二―一九八二年)。四一年から四五年にかけてチャーチル政権で教育大臣を務め、五一年に保守党が政権に返り咲いてからは財務大臣、内務大臣、副首相などを歴任した。

いた」時代の産物であると評し、イギリスはハロルド・ウィルソン〔労働党政権の首相、六四―七〇、七四―七六年在任〕の下ですら重商主義のルーツに立ち返っていたということをほのめかした。グラフが説明するように、フェスティバル・ホールにつけたされたブルータリズム増築は、その斜角構造と間隔の広い座席、そして前衛的なポップ・プログラム（シド・バレット時代のピンク・フロイドもクイーン・エリザベス・ホールの最初期に出演した）と並んで、フェスティバルのだれでも迎え入れるような人道的ゲマインシャフトから、より断片化した個人(プライベート)の世界への移行を示していた。これは、二〇世紀が心理に与えたトラウマ的衝撃を超越する試みというよりは、その美学化だった――ジョージ・オーウェルではなくJ・G・バラードによって描写されたようなイングランド的感性である。一九六〇年代にはすでに、フェスティバル・ホールは年老いて見えていたのだ。

ではなぜ観察者たちはそこにそれほどまでにユートピア的で平等主義的なものを見出したのか？　ドイツ人建築家のカール・ヴィメナウアーは、一九五一年にロイヤル・フェスティバル・ホールを目にしたあと、「ことによるとイングランドは」、ほかのどこか（たとえば西ドイツ）で計画されているいかなるものにもずっと先んじて、「人間主義的な社会主義」を開拓している「世界でもっとも社会的な国になろうとしている」【40】かもしれないと熱狂した。この大部分は、単純に建物それ自体と、今回は妥協を許さなかった純粋なモダニズム思想のイングランド化の成功に帰することができる。建物は、とくに一九六〇年代にそれが完成したあとでは（一時的な装飾である南側のファサードが十年以上ものあいだ未完成の空間を隠していた）、どこと比べても見劣りしないほどに目覚ましい、徹底して自由なモダニズム的空間となった。「卵」と呼ばれたメインホールを包んだ「箱」は、いくつかのガラス張りの大きな部屋で埋められており、その用途の定められない空間を、訪問者たちは——とくにリヴィングストン以後は——高さの変化や上質な素材、突然の光や空気や開放感を楽しみ、あるいは単純に、そこにいるあいだだけはなにかを買うようにしつこくせがまれないことを喜びながら、ただ歩き回ることができた。正面のファサードは透明で、建物の内部——異様に広く気前のよいロビーが中央のホールを取り囲み、ホールの上部が飛び出して建物全体に弓形のシルエットを与えている——が見えるようになっている。だがたとえこれが一九二〇年代後半モスクワの文化宮殿〔映画やコンサートホールなどを備えたソヴィエト時代の余暇施設〕にもありそうなものだったとしても、細部は完全に設計者独自のものであり、そしてじつにイングランド的だ。有名なカーペットはかわいらしく装飾的で、ペヴスナーであれば本質的にイングランド的だと評したような控えめな緑色をしている。美しく彫られた手すりには溝がついており、階段を上り下りしながら、その表面を指でなぞりたくなる。銅像、すりガラス、ネオ・ヴィクトリアン様式のスワッシュ〔アルファベットの筆記体風の先端装飾〕が入ったタイポグラフィ、そしてホールの内部には派手で奇抜なネオ・リージェンシー様式[18]のバルコニーがついている。その全体はあたたかさ、あるいは家庭的な印象さえ与える。

チャールズ・ホールデンのようなロンドン運輸局のデザイナーとは違い、LCCの建築家たちは自分たちのモダニズムを抑制することはなく、全体を覆う空間の裏に古典主義的なルーツをほのめかすこと

18 英国王ジョージ四世が摂政（リージェンシー）だった一八一一年から一八二〇年、およびその前後の一八〇〇年頃から一八三〇年頃までの時期の古典主義的建築・室内装飾のリバイバル様式。

はしなかった——だからデザイナーのイングランドらしさはいつになく強調され、喜ばせ楽しませるための意図的な脚色のようになっており、そこではふたたび、イングランドには驚異的でありながらも節度のあるなにかが内在しているのだというあの暗黙の確信が見え隠れする。フェスティバルにあれほどまでに失望した後続世代のブルータリストたちは、自分たちの手でフェスティバル・ホールに不快な外観のサウス・バンク・センターをつけ加えるよりもずっと前から、復讐を果たしたくてうずうずしていたに違いない——だがその増築のときですら、既存の建物を圧倒せずに、その量塊性をただ補い引き立てつつも、その美学のあらゆる面を拒絶するように細やかな注意が払われていた。

しかし、フェスティバル・オブ・ブリテンの建築の成果のなかで忘れ去られているのは、サウス・バンクの建築よりもはるかに長生きし、フェスティバル・ホールとおなじくらい変わらない姿を保っている、ランズベリー団地〔フェスティバルの一部として空襲跡地に建設された公営住宅団地〕である。それは元労働党党首で、一時は地元ポプラーの首長を務めたジョージ・ランズベリーにあやかって名づけられた。ランズベリーはモリスンよりもずっと左翼的な人物であり、自分の自治体の社会保障プログラムの費用削減案の実行を拒否して刑務所に送られたほどだ。ランズベリー団地は、フェスティバルの喜びに満ちた風変わりな細部を、当時の（いまはもうそうではない）港湾地区にぴったりな明白にコックニーらしいレトロへと昇華した、イングランド化されたモダニズムを体現していた。団地の住宅の大部分は勾配屋根のついたストック煉瓦〔ロンドン地域特有の黄色がかった煉瓦〕造の四角いテラスハウスで、南側に開けた、やや形式的なちょっとした共有草地（いまではほとんどがなにかしらの柵で囲まれている）を取り囲んでいる。扉まわりの簡素でモダニズム的な細部と、特定の時代の装飾がないことの二点をのぞけば、これはどう見てもロンドンのただ「普通の」一画であり、テンプレートと異なるのは、おもにイーストエンドの平均的なテラスハウスの狭苦しさを免れていることによる。団地内には二つの教会があり、一方はイングランド国教会のいかめしいスカンジナヴィア風モダニズムで、他方のカトリック教会はギルバート・スコット一族の一員[19]による、記念碑的で執拗なまでに細部にこだわった、階段状の煉瓦の怪物である。

これらすべてはクリスプ・ストリート・マーケットを取り囲むように集めて配置されている。このマーケットでは、普段は風変わりだと思われることはない建築家フレデリック・ギバードの手により、アレクサンドラ・ハリスを喜ばせるような古風な趣をもった郷愁を誘う細部とモダニズム的な計画の融合が存分に表現されている。今日でも人で賑わうマーケットの周囲にまとめられたこの区画内の建物は、ピロティ構造の歩行者天国でありながらも、装飾的な煉瓦造、ネオ・リージェンシー様式の出窓、勾配屋根といった細かな工夫が凝らされている。全体の中心にはフェスティバル・パブがあり、イーストエンドの社会改革の建築はトインビー・ホールの時代からだいぶ変わったのだということを示唆している。団地への入り口を飾るのは時計塔で、当初は港湾地区を望むことができるように意図されたが、数年以内に一般の立ち入りが禁止された。このすべてはイーストエンドのありふれた一部となり、居住者の多くが世代を経て変わったとはいえ、そのデザインはいまだに、知識人が労働者と出会うときによく現れる、

19　ランズベリー団地のカトリック教会はエイドリアン・ギルバート・スコット（一八八二—一九六三年）によって設計された。ギルバート・スコットの祖父、父、叔父、兄はすべて建築家。

「フェスティバル地区」：ランズベリー団地

少し落ちつかない浮かれたノスタルジアの感覚を伝えている。これらの建築のいずれも保存すべきものとしてグレードを指定されたことはなく、本書の執筆時点では、部分的な解体や建て直しの危機に瀕している。

フェスティバルのこれら二つの部分の対照は示唆的だ。フェスティバルそれ自体については、ヒュー・カッソンによるスウェーデン式の自由な建物の配置を通じて、平等主義的なものとして経験された。それは一九五一年のイギリスにとってあたらしい経験だった。その都市空間は、公私の厳密な区別をともなう街路と住宅の厳格なシステムではなく、建物のなかでも外でも、上でも下でも通り抜けることのできる切れ目のないものだった（皮肉なことに、一九五一年に入場料を払った客にだけ公開され、この空間のもっとも公共性に欠ける側面を体現していたフェスティバル・ホールが、現在でも生き残っている唯一の建物である）。このような配置こそが、モダニズム建築に施された陽気で半分レトロなモチーフと、展示それ自体の少し感情を逆撫でするような技術的楽観主義と並んで、来訪者たちを、それまでは怪しいと思われていたモダニズム的事業に喜んで参加するように仕向けたのだ。しかしまったくおなじ構想は、数マイル北東のポプラーで組み立てられると、なにか別のことを意味することとなった。ランズベリー団地は、空間内の移動の自由、その区画のなかに暗い一角や貧富の差が生まれないような設計にみられる平等主義、そして同様のモダニズムと「ロマンティック・モダニズム」的な細部の結合といった、フェスティバル・ホールと非常に近い原則にしたがって建てられている。両者とも、のちに隣により自信に満ち、より断固としてモダンな構造物が建てられた――フェスティバル・ホールはクイーン・エリザベス・ホールとヘイワード・ギャラリーに接続され、ランズベリー団地はエルノ・ゴールドフィンガーによる厳格でブルータリズム的なブラウンフィールド団地と歩道を挟んで隣接することとなった。

サウス・バンクも問題を抱えてはいたが、それはけっして、ランズベリー団地の所有者であるタワー・ハムレッツ区の役所が数十年にわたり苦しむような資金難に直面することはなかった。フェスティバル・ホールの細々とした各部分は、大幅に値引きされて利用者へと売り飛ばされることはなかった。このことをとくに悲しくさせるのは、フェスティバル・ホールがたんに社会民主主義のイギリスの可能性をお披露目する場所であり、展示全体における一つの断片にすぎず、全体の構想を見せるためのテストケースにすぎなかったという事実だ。一方でランズベリー団地は、そのような構想の一例として実際に人びとが住み、そして現在まで数世代にわたり住み続けてきた場所である。フェスティバル・ホールがキッチュと小間物の宝庫としてパッケージ化されている――二〇一〇年代において、一九六〇年代にアルバート・ホールがそうだったように、かならずしも住みたいとは思わないが、なぜだかよりよく感じられる時代のイメージとなった――のに対し、ランズベリー団地はほとんど忘れ去られている。

帝国の消失

ハーバート・モリスンは、多くの立派な集合住宅を建て、テムズ川の南岸でのフェスティバルを委嘱したことに加えて、そのキャリアのなかで外相も務めた。任命後、彼はまず一九世紀の偉大なる帝国主義政治家パーマストン卿の伝記を入手した。帝国は、フェスティバルで示されたイギリスの図像学からは消え去っていたように見えたが、当然、アトリー政権の実際の政治的地平からは消え去っていなかった。インドは自由になり流血の末に分割され、比較的最近手に入れたイギリス委任統治領パレスチナもおなじ道をたどったが、大陸をまたぐ大英帝国のほかの地域は手つかずのまま残された。そのなかには、カナダ、オーストラリア、南アフリカ、ニュージーランド、そしてこのときにはインド、パキスタン、ビルマなどの事実上は独立した「連邦」内の「自治領」だけでなく、アフリカとアジアのかなりの部分——後者は日本から奪い返したばかりで、戦争が終わるとともに民衆による大規模な、しばしば共産党に率いられた抵抗運動の舞台となった——も含まれていた。一九五一年に労働党が政権を手放した時点で、イギリスは少なくとも現在のキプロス、マルタ、ジャマイカ、トリニダード、セントルチア、イラク、シンガポール、香港、マレーシア、ソマリア、ケニヤ、ガーナ、ナイジェリア、ジンバブエ、タンザニア、マラウィ、スリランカに対する完全な管理権をもっていた。だがこれらは「イギリス」の一部として、あるいはその「アイデンティティ」として、フェスティバルにおいて取りあげられることはほとんどなかった。このことによりフェスティバルは、その点以外では疑いなくその先駆けとみなすことができる一九二五年のウェンブリー大英帝国博覧会のような、ロンドンでそれ以前に開催された大規模な博覧会とは顕著に対照的である。労働党の指導部、とくにモリスンとベヴィンが熱烈な社会帝国主義者であったことを考えると、このことはいっそう奇妙に思える。

労働党は実際のところ、社会帝国主義の拒絶ではなく、その絶頂を示していた。「ナショナリストのアーネスト・ベヴィンが外務大臣になったことにより、一九四五年から一九五一年にかけての労働党政権において、国際主義は後方席へと退けられた」一方で、冷戦の圧力は党に帝国主義者たちの「義務兵役制度という夢を実現」させたのだった。【41】国民兵役法はドイツとオーストリアのイギリス管理地域における占領軍の維持を名目として可決されたが、あらたに徴兵された緊縮時代の若者たちはすぐに海外へ送られ、マラヤで共産主義者たちと、そして労働党政権が倒されたすぐあとにはケニヤのマウマウ団と、情け容赦のない闘いを演じることとなった。後者の場合には、集団的な刑罰や強制収容所も広く用いられた（結局のところ、これらを発明したのはボーア戦争時のイギリスだったのである）。いくつかの介入については、抵抗運動が、とくにアジアではオーウェルがほとんど警告してくれたように共産主義に支えられていたことが多かったため、冷戦による必要性を口実におこなわれた。アトリーは、アメリカが朝鮮戦争で国民解放軍に完膚なきまでに敗北したことの報復として中国相手に核兵器を使うことを許可しなかったことによって第三次世界大戦を防いだかもしれないが、彼はヨーロッパのほかのどの政治家よりも大西洋同盟成立の責任を負っていた。労働党の大西洋同盟支持者は、より厳密にはアーネスト・ベヴィンにNATO設立の功績を帰すことを好んだ。「ドイツ人を抑え込み、アメリカを入れてロシアを外し」、その過程で民主主義や自由やその類いのものを守るためにNATOを考案したのはベヴィンだったのだ。ハーバート・モリスンは、イギリスのアイデンティティを祝うモダニズムの祭典のための支援や演説に従事していなかったときには、ベヴィンの直系の後継者であり、当時のアメリカのある報道では「労働者（コックニー）の伝統的な外国人嫌悪」を兼ね備えた人物とされた。国営化を鉄鋼産業で止めることを意図したのとおなじくらいに、モリスンは脱植民地化がインドで終わることを望んだのだ。

その過程でモリスンは、植民地がイギリスの家族によって飼われている猫や犬であるというオーウェルの考えとそう遠くない比喩を用いた。「アフリカの植民地に」「時期尚早な独立」を与えることは「十歳の子どもに鍵と銀行口座とショットガンを与えるようなものだ」。ロバート・スキデルスキーは、この考えに同情的な立場から、それが現実には完全に破綻していたことを指摘した。

> 成長するまでは、［植民地は］イギリスの国際収支を助けるかもしれない。一九四五年から一九五〇年までの植民地省では、フェビアン主義者のアーサー・クリーチ・ジョーンズが、ジョゼフ・チェンバレンの「植民地開発」という考えを採用し、アフリカ植民地を食料や原料の供給源、そしてイギリスの産業の輸出先として開発するための意識的な取り組みがなされた。労働党は植民地開発公社を設立し、アフリカ植民地へ資金を送った。そのなかの悲惨な結末で有名な取り組みの一例は、イギリスの消費者にマーガリンを提供することを目的としたタンガニーカでのピーナッツをめぐる計画だった。この事業は、三千六百万ポンドを費やして、たった一つの商品用のピーナッツも生み出すことができなかったのである。帝国のマーケティングのための諸部門［すでに廃止されていたＥＭＢとは別もの］は、西インド諸島の砂糖を長期間契約により市場価格以下で買い取るために利用された。植民地開発にはアフリカ人に「自治」の訓練をさせることも含まれた。ナイジェリアとゴールド・コースト（のちのガーナ）は一九四六

年に憲法を授けられ、それはアフリカ人の参画が制限され権限も弱められた立法府を成立させた。イギリスのアフリカ植民地全土で、このモデルが模範とされた。【42】

社会帝国主義がついに本格的に試されたときに起こった経済的な大惨事には、歴史を通じてイギリスの商業資本主義を支えてきたロンドンのシティのような支援者たちも当然気づいたことだろう。ピーナッツ事業の笑劇は、インドを失ったいま、イギリスが完全にアメリカ合衆国に従属してしまうことを防ぐために、サハラ以南のアフリカをイギリスの経済的再生のための工場として搾取できると信じたベヴィンによる、大英帝国を維持しようという試みに駆りたてられたものだった。この試みはその思想信条の問題によって終わったのではなく、ただうまくいかなかったために終わったのだ。宗主国の首都から辺境に金をつぎ込むのは、とりわけイギリスがアメリカに負った莫大な負債に押しつぶされている状況において、少なくともマーシャル・プランに救われるまでは、もはやリスクに見合う価値のあることとはみなされなかった。名目上の支配や女王への忠誠の誓いがなくとも、ヨーロッパやアメリカの資本がアフリカの資源を引き出し搾取することで莫大な利益を得ることができるということは、すぐに証明された。ひょっとすると、この文脈で、労働党政府のなかの数人——たとえばアナイリン・ベヴァン——は、イギリスが「大国」であり続けることと社会主義とを両立させるために、なにか別の考えをもっていたかもしれない。

よすぎるものなどない

左翼の人びとが一九四五年の精神について語るとき、大抵の場合、そこで本当に意味されているのはナイ・ベヴァンの精神である。二〇一二年の初頭に健康・社会ケア法案が可決されたことは、ツイッターではお馴染みの結局は無力な「ハッシュタグ・キャンペーン」を引き起こした。タグをクリックすれば、それを使ってツイートした数千人による集団的な意見の力が顕在化するというのが、そうしたキャンペーンの狙いである。以前、アメリカの医療政策におけるオバマの「公的な選択肢」に敵対する陣営が、イギリスの国民保健サービスは人気もなく経済的に破綻していると主張したことへの返答として始まったハッシュタグ、#welovetheNHS〔わたしたちはＮＨＳが大好き〕がおおきな人気を集めた。ここでは一人一人の参加者が、このハッシュタグの前後いずれかに、ＮＨＳが自分や親戚に無料でもたらしてくれた恩恵についての逸話を一四〇文字に詰め込んで記した。健康・社会ケア法案が可決されたときのタグは、それほど心のあたたまるものではなかった——謎めいた字面の #lowerthanvermin〔害虫以下〕というもので、多くは保守党への憎悪の表明と、まもなく始まる私企業によるＮＨＳの運営がもたらすであろう悲惨な結果の予測が添えられていた。だがこのタグは前述のタグとおなじくらいの人気を集め、それをクリックすれば何ページにもわたる悪口雑言を読むことができた。

ハッシュタグ #lowerthanvermin の出どころは、保健大臣アナイリン・ベヴァンが一九四八年七月四日の労働党の集会で、彼自身が考案し公衆に提示した、無料で完全に国営の国民保健サービスが開始される前夜におこなった演説である。ベヴァンには首相の後ろ盾があり、また、党派を超えて支持されたベヴァリッジ報告が政府に国民皆医療制度の設立をもとめたことも追い風となった。だが、ベヴァンの記述によれば、ＮＨＳの実際の形式は、政治家としてのキャリアの出発点となった生まれ故郷のサーハウイ渓谷に位置する小さな炭鉱町トレデガーの労働者組織が設立した、労働者たち自身によって運営される利用者負担無料の公共医療サービスに着想を得たものだった。イギリス医師会の会員たちは、自分たちが独立した経営者ではなく国家による被雇用者となることに腹を立てて反対したが、それを押し切って成立したＮＨＳは、さまざまな地方自治体や宗教団体、慈善団体のもつ病院を統合し国営化した。このことはベヴァンにとって、医療サービスにおける利益の追及をなくすという点において、患者の自己負担の無償化とおなじくらい重要だった。それはイギリスでこれまでに設立された公的機関のなかでもっともラディカルなものかもしれない。だがベヴァンがその発足を宣言した演説は、この達成を誇示したことよりも、その制度を必要にした状況を痛ましくも思い起こさせたことによって記憶されている。

どのような甘言をもってしても、わたしにそうした苦い体験を押しつけた保守党への燃えるような深い怒りが、この心から消えることはない。わたしが知るかぎり、やつらは害虫以下〔lower than vermin〕だ。やつらは数百万人もの第一級の人びとをほとんど餓死するところまで追い込んだ。……保守党はあらゆる種類のプロパガンダに金をつぎ込み、その組織的で持続的な集団的暗示によって、われわれがみな経験したことをすべて忘れるように願っている。だが警告しよう。やつらは変わっていない――もし変わっているとすれば、前よりも少し悪くなったくらいだ。【43】

ベヴァンが思い浮かべていたのは、自分の父親のような人びとである。ベヴァンの伝記を書いたニクラウス・トマス＝サイモンズによれば、父のデイヴィッド・ベヴァンは塵肺（長期間にわたり炭塵を吸い込むことで引き起こされる肺の疾患）により死去したが、労働者災害補償法のもとでは職業病に分類されなかったために、補償金は一切払われなかったという。【44】ベヴァン自身は一四歳で学校を出たが、「トラブルメーカー」として炭鉱夫の仕事を解雇され、青年時代を通じて健康上の問題や過酷で危険な仕事、そして驚くほど劣悪な生活条件を目にしながら、ほかの者たちがその儲けでずっといい暮らしをしていることに完全に気づいていた。

保守党がNHSを私有化しようとしている瞬間に呼び起こされるべき演説としては、歴史上のどこを考えても、これ以外のものは思いつかない。このフレーズはTシャツにもなった。この演説、そしてベヴァン自身は、いまでは民衆の記憶の一部なのである。この南ウェールズのちいさな炭鉱町の選挙区を代表する国会議員は、党の規律に度々挑戦し、一九三九年には労働党と共産党のあいだにフランス式の「人民戦線」を築くことを主張したことで実際に追放された。それにもかかわらず、アトリーは一九四五年に彼を保健大臣に任命した（さらに公営住宅事業も彼の管轄となった）。一九五一年に薬代をめぐる問題により辞任したあと、彼はいまや「ベヴァン派」と称される労働党左派を率いることとなったが、一九五七年には核軍縮の問題をめぐってそこから離脱した。これは影の内閣の外相であったベヴァンが妥協を強いられたためとされるのが通説である。彼は一九六〇年に比較的若くしてこの世を去り、イギリスの左翼に数少ない偉大なる神話の一つを残した。

社会主義政治家として、ベヴァンは物事を実行することに非常に熱心だった。それはつまり、モンマスシャーの評議員として出発したときから所属していた労働党のなかで物事をおこなうということだった。ほかの労働党左派の指導者たち——純粋だが力不足だったジェイムズ・マックストン[20]や、ついぞ成功とは縁のなかったトニー・ベン——と比較すれば、ベヴァンは一つの巨大な達成の立役者なのである(たとえそれが現在では骨抜きにされたといっても)。

ベヴァンは、ベヴァリッジ報告に始まり、炭鉱労働者が自己組織した公共医療サービス、そして戦時中のポスターでは戦後のイギリスの未来を約束するものとして描かれた有名なフィンズベリー医療センターのような、ラディカルな地方自治体によって一九三〇年代後半に設立された近代的な医療施設まで、さまざまなアイディアを参考にした。また彼は、ペッカム医療センターが取り入れた「予防的な」医療をはじめ、ほかの選択肢となりえたモデルを棄却した。全体として見れば、融通がきかない保守的なものとみなされてきた労働党の運動は、当時のフランスやドイツあるいはスカンジナヴィア半島で構想されたいかなるものよりも、多くの点において、よりラディカルな機関を設立することに成功した。NHSは偉大なる政治的構想だった。ベヴァンは、完全に公的に所有され利用者負担が無料のシステムをつくる目的を達成するために、自分の計画の一部を譲歩しなければならなかった——具体的には、医師たちはNHS非利用者への課金と半独立的な働き方が許されたため、並行した私的な保健医療システムが存

20　グラスゴー近郊出身の政治家(一八八五—一九四六年)。一九〇四年に独立労働党(ILP)に入党し、のちにその書記長となった。ILPが労働党と合流した一九二二年には国会議員に当選するが、ラムジー・マクドナルドの労働党政権に批判的な立場をとり、三二年の両党の決裂に際して主導的な役割を担った。

在することとなり、それはいずれNHSそれ自体にも影響をおよぼすこととなった。しかし、その制度の主たる原則は、半世紀以上ものあいだ、深刻に侵食されることなく持ち堪えた。ベヴァンにとっての「優先順位の言語」[21]と妥協の序列は、この場合に関しては完全に価値のある結果を生んだように思える。「ベヴァン・ハウス」と呼ばれる、バスルーム二つとじゅうぶんなスペースを備えた郊外の頑丈なテラスハウスやセミデタッチドハウスは、多くの文献のなかで賞賛されてきた。その最新のものは、リンジー・ハンリーによる回想録／歴史書、『団地(エステーツ)』である。ハンリーによれば、ベヴァンは、医療におけるNHSのような国民全体を対象とする包括的な公営住宅事業を設立し、イギリスの住宅需要を満たすことを構想していた。住宅に関する有名な演説で、ベヴァンは「われわれが評価されることになるのは、これらの住宅の質によって」【45】であり、量によってではないのだと宣言した。一九四六年にバーソルド・リュベトキンによって設計されたフィンズベリーの魅力的で緑に溢れた住宅団地スパ・グリーンが開業した際のこの演説は、より素早く建てられ、より大部分がプレハブ式の、そして必要とあらば戸数を優先するためにバスルームの数を抑えて小さくした住宅を要求する意見への反論だった。国民住宅事業の可能性は、議題としてあがったが真剣に検討されることのなかった国民建築公社において垣間見られた。これはベヴァンがはじめ提唱したが、地域の地形や状況について間違いなくよりすぐれた知識をもつ地方自治体の反対が見込まれたため、すぐに手を引いた。ここでのベヴァンの敵、当時の財務大臣でのちに住宅大臣となるヒュー・ダルトンは、すぐにベヴァンが定めた、一世帯にかならず二つ以上のトイレを設置するという要件を削減した。のちにベヴァンのパートナーのジェニー・リーは、つぎのように疑問を呈した。

なぜヒュー・ダルトンはナイ〔ベヴァンの愛称〕の主張を嘲ったのだろう?……家族に病人がいるときに、あるいは年老いた親と子どもたちの面倒を同時にみなければならないときに、それがどれほど重要なことかわからなかったのだろうか? ダルトンは生まれも育ちも特権的な世界に属していた。その溝を埋めるに足る共感も想像力ももちあわせてはいなかった。【46】

だが皮肉なことに、労働党は一九六〇年代に、以前は熱心な「ベヴァン派」だったリチャード・クロスマンのもとで、経費を削減した短期間での住宅建設計画を本格的に採用することとなった。「ベヴァン・ハウス」は、すなわちメイフェア〔ブランド店などがひしめくロンドンの一等地〕のマンションとおなじような水準の仕様の公営住宅は、けっして完全には実現しなかったとしても、断片的には実在している。住宅の質になによりも力点を置いたベヴァンの演説が、リュベトキンによって設計された団地の一つでおこなわれたという事実は、ノスタルジックな社会主義者にとって、なんとも相応しく、胸を打つことに感じられるだろう。イギリスの社会的建築にとってのリュベトキンは、社会主義にとって

21 ベヴァンは一九四九年七月に北イングランドのブラックプールで開かれた労働党大会での演説で、「優先順位について語ることは社会主義の宗教だ」と述べた。これはベヴァンらの考える経済計画が「物質主義的」であり、「宗教的あるいは精神的なアプローチ」に欠けると批判されたことへの返答であり、この文脈で「宗教」は肯定的な意味で用いられている。

アナイリン・ベヴァンの未来のロンドン：スパ・グリーン

のベヴァンのような存在であり、偉大なる英雄的な神話である。ベヴァンのように、リュベトキンは概して改良主義的であった運動における急進派を体現したし、彼らはともに、戦後の解決が一九五一年以降に向かった、理想を失った方向性のなかで生きていくことに、いくばくかの困難を覚えた。リュベトキンの、あるいはむしろテクトン・グループ〔一九三二年にリュベトキンを中心に設立された建築事務所〕の仕事は、初期のソヴィエトの思想——重なりあい交差しあう公共空間（パブリックスペース）が公的な諸機能を果たし、図書館や医療センター、学校、交流クラブ、そして（リュベトキン版では）パブなどの施設が住宅に密接に組み込まれた「社会のコンデンサー」[22]という思想——を直接取り入れたものだった。

この思想の一九三〇年代版は、この時代らしく、ほとんどが——人気のあった構成主義的な動物園（ロンドン、ウィップスネード、そしてダドリー）という副業を除いて——有名なハイポイントⅠとハイポイントⅡのような、中産階級の顧客層をねらった集合住宅だった。それらはテクトンが参考にした大陸の手本にみられるような厳格で妥協のない豪華なモダニズムから、風変わりで一見「イングランド的」な矛盾と様式美の愛好への移りかわりを示した。ハイポイントⅡは、全面白の表面をやめて煉瓦とタイルのパターンを採用し、建物の入り口に二つのアテネ風の女人像柱を置くことで純粋主義者を挑発したのだ。一九三八年のフィンズベリー医療センターも同様に、リュベトキンがそれまでモデルとしてきたル・コルビュジエやモスクワの構成主義者の純粋なぎらぎらした攻撃性からは一歩引いている。ネオ・ヴィクトリアン様式風の書体、左右対称性、そして（小規模ながら）わずかに記念碑（モニュメンタリティ）のような佇まいをもつこの建築は、フェスティバル・ホールの予行演習である。皮肉なことに、ピーター・モロそしてデニス・ラスダンのようなサウス・バンクの建築家の多くは、テクトンにおけるリュベトキンの同志たちだった。リュベトキンの作品はすべて、あらゆる政治的そして美的な類の緊縮ノスタルジアにとって決定的に重要である。アレクサンドラ・ハリスはハイポイントⅡの女人像柱によってリュベトキンを「ロマンティック・モダンズ」の一員に数え、「人民はつねに皿を必要とするだろう（ピープル・ウィル・オールウェイズ・ニード・プレイツ）」〔建築をテーマにした食器ブランド、第一章参照〕はそれらの建物のほとんどすべてのマグとティータオルを取り扱い、そして、リュベトキン自身の政治性に近い例として、フィンズベリー医療センターのイメージは反緊縮デモでバナーとして使われてきた。フィンズベリーは健康・社会ケア法案可決後に売り飛ばされそうになったが、その地区の国会議員ジェレミー・コービンに支援された大規模で活発なキャンペーンのおかげで、なんとか地域の医療センターとして生き残っている。

しかし戦後になると、スパ・グリーン、プライアリー・グリーン、ベヴィン・コートというフィンズベリーの近くに建てられた三つの公営団地、それからパディントンのホールフィールド団地にみられる

22　一九二〇年代のソ連の構成主義建築家モイセイ・ギンズブルグによる言葉で、労働者クラブなどの共有施設により、社会のヒエラルキーを取り壊し、あたらしい、より平等主義的な共同体をつくることを目指す建築のこと。

ように、リュベトキンは緊縮を示すあらゆるしるしを完全に拒絶し、気前のよさと表層に重きを置いたあたらしいモダニズム様式を選ぶこととなった。「普通の人たちにとって、よすぎるものなどない」という（ときどきベヴァン自身に帰せられる）有名な宣言はフィンズベリー医療センターに関して述べられたものだが、リュベトキンとテクトン——すぐにより散文的な名前のスキナー＝ベイリー＝リュベトキン事務所へと再編された——が、戦後イギリス建築の主流派のすべてに対する明白な（完全に無視された）抵抗のなかで発展した様子にも、おなじくらい当てはめることができた。

一九五〇年代初頭に、ダラムの炭鉱地域のニュータウン、ピーターリーのために設計した想像力溢れるプランが拒絶されたことに激怒し、養豚場を営むためにグロスターシャーへ移住したリュベトキンは、左右対称で直線的な統一されたイメージを説得的に用いることで、自分の集合住宅事業に許された極端な低予算に適合する（あるいは敵対者に言わせれば、隠す）ことに活力を集中した。このことは、一方ではランズベリー団地——リュベトキンの見方ではかわいこぶった、ご機嫌とりのようなもの——などの「人民装飾（ピープルズ・ディテーリング）」[23]計画のピクチャレスクな断片化に反対したものだったが、他方では、彼がブルータリズムのエゴイズムや攻撃性とみなしたものへの反対でもあった。このことは、彼の一九三〇年代の作品が一九六〇年代のロンドンの若い建築家たちにとって正典的な地位を獲得していたことを考えると、不思議なことである。スパ・グリーンはこの奇妙な、遅れてきた反撃の最初の前兆だった。茶色とクリーム色のタイルで覆われた、小さな公園のなかのその三つの棟は、目立つ明るい色をしており、リュベトキン自身が生まれ育ったジョージアで若い頃に見たコーカサス地方の絨毯に着想を得たと述べるパターンへの関心を見てとることができる。三つの棟のうちもっとも低いものはなぐり書きのように曲がっており、協働者のオヴ・アラップ[24]による高度なエンジニアリングの技術を見せびらかすために設計されている。それぞれの入り口につけられた見事なスロープとよろい窓と標識は、この建物がただ入居待ちの人に住居を用意するために必要条件だけを整えたものではないのだということを示すに足る重要性を表現している。プライアリー・グリーンはこの手法のより小難しく、それほど魅力的でない焼きなおしだったが、ベヴィン・コートでは、リュベトキンはほとんどその計画の限界に挑戦している。そのYのかたちをしたバルコニーのない集合住宅では、画家で建築家のピーター・イェイツによるピカソ風の壁画と、一九二〇年代のモスクワ以外で設計されたもののなかではもっとも構成主義的な空間といえる、とてつもなく驚異的で暴力的でメロドラマ的な階段の周囲に、白／灰色／赤のパターンが配列されている。これは、ほとんどの住人がエレベーターを使うため、無意味に壮大で完全に無用なたんなる非常階段となっているが、ただ喜びと畏怖の念を与えるために設計されたものだ。

これがモデルとなったのが、ドーセット団地とクランブルック団地という、ベスナル・グリーンでの二つの巨大事業である。リュベトキンはこの時期までに、容認されうるモダニズム建築からはさらに離れていたため、このどちらも重要な建築物としてグレード指定されてはいないが、それらはますます一

23　建築批評家レイナー・バナムが『ニュー・ブルータリズム』（一九六六年）のなかで用いた言葉。一九五〇年代半ばのイギリスでみられた、とくにLCCの左翼建築家たちによる煉瓦の壁や小さな窓などの装飾を指す。

24　デンマーク系イギリス人の構造家（一八九五—一九八八年）。リュベトキンのテクトンで手がけたロンドン動物園のペンギン・プールとゴリラ館や、シドニー・オペラハウスなどの仕事で知られる。

公営ロココ様式――クランブルック団地の階段

度見たら頭から離れない驚くべきものだ。一八世紀のフランスから移設されたかのような壮大な並木道の周囲に並ぶ巨大な低層棟と高層棟のすべてに、騒がしいほど個性的で官能的で目の回るような階段がついている。だがどこに目を向けても、スキナー＝ベイリー＝リュベトキンが、たかが公営住宅に経費をかけすぎるのを防ごうとクロスマン[25]が課した制限と格闘しているのがわかる。極端で派手な空間のアイディアはどんよりとした公営団地の芝生と並んでおり、目の回るようなパターンは安いタイルと煉瓦で造られ、ぴかぴかの石材を使いたかった階段の内装材は、手に入るなかでもっともそれに近いもので代替された。いまでは階段には何層もの埃がたまり、破壊防止用設備のついた閉所恐怖症を発症させるようなエレベーターへと続いている――数十年にわたり見捨てられたことで、この状態が助長されてきたのはあきらかだ。これらすべての特徴は、ますます個人化していく消費主義の時代において集団性と豊富さを宣言したものであり、社会主義共同体を蘇らせるための英雄的な試みである。それらは、社会主義の未来が本来約束したものをもっとも安く実現させるための、少々スターリン主義的だが信念をもった共産主義者による挑戦なのだ。そこには、戦後に実際に建てられた大半の住宅よりも壮大だった一九四五年の夢がその後たどることとなった運命を、ずっと正確に見ることができる。リュベトキンのような人物にとって、福祉国家の住宅事業は彼が望んだものには遠く及ばなかった。彼の建築はそれに代わって、不可能を達成することを全力で目指したのだった。【47】

　これらスキナー＝ベイリー＝リュベトキン事務所による後期の団地は、どう見ても少し見かけ倒しなデザインのために、当初はリュベトキンによる傑作に数えられたり、モダニズム復興の殿堂に入れられたりはしなかった。ところが、それらは並はずれてよい立地に建てられている。事実、ドーセット団地とシヴィル・ハウスは、ショーディッチの緊縮ノスタルジア専門店レイバー＆ウェイトの目と鼻の先にあるのだ。「シヴィル・ハウス」（Sivill House）とグーグルで検索すれば、この公営団地――あまりにも痛ましいほどに古きよき労働党を思わせ、その団地の各棟はトルパドルの殉教者[26]たちにちなんで名づけられているほどだ――のタワーはまったく理想の住居であり、元公営住宅の１ＬＤＫにもかかわらず、

25　労働党で「ベヴァン派」の一員とされたリチャード・クロスマンは、一九六四年にハロルド・ウィルソン内閣で住宅大臣に就任すると、大規模な住宅事業計画を打ち出した。

26　一八三〇年代にイングランドのドーセット州トルパドル村で組合を組織したことにより秘密結社のかどで逮捕され、オーストラリアへ七年間の流刑を言い渡された六人の農業労働者のこと。全国的な抗議運動が起こり、結果として六人は一度オーストラリアに渡ったものの、数年のうちにイギリスに戻された。

二五万ポンドはするということがわかる。[27] ライト・ムーブ〔不動産検索サイト〕や同様のサイトでその物件の広告を見ると、ほとんどの場合、そのタワーの「独特な売りどころ」として、あの偉大なるバーソルド・リュベトキンによって設計されたという事実が触れられている。赤のなかの赤であっても売り飛ばされうるのだ——必要なのは、極度に金欠の自治体か、ライト・トゥ・バイ制度〔序章の訳注八を参照〕を利用してそれをすかさず手に入れるための口座残高をもつ買い手だけである。そして緊縮ノスタルジア産業によって、その投資が儲けを生むことは保証されるのだ。

核武装・非同盟のイギリスに向けて

ベヴィン・コートの当初の名称は、冷戦の到来によって犠牲になった。その集合住宅はレーニンが亡命中に短期間住んでいたヴィクトリア朝初期の広場の前にあったので、テクトンは記念碑として胸像を建て、その周りを、リュベトキンがあたらしい住宅団地の入り口に使っていた奇妙で流れるような幾何学的な建築で囲んだ。ファシストによる反ユダヤ主義的な落書きなどの度重なる破壊行為を受け、リュベトキンは胸像を定期的に取り替えることとなった（それはソ連で大量生産されていたのだ）。最終的にフィンズベリー区議会は諦めて、二文字だけ書き直し、「レーニン・コート」をベヴィン・コートへと改名した。ソヴィエトの国際主義者を最初期の冷戦の戦士（コールド・ウォーリアー）の一人によって交代したこのことほど、その状況にふさわしいものはない。ベヴィンとほとんど同姓で内閣での同僚でもあったベヴァンは、イギリスの社会主義的な外交政策がどうあるべきかについて別の考えをもっていた。その考えは社会帝国主義の地平から完全に離れることはなかったが、壮大で奇妙なものであり、詳細に検討する価値がある。

よく知られた物語では、冷戦の状況――再軍備、朝鮮戦争、そしてもちろんイギリスの原子爆弾――に迫られた財務大臣ヒュー・ゲイツケルが、設立されて間もないＮＨＳにおいて薬代を有料化することを決定し、これを承認できなかったベヴァンは辞任すると、自身が去るとともに政権の崩壊を招き、それがその後一三年間の苦境へとつながったとされる。ニクラウス・トマス＝サイモンズが語る物語はやや異なっており、ゲイツケルこそが妥協を知らないイデオローグで、実用主義者のベヴァンは、最初は適応しようとしたがやがてこらえきれないところまで押し切られたという。この記述によれば、ベヴァンは初期の冷戦に反対したわけでもなく、イギリスがそこに参加することにもほとんど反対しなかった。彼は再軍備を支持したし、イギリスが朝鮮半島に兵を送ることも支持した。ＮＡＴＯの設立も支持したし、さらにあきらかになったことに、イギリスによる原爆開発も支持した。だがゲイツケルが異常に膨らんだ防衛予算――あまりにも額がおおきかったために、ベヴァンは政府がそんな金額を期限内に使い切ることすらままならないと正当に指摘した――を提示し、薬代を課すと言い出したとき、ＮＨＳになんらかの費用が発生することがあれば辞任すると公言していたベヴァンは、事実上辞任を余儀なくされた。ベヴァンの辞任はメロドラマ的な大げさな演出ではなく、もっとずっと冷酷で計画的な政治の策士によってもたらされた敗北だったのだ。

　ベヴァンと冷戦との関係は重要である。というのも彼は一九五一年以降の活動の大部分を国際問題に費やしたのだ。もし労働党が一九五五年か一九五九年の選挙に勝っていれば、彼は外務大臣になってい

27　二〇一九年一〇月八日の時点でシヴィル・ハウスの１ＬＤＫ物件は三五万ポンド（約五千万円）で売られている。

ただろうし、もし第一次ウィルソン内閣に入るまで生きていれば、かなりの確率でおなじ役職についていただろう。彼と同時期に『トリビューン』誌に勤めたオーウェルと似て、戦時中のベヴァンは「革命的愛国主義者」だった。彼は戦時中の連立政府が市民の自由を制限したこと、またその軍事的な不手際、とくにヨーロッパにおいて赤軍を補助するための第二前線を張るのが遅れたことに、きわめて批判的だった。また重要なことに、インド植民地において、電話線を切るなどの「サボタージュ」とされた行為に対して連立政権がほとんど恣意的に課した死刑宣告などの厳しい措置について、議会で質問した。「サボタージュが疑われた地域には集団的な罰金が課された。一定の地位より上の陸軍将校は、所持品をまもるためには命を奪うことができた」【48】――この戦時中の抑圧は、一九四三年の悲惨なベンガル飢饉においてに頂点を迎えた。それでも戦後になると、ベヴァンはイギリスの「世界における道徳的リーダーシップ」について語った――イギリスがベンガルで数百万人を飢えさせ、マラヤでは反乱を情け容赦なく抑えこみ、インドとイスラエル・パレスチナでは混沌とした血みどろの分割の片棒を担いでいたときにである。ところが、そのすべては、けっして実現しなかったある壮大な計画のためだった。

ベヴァンはある種の非同盟運動を目指していたようだ。その運動とは、NATOにもワルシャワ条約機構にも加盟しないユーゴスラヴィア、インド、インドネシア、ガーナなどの国々から成る一九五〇年代に形成されつつあったもう一つのブロックに似たものだった。これらの国々がアメリカとソ連のいずれの「核の傘」にも入らなかった――それどころか明確に拒絶した――のに対し、ベヴァンの非同盟構想には、核兵器とイギリスの軍事力の維持がともに中心的な役割を担うことが欠かせなかった。ここにおいて、ベヴァンはのちに「ベヴァン派」として知られることとなる労働党左派のグループとただちに袂を分かつこととなる。なぜなら「ベヴァン派」は概してイギリスの世界的大国としての役割を放棄することを望んだからだ。ベヴァンが欠席した集会で、彼とほぼ同姓のベヴィンは、核爆弾の上に「われわれは、なんとしてでも、ユニオンジャックを掲げなければいけない」のだと主張した。ベヴァンは、一九五七年の党大会での、反核運動家はイギリスが「裸で交渉に臨むこと」をもとめているのかと問いかけた悪名高い演説にもみられたとおり、マイケル・フット、イアン・ミカード、そしてリチャード・クロスマンのような彼と近しい仲間たちが提唱した一方的軍縮運動からは明確に距離をとった。ここにみられる苦闘は、つぎのように説明できる。ベヴァンの本当の立場はつねに変わらず、非同盟のために核武装を、というものだったのだ。

ベヴィンがなんとしてでもユニオンジャックを掲げたいと願った爆弾は、ユーゴスラヴィアやインド、ガーナやそのほかの地域を含んだ、ポスト植民地主義の民主的社会主義の非同盟ブロックを守ることを目的としたベヴァンの爆弾として再想像された。だが、これらの国々のいずれかが、ソヴィエトやアメリカのではなく、イギリスの「抑止力」に守られることを願っただろうと想定するのは困難だ。より想定しやすい目的は、爆弾によって、アメリカ合衆国やソヴィエト連邦による望ましくない介入から、ありえたかもしれないイギリスの社会主義を守るという、厳密に地域的な非同盟であろう。それでもそのような計画は、めまいがするほど空想的で、常識的な判断に反する。「核の抑止力」を熱狂的に支持したほかのすべての労働党員は、同時に熱狂的な大西洋主義者でもあったたし、そのことには実際的な理由がある。一九五八年のイギリス・アメリカ相互防衛協定はイギリスとアメリカの「抑止力」を一つにつなげ、二国がそれ以来、けっしてなんらかの重要な独立した外交政策をおこなうことができないようにした。このことは、ド＝ゴールが「第三勢力」、すなわちEECを設立するにあたり、イギリスを排除した理由の一部である。イギリスは、ベヴァンが一九四〇年代に認めた「世界における道徳的リーダーシップ」があろうとなかろうと、軍事的にも経済的にも、偉大な核武装した勢力としての地位を維持することはできなかったのだ。外交政策において従属国となることで、その高慢な地位を保つことができただけなのである。ベヴァンはこの協定を反故にすることができたのだろうか？　その見込みはほとんどなかったように思えるし、一九五八年の協定をいかなるかたちで再交渉することも、間違いなく敵対的なものとみなされたことだろう。

ラディカルな社会民主主義だけが一九五〇年代の停滞状態にあった労働党をふたたび活気づけることができるのだと確信していたこと、そして飼いならされ社会化された資本主義という、より楽観的なビジョンを信条においても実現性においても拒絶したことに関しては、ベヴァンは仲間の「ベヴァン派」と決裂することはなかった。一般的に、ベヴァンがみずからの信条を宣言した『恐怖のかわりに』（一九五二年）と、アンソニー・クロスランド[28]の『社会主義の未来』（一九五六年）は、戦後の社会民主主義がとりえた二つの対照的なビジョンとして対置される。クロスランドはブレア派の先駆けとして賞賛されてきたが、新自由主義の経験は、戦後の解決の限界についてのベヴァンの記述のほうが正しかったことを証明した。戦後資本主義が根本的にはなんら改革されていないというベヴァンの度重なる指摘の正しさは、一九七四年以降に幾度となく立証されてきた。彼が若くして死ぬ一年前の一九五九年、最後の労働党大会での演説は、豊かさの到来がすべてを変えたのだという考えを厳しく攻撃する。「一九五九年のブラックプールにいるこのわれわれは、一時的に豊かになった社会で一時的に不人気になったからといって、みずからの信条に背を向けたのだということを、近代の民主主義と社会主義の父であり母であるこの偉大なる労働党の運動からのメッセージとして〔世界に〕送るつもりなのか？」ベヴァンの選挙区であるエブーベールとトレデガーの人びとにとって、一九八〇年代までには、その豊かさが一時的なものであったことが証明され、以来それは戻ってきていない。クロスランドは対照的に、一九五〇年代の時点で失業問題を完全に打ち負かしたと信じていた。一九七九年以降、失業者数は当時としてもショッキングな「三〇年代の再来」と言われた約一五〇〇万人を下回ったことはない。とくに厳しい打撃を受けたのはベヴァンの地元だった。

あの一九五九年の告別演説で、ベヴァンはつぎのように宣言する。「人びとがテレビの幻覚から目を覚ましたとき、人びとが自分たちに与えられたあたらしい住宅が完全に抵当に入れられているのを悟ったとき、人びとがこの地では金貸しがもっとも高い地位にのぼり詰めていることを悟ったとき、……人びとが「ここは」品位（ディーセント）を備えたいかなる人も誇りをもてない下品な社会である」ことを、そしてこの社会は「みずからの資本主義の強欲に阻まれて、社会の科学者たちの資質を活用することができない」のだと悟ったとき、「現代の課題」は社会主義によってのみ解決されうるのだということ、じつに「われわれが未来を示しているのだ」ということに気づくだろう。【49】その後の歴史があきらかにしたように、人

28　労働党の政治家（一九一八―七七年）で、ウィルソン内閣の環境大臣、ジェイムズ・キャラハン内閣の外務大臣などを歴任した。政治家になる前はオクスフォード大学で経済学を教え、その教え子のなかにはトニー・ベンがいる。

びとはそのことに気づかなかった。しかしベヴァンは、少なくともわたしたちが現在住んでいる世界よりも魅力的な未来を実際に示した。ハーバート・モリスンではなくベヴァンが、憧憬を抱き力を失った左翼にとってカルト的な存在であり続けるのはこのためなのだ。

ここから生じるのは、ラディカルな政治と建築は手を取りあうことができるし、そうするべきなのだと考える者たちの心をかすかにざわつかせる、ある考えである。国民保健サービスはけっして建築の有力な後援者となることはなかった。NHSの病院でグレードが指定されているものは一つもない。建築の観点から言えば、ヨーク゠ローゼンバーグ゠マーダルやパウエル&モヤのような大規模なモダニズム建築事務所が手がけた、見過ごされがちなものをいくつか見つけることはできるし、ハムステッドの記念碑的なロイヤル・フリー病院のように奇妙なブルータリスト建築のはぐれ者もある。だが、ブラウン、そしてキャメロンによる大規模な改変や部分的な私有化に直面する以前からすでに、控えめに言っても、NHSの病院において実際のところ美学は二の次だった。この国でもっとも建築としては有名なフィンズベリー医療センターが、NHSの先駆者ではあっても、実際にその制度によって設立されたものではないということは示唆的である。この状況は、ほとんどの病院が、過酷な経費削減と建築基準の引き下げがおこなわれた二つの時代――ハロルド・ウィルソン首相時代、そしてさらにその事態を悪化させたニューレイバーの「プライベート・ファイナンス・イニシアティブ」の時代――に建てられたという事実の帰結である。これまで見てきたように、ベヴァンは美的に野心的で快感を与えるような住宅を依頼するために最善を尽くした。だがNHSはフェスティバル・オブ・ブリテンやモダニズム的な住宅事業とは異なり、もっぱらシステムとして、政治制度として賞賛されてきたのであり、それは簡単に商品化できるものではなかった。ほとんどの公営住宅がほとんどのＮＨＳの病院や医療センターよりも優美であるという事実は、公衆がそれらに抱く尊敬の念にはほとんど影響をおよぼしてこなかった。経済的な総体としても、ＮＨＳは私有化するのがより困難であることがわかった。その私有化を実現するためには、複雑でひどく疑わしい契約をめぐる論争や、不透明な部分的所有権の仕組みを必要としたのだ。ベヴァンが建てた制度、さらには冷戦の論理から抜け出すための彼の試みもまた、一九四五年の限界を示している。同時にそれらは、政治制度がはっきりと「触れることのできない」、美的対象とならないものであればあるほど、生き延びる可能性が高いということの証左でもあるのだ。

第五章 緊縮都市の建設

わたしたちは住宅建築においてもまた、まさに服装において生じるのとおなじ過度の専用化に遭遇する。まず、地区同士の差異化があるが、これは初期のロンドンが小さな町の寄り集まりだったことを原因としている。……2つの地区を分かつ通りを横断することは、ある世界から別の世界へと渡ることを意味する。その通りは、2つの文明、2つの言語、2つの生活水準を分かつ境界線である。……階級と収入に応じて居住者が地区ごとに分り振られているという事実は、住居の規格化を可能にした。おなじ通りに住む人びとはおなじものをもとめるので、すべての住居が完全におなじになりうる。住宅のこの画一性は自然のなりゆきであり、強制されたものではない。

——

スティーン・アイラー・ラスムッセン『ロンドン――特異な都市』（1934年）【1】

賃貸目的で買う野心的な非定住者[1]

ネオ・ブルータリズムの投資機会

南東ロンドンには、ニューレイバー期と二〇一〇年から二〇一五年の連立政権期のあいだで建築環境の佇まいとつくられ方が一目で異なっているとわかる街角がある。一方には、二〇〇六年にＭＡＫＥ（ロンドン拠点の国際的な建築事務所）が設計した「ハート・オブ・イースト・グリニッジ」と呼ばれる計画がある。ノーマン・フォスターのもとでかつて働いていた従業員が創設したこの会社の長を務めるのはケン・シャトルワースで、ブレア時代の象徴的建築物である「30セント・メリー・アクス」（胡瓜（ガーキン）ビル）の主要設計者のひとりだった。イースト・グリニッジ計画は多額の費用のかかるＰＦＩ事業の一環で、二〇〇六年から二〇〇七年にかけて取り壊された巨大なブルータリズム建築、グリニッジ地区病院の跡地を敷地としていた。「ハート・オブ・イースト・グリニッジ」はこの場所に、一連の「街路」や公共広場をつくるべく、ねじれて躍動的な巨大なアパート三棟を、青と黄の樹脂パネル、木質パネル、豊富なメタル素材をコンクリートフレームにまとわせて降り立たせようとした。取り壊された病院の代わりに、小さな医療センターが建てられる予定だった。もちろん、この計画のうちほとんどは高値で売りに出される個人住宅とされたが、通常の、法定割合として定められた「適正価格」の住戸も含められていた（現在の「適正価格」の法的定義は、市場価格の八〇％であり、ロンドンの労働者階級と大多数の中産階級にとってはまるで適正ではない）。このプロジェクトは一階にセインズベリーズが入居した状態で完成に向けてのろのろと進められていたが、二〇一五年夏の時点では、いまだ建設中である。[2]

ちょうどその向かいにあるのが、ＭＡＫＥよりもはるかに知名度の低いＲＭＡアーキテクツによって設計された「ザ・ペルトンズ」計画である。その計画は二〇一四年、ハート・オブ・イースト・グリニッジの土地の三分の二ほどの大きさの、荒地と広告板と小さなおんぼろ看板屋しかない雑然とした敷地で開始され、二〇一五年の初頭までには完成していた。その煉瓦外装のアパートの曲面壁は、表通りのブラックウォール・レーン側には完全に規則的なグリッド状の開口を有し、他方、「ペルトン・アームズ」（計画名の由来となった人気のパブ）につながる小さな裏通り側は、ジョージアン様式のテラスハウスの現代版となっている。

この二つの地所ほど対照的な場所はない。まず、「ハート」のわざとらしく複雑な形状や、工業生産されたピカピカの外装素材を用いた誇張的なヒロイズムは、ザ・ペルトンズの簡潔で「土着的（ヴァナキュラー）」な外観の対極にある。後者は、建築的にとくに野心的なわけではないものの、周囲のあらゆるものと即座に調和した。街路の境界線をなぞり、門や派手な入り口もない。周囲に立ち並ぶのは、ジョージアン様式／初期ヴィクトリアン様式のストック煉瓦造の古典的なテラスハウス、戦間期のストック煉瓦造のアール・デコ様式の公営住宅、下見板のファサードをもつストック煉瓦造の戦後フェスティバル様式の公営アパートだが、ザ・ペルトンズのスケール感と素材感はほとんど新築であることがわからないほど、辺り一体

1　イギリス国内に住みながら、国外に定住地をもつ税制上の立場を指し、所得税などから逃れるために利用されることが少なくない。

2　その後、「ハート・オブ・イースト・グリニッジ」は「グリニッジ・スクウェア」と改名され、二〇一六年から集合住宅として使用されている。

上　ハート・オブ・イースト・グリニッジ
下　ザ・ペルトンズ

に溶け込んだ。

「ハート」と比較して、ザ・ペルトンズの建設と入居のスピードが電光石火であったのは自明である。しかし、どちらの建築計画もまったくおなじことを「おこなって」はいる。どちらも、熱心な投資家の群れに対して仰天するほど高価な物件を売りに出し、どちらも、プロジェクトを地元自治体の建設計画委員会に強引に通すために、「適正価格」の住居を一定数含むという口実を利用した。

しかし、この二つをもっとも明瞭に区別するのは、各々の任務の遂行に用いられたレトリックである。わたしはよく電車かメトロかバスでサウス・イーストロンドンから中心部へと移動するが、その旅はいつでも、「都市再生」の進行を眺めるのによい環境だった。デトフォードのクリーク・ロード沿いにできた「グリニッジ・セントラル」をはじめとして、以前には存在しなかった、土地柄ありえなかった地区がまるごと、音もなく現れる。それまで疲弊した軽工業やGLCの公営団地が立ち並んでいた支流や運河、街路に、まずコンクリートの骨組みが建ちかわり、その後巨大な（しかし「分散型（ブロークン・アップ）」でこれ見よがしに不規則的な）、樹脂パネル、アルミ製バルコニー、急勾配の屋根、木の小幅板といったありとあらゆる凡用テクニックにまみれたアパート群ができあがる。

過去一〇年間でイギリスの街のどれか一つにでも行ったことのある者ならだれでも、この手の再開発には馴染みがあるだろう。この手の「再生」の建築は、キラキラ、ピカピカとお気楽で、ぎこちなくその土地の環境を「参照」してはいるものの、いまある建築環境とはしばしば鋭い対照をなし、通常ははるかにばかでかく、派手な色づかいで、人工的な素材が用いられる。マンチェスターやリーズのスラム街、ロンドン、リース〔エディンバラ北の港町〕やリヴァプールのかつての旧港湾地区に群れをなして割り込んできたこれらのアパート群は、ニューレイバーのもとで約束されていた「都市再生（アーバン・ルネサンス）」の避けがたい姿であり、それらがプライバシーを優先し（素材ではなく購入価格が）高くつくという事実は、その政権が不平等を推し進めたことの証左である。最近では、おなじような元工業地域においては、おなじコンクリートフレームが、おなじ六階建てか八階建てで、これも多かれ少なかれおなじような、つめこめるだけ多くの部屋をつめこむという考えで建てられた。しかし、素材同士が喧嘩する乱痴気騒ぎはなりをひそめ、そのかわり、外皮にはあたらしく、伝統的なロンドンストック煉瓦が使われるようになった。ロンドンはあたらしい建築類型を発見した。国内非定住者の投資対象となる、緊縮的かつラグジュアリーな、趣味のよい一九五〇年代風モダニズム建築である。

この様式がロンドンを静かに席巻する数年前、その最初の実地試験となったのは、アコーディアであった。これは、ケンブリッジの防衛省の元所有地を利用し、フェイルデン・クレッグ・ブラッドリーとアリソン・ブルックスが大部分設計を担当した住宅建設計画で、二〇〇八年にはスターリング賞を受賞した。低層の集合住宅と戸建てが密に連なるこの住宅地は、その落ち着いた趣がかえって人目を引いた。それは、側面部の規則性、外形の反復、そしてその後いたるところで見かけることになる、もろくざらっとした黄色のストック煉瓦の外装を好んで採用した結果だった。アコーディアは、すぐにあたらしい正統派として知られるようになった。しかし、当初はむしろ、もっと昔のオクスブリッジの正統派の末期、カッソン&コンダーやコリン・セント・ジョン・ウィルソン、レスリー・マーティンの作品にみられる落ち着いたヴァナキュラー・モダニズムのように見えた。ケンブリッジにあるマーティン設計のハーヴィー・コートとオクスフォードにあるボードリアン法律図書館はとくに、ストック煉瓦としっかりと立体感のある角ばった形状で知られていた。控え目で洗練され、少々禁欲的すぎるきらいがあるにしても、これ見よがしに周囲にとけこむこの種の建築が、この国でもっとも恵まれ甘やかされてきた地域において好まれたのは皮肉だった。しかし、この「ケンブリッジ様式」は、ブルータリズムとハイテク建築のより耳障りなモダニズムによってすぐにかき消され、そして金切り声をあげるポストモダン建築の軽薄な歴史主義によっていっそう消し去られた。ケンブリッジ様式は、コリン・セント・ジョン・ウィルソンの大英図書館という大規模な一例をのぞいて、二〇世紀イギリス建築のなかで支配的な様式の一つではない。そのことが二〇〇八年におけるその突然の回帰をなおさら驚くべきものとしたのだった。

アコーディアの設計者たちは、建築事務所にしてはめずらしく、金融危機以来、以前よりもはるかに多くの仕事を手がけてきた。しかし、過去数年間でもっとも予期せぬ成功を収めた会社はマクリーナー・

ラヴィントンの事務所である。この事務所はそのときまで、都市計画者と地元自治体からより高度な正確さと素材の水準がイングランドよりもとめられるオランダで住宅建設計画を専門としてきた。どういうわけか、二〇一〇年以来その事務所は現代ロンドンを代表すると言える建築事務所になり、キングス・クロスとロイヤル・ドックスの巨大計画を主導している。そこでは、かつてであれば注目を集めようとする安物で飾り立てられただろう計画が、代わりに途切れのない煉瓦の広がりとなって現れた。ほとんどの「再生」計画と同様、多くのことが、どこに金が流れていくかに左右される。実際、キングス・クロスのラグジュアリーな大規模住宅団地では、素材の質が非常に高い。一九九〇年代後半以来のロンドンの現代建築はつかみどころがなく、安っぽくてみすぼらしく、物質性や永続性、そしてあらゆる都市的秩序を嫌っているように感じられる。そのような様子に慣れたどんな人にとっても、これらのリージェンツ運河沿いの高層集合住宅群を訪れるのは身が引き締められる体験である。突然、その街の住宅建築から長いこと消えていたさまざまな特質――リズムや規則性、影、モールディング、重さと深さの感覚、一言でいえば存在感――が、大規模に採用される。だが、おそらくよりいっそう印象的なのは、この物理的な表面への関心が、以前の木質風の樹脂パネルや色とりどりのパネルの使用とほとんどおなじ要因から生じているかもしれないという事実である。たとえば、サルフォード・キーズ〔マンチェスター郊外の運河沿いの新興開発地〕の住宅とオフィス地区の建築は、賃貸可能な空間の本当の量感から目を遠ざけるために、ぶつかりあう素材と波打つ屋根、ボリュームの高さの変化を利用していると言える。似たようなことがここでも生じている。あたらしいキングス・クロスの地区を見るとき、あなたの目は、表面――複雑でリズミックなモールディング、入念に積まれた煉瓦の触覚的な表面、建材の色の見かけ上は自然な暖かみ――に惹きつけられる。しかし遠くから見れば、これらの高層建築は、ＭＡＫＥや同種の建築事務所が設計するどの計画にも劣らず、一センチでも多くの空間を詰め込もうという断固とした努力を人間的に見せようと、ごつごつした輪郭とスカイラインに収まるようにしながら、さまざまな見せ方によって建物を歪ませることでその稠密さを隠そうとしているのに気がつく。

このことは、ロイヤル・ドックスのより小規模な計画にあきらかである。ロイヤル・ドックスには、キングス・クロスにおいてあれほど興味深く採用された表現主義的立体表現を許すほどには予算が拡大されず、その代わりに異様に外装の凝ったヤッピー向けマンションがあるだけである。現在、首都ロンドンのほとんどすべての目立った空き地で、この指針に沿ったより多くの建築計画が次々と出現している。それらの特性は、贅沢をどのようにして売るかについての以前の打算的な考えと並べてみると、とくにあきらかである――たとえばカナダ・ウォーターにあるグレン・ハウエルズ設計のあたらしい住居は煉瓦パネルを外装に使っているが、それは近くのＣＺＷＧ〔イギリスの建築事務所〕の建築のファイバーグラスと金色の鉄網を覆い隠すためである。ここで外装は重大なものだ。どれくらい重大かというと、じつに、二年前にロンドンの建築業界を襲った煉瓦不足の原因はこれ

ロンドン特有の新様式で造られた看板建築商品。キングス・クロス・セントラル

だったかもしれないほどなのだ。

このことは、奇妙な帰結を生むかもしれない。多重外装の、樹脂パネルで覆われたニューレイバー時代の擬似モダニズムの最大のポイントは、それが「野心的」だった点にあるとわたしは思っていた。その美学はヒエラルキーを強調し、ハイテクで、近未来的で、けばけばしいと言えるほど輝かしく、緊縮の美学とは対極にあった。こうなった理由は、それが分離を売る必要があったからだ。その当時のほとんどの都市計画は、公営団地、元工業団地、かつては機能していた運河と港湾地区に予定されていた——そういった場所は、長いこと治安が悪いとされてきたか、あるいは「イケてる（エッジー）」とみなされることもある地域だ。建築的観点からの工夫によって、これは貧困層のための住宅ではないのだということを、購入者と投資家たちに明確に表明する必要があった。

いまや、キングス・クロスのマクリーナー・ラヴィントンのような建築やそれよりもはるかに小さいザ・ペルトンズのような例は、一九七〇年代以来ロンドンでもっとも大事にされてきた建築類型——規則的で、煉瓦で外装された、直線的なジョージアン様式のテラスハウス——といくつかの共通点を有するようになった。さらに驚くべきことに、これらの計画はまた、戦後期の住宅団地にみられる規則性やモニュメンタリティ、秩序とおおいに似た特徴をもち、とくに煉瓦造の四角い住宅棟を用いるところも似ている。実際、それらの計画は、都会的な趣味のよさを象徴する二つの時代が驚くべきことに和解しているという印象を与え、投資目的の建築業者と地元自治体を合体させる。これによって、一九世紀前半のインナー・ロンドンのほとんどの土地開発に投資し設計・建設したキュビット一家の美学と、一九三〇年代から一九六〇年代の期間にそれ以外のほとんどの建築を建てたロンドン・カウンティ・カウンシルの美学とが、対立させられるのではなく、統合されるのだ。

純粋に建築上の理由からこれに反対するのは困難である。シンプルな事実として、二〇一五年のロンドンのあたらしい住宅は、建物と近隣との関係や素材の質の観点から、またしばしば部屋のサイズやバルコニーの有無に関してさえも、二〇〇五年のロンドンのあたらしい住宅よりもはっきりと優れている。こうなった理由の一つに、再生（リジェネレーション）とそれをぐるりと取り囲むとされる衰退（ディジェネレーション）とのあいだの偏執的区別を放棄したことがあげられる。この区別がニューレイバー時代の建築を特徴づけるものだった。二〇一五年の建築は、それが建っている場所にあってきまり悪く感じていない。しかしながら、その建築は、ときに奇妙な瞬間をもたらすことがある。わたしはある午後、ボリス・ジョンソンのプロパガンダで不動産ポルノの無料クズ新聞『イブニング・スタンダード』の紙面に、クラパムのある地所のきわめて魅力的なあらたな土地開発の広告を見つけて驚いた。その広告では、白いパジャマを着てワイングラス片手に、光り輝く高層建築の壮大な眺めを楽しむという古いイメージと、以前わたしがひげ面の大学講師や建築図鑑の持ち主に結びつけて考えていたこの煉瓦造のケンブリッジ様式モダニズムとが仲よく共存していたのだ。どうしてこんなことが生じたのか？

このあたらしいロンドン煉瓦現象は究極的には、ロンドン市長であったボリス・ジョンソンが二〇〇九年に出版した『ロンドン・デザイン・ガイド』によってもたらされた。デイヴィッド・バークベックとジュリアン・ハートはジョンソンに共感的なオブザーバーとして、この「ロンドンのあたらしいヴァナキュラー建築」についての冊子のなかで、集合住宅と戸建て住宅、社会的住宅と「高級顧客向け」をこうして「合流」させた「主たる原動力」は、「ロンドン市長のデザイン・ガイドの指示」であったと記している。通りから建物のフロント・ドアまでの「わかりやすい入り口」を要求するそのガイドは、「建築家たちに、ロンドンに昔からあるテラスハウスを参考にするよううながした」。結果的に、「多種多様で風変わりな自己主張の強い建築は、二、三の共通のディテールをもつ抑制された建築に替わりつつある」。【2】さらに――非建築学的な言葉遣いへとシフトしながらこう述べる――「住宅を個別に配備することは、多目的利用（ミックス）とマネジメントに低リスクの解決策を提供するのだ」。

市長のデザイン・ガイドラインは、「コンテクスト」というあの浮遊するシニフィアンをおおいに強調してはいたものの、当然のこと、法的拘束力をもって規則的な開口と煉瓦の外装に戻ることを命ずるものではなかった。ガイドラインは、実際にかなり賞賛すべきと思われるさまざまな命令を下した――住戸は二面採光とし、きちんとした大きさのバルコニーをつけること。ゲートの裏側に設置されたわかりにくいドアではなく、わかりやすい入り口をつけること。そして、一九六〇年代前半の公共住宅の法定最低限度として確立された「パーカー・モリス基準」の寸法よりも狭くしてはならないこと。また、投資用住宅、適正価格住宅、（ときには）社会的住宅の三種類が「ミックス」された建物においては、「テニュアー・ブラインド」、すなわち、種々の所有形態（テニュアー）のあいだに明確な区別を設けないことになっていた。[3]しかし、このルールは実際にはほとんどの場合破られることで名誉になっているのだが。

「市場」が残りの仕事をした。あるいはむしろ、「市場」が煉瓦とテラスハウスを選び、ひらけた通りの

3　テニュアー・ブラインドには、賃貸用と売却用の住宅のデザインを似たものにすることで、物件の価格に影響を与えず社会統合を進めるという名目がある。

高層建築にわかりやすい特徴をもたせた。なぜなら、もう一度『ロンドンのあたらしいヴァナキュラー建築』を引用すれば、それらの特色が「売却上のリスクを減らし」、「デザインと建設のリスクを減らし」、「より正確な土地の見積もりを可能にする」からだ。換言すると、煉瓦造の住宅をつくり売る方が簡単なのであり、金融危機のあとでは安全な選択肢になったということだ。当時は、これ以上実験すべきときではなかったのだ。加えて、あたらしいヴァナキュラー建築は、緊縮ノスタルジア産業によって多くの産物が復権されたあとで悪魔化されることのなくなった戦後期の公営住宅に似ていた。この流行が生じた理由の一つは（わたしのせいでもあるのだが）、本や記事でそれらの建築が擁護され、中産階級の審美家たちにとって、より受け入れやすくなったからであった。しかし重要なことに、行政による「公営住宅払い下げ（ライト・トゥ・バイ）」〔序章訳注八を参照〕と「投資目的での賃貸用住宅購入（バイ・トゥ・レット）」への誘導により、元公営住宅はデベロッパーたちに簡単に買い上げられ市場に出され、中産階級の専門職従事者に売却・賃貸に出された。空間基準、収納、眺め、スタイルの点から見て、それらの住宅のなかの最良物件は、ロンドンでも最高の部類に属していた。バイヤーたちは、ベスナル・グリーンの公営住宅一件にあれほどの大金が必要だと知り、はじめはショックを受けたあとで、自分たちはじつは予想よりもはるかに優れた商品を買っていたことに気がついたのだ。

つまり、これらすべてからかなりはっきりと浮かび上がってくるのは、緊縮――この場合は、安全性と予測可能性を重視するデベロッパーと投資家から見た緊縮――が、ロンドンの構造の大部分を緊縮ノスタルジアの美学のほうへ押しやってきたという事実である。ロンドンはごく最近まで、テムズのドバイのようにみられたいと思っていたようだが、いまやますます、緊縮と品行方正を象徴する二つの時代である一八二〇年代のイズリントンと一九五〇年代のポプラーをかけあわせた都市に近づいている。このことがあきらかにするのは、地方自治体はデベロッパーがなにを建てるかに影響を与える気も能力もないように見える一方、どう外装するかには影響力をもっているということだ。ボリス・ジョンソンは、大量のあたらしい公営住宅をロンドンに建てる力も、ましてやその気もなく、彼とその行政が愚かにもおこなってきたのは、公営住宅のように、そしてそれと「調和」しているように見える大量の豪奢なマンションをデベロッパーが建てる手助けである。床から天井まである窓、メタリックなバルコニー、白壁といったより伝統的な贅沢の美学にいまだに憧れる者たちもいるだろう。しかし、市場において消費者の選択肢がこれほど限られた都市においては、あたらしいヴァナキュラー建築に熱狂しない投資家でも、今後も利鞘が目を見張る額のままであることさえ保証されれば、バーコードのようなファサードが煉瓦パネルに代わったところでそれほど興味を失うことはないだろう。

　しかしながら、批評家たちは、住宅危機のどん底で金持ちと貧者の格差が一九三〇年代以来もっとも広がった状況において、以下の事実になかなか気づいていない。今日のロンドンの美学は、もはやセント・ジョージ・ウォーフやストラトフォード・ハイ・ストリートの富豪たちの不協和音ではない。その美学は、控えめで、お行儀がよく、ますます精巧になっている。まるで住宅危機への対応が、特権階級の住宅を目立たなくさせ、特権をもたない者たちの目に攻撃的に映らないようにすることだったかのように。この美学は言う、「ほら、わたしたちはあなたがたとおなじ、普通の煉瓦造の家に住んでいるんですよ」、と。

火炎瓶古典主義

二〇〇五年七月七日に起きたロンドン同時爆破事件の記念日〔二〇一四年七月七日〕に、建築家ユニットのカーモディ・グローク設計による爆破事件のモニュメントの表面が汚損されるという事件が起こった。犠牲者その設計者たちは、ますますありふれたものになりつつあるミニマリズムの言語を用いていた。犠牲者一人一人を表したスチール製の細い無数の柱が、爆撃のあったロンドンの四箇所の現場を表すように、四つの角に分けて据えられている。汚損のあとでは、スプレー缶によるステンシルがそれぞれの柱に垂直に走っていた——まるで測量のために印をつけられたかのように。「七月七日の真実」、「四人の無実なムスリムたち」といった『フォー・ライオンズ』〔二〇一〇年のイギリスのダーク・コメディ映画〕を思わせるメッセージはあまりに愚かだったため、この犯行が見事な政治的まぬけさを動機としていたのはあきらかだった。しかし同時に、この徹底的に無言の記念碑は突然、その場全体に対して威張りちらす横柄な声をもつようになり、みずからの建築を抽象的な空っぽの空間としてではなく、書き込まれるべき空白のキャンバスとして解釈するようになった。

ロンドンでは過去一〇年間にわたって、あたらしい記念碑のちょっとした建設ラッシュがあった。これらの記念碑は、はじめはＭＡＫＥや同業者が採用した躍動的な表現を用い、その後、緊縮時代のあたらしいジョージアン—ＬＣＣ様式がはるかに適していると感じるようになった。過去二〇年間に、ロイド・ジョージからボビー・チャールトンまで、あらゆる人物の不恰好な彫像も建てられた。さらに、ホワイトホールにある、かすかにラッチェンス風の台座からブロンズ製のユニフォームが突き出た「第二次世界大戦女性記念碑」をはじめとした古典主義的な記念施設がつくられた。パーク・レーンとハイド・

バークのあいだの芝生の一区画にはより滑稽な「戦争における動物記念碑」があり、そこで動物たちは自分たちが参加している世界史的な出来事には気づかぬまま、不運そうで悲しげなまなざしをわたしたちに向けている。

それら記念碑のなかでもっとも巨大なのは、グリーン・パーク駅からほんの少し離れたところに位置し、保守党の大物アッシュクロフト卿が建設に出資した「イギリス空軍爆撃機軍団記念碑」である。『プライベート・アイ』誌で歴史家ギャヴィン・スタンプがこの記念碑を「二〇一四年最低の建築」に選んだ際いくぶん嫌悪感まじりに指摘したように、出資者を讃える記念銘板が、死者を讃える記念銘板とおなじ大きさなのだ。この記念碑は、イギリスで古典主義建築と認められている多くの建築物と同様、気取っているだけでなく、同時に尊大でもある。碑それ自体は、ドレスデン、ケルン、ハンブルクなどでの無防備な市民の虐殺をめぐって控えめに言っても論争の的となっている一団を讃えており（簡単に見過ごしてしまう碑文には、犠牲者に捧げるとも書かれているのだが）、中央に位置するリアルな群像の周りを、細くてバランスの悪い、ディズニーランドを思わせる気取ったドーリス様式の石柱が囲っている。これは、あたらしい緊縮美学のあからさまな保守党版であり、見たところもっとも明白に反動的な偏見にあわせてつくられている。それはまるで、既存の戦争記念碑があまりに不安を感じさせ、あまりに暴力的あるいは抽象的なので、別のより友好的な記念碑に取り替えられねばならなかったかのようだ。愚かしいイギリス空軍爆撃機軍団記念碑から少し歩くと、エドウィン・ラッチェンスやC・S・ジャガー〔それぞれイギリスの建築家と彫刻家〕設計の、はるかに力強い記念碑〔ハイド・パーク・コーナーにある「王立砲兵戦争記念碑」〕があるのだが、これではだめなのだろう。現在のわたしたちにとっては、一九一八年の美

イギリス空軍爆撃機軍の神殿

学は過激すぎる。こういったものではなく、ロンドン塔のお堀をポピーで埋めるのが一番よいのだ。[4]

これらは、戦争を記念したモニュメントだ。戦争については、すでに（ほとんど）すべての人たちが定まった考えをもっている。それが現在、甘ったるい直写主義（リテラリズム）が急増している理由だ。対照的に、ある出来事がまだ生々しく、人びとを動揺させる力を保ち、さまざまな解釈にひらかれている場合には、抽象表現が採用される傾向にある。抽象表現は、戦間期のより興味深い「善意ある官僚制」の一組織、「帝国戦争墓地委員会」によってうまく用いられた。第一次世界大戦の直後、エドウィン・ラッチェンスとチャールズ・ホールデンなどの建築家たちは、並外れて独創的かつ繊細な記念碑を設計するよう任命された。ラッチェンス設計のフランス北部ティプヴァルにある「ソンムの戦いにおける行方不明者記念碑」についての最近の著作でスタンプが述べているように、戦争墓地委員会は、その帝国主義にもかかわらず、勝利と虚栄を好む伝統から遠ざかり、どれほど暗示的な仕方であったとしても、苦しみの無意味さを認めようとしていた。ソンムの戦いの行方不明者を記念するために、ラッチェンスは、勝利ではなく、敗北のアーチを設計した――祝うべきどんな勝利があっただろうか？　立派なことに、ラッチェンスはホワイトチャペルの「戦没者記念碑」においてふたたび、キリスト教的イメージ、そしてそのジャンルにお決まりの嘆く天使などの明白に具象的な彫刻をもとめる声に——ユダヤ人の、ヒンドゥー教徒の、イスラム教徒の死者はどうなるのかと指摘しながら——なんとか抵抗した。その代わりに彼は、繊細だが堂々たるポートランド石の台座を設計し、「**われわれの「栄誉ある死者たち」**」とだけ述べ——彼がもっとも勝利至上主義に近づいたのは「栄誉ある」という言葉においてだ——、石の花輪をてっぺんに載せた。この記念碑は、これまでの方法では対処できない、恐ろしく前例のない事態が生じてしまったことを効果的に暗示している。

スタンプであればおそらく、ラッチェンスの記念碑とカーモディ・グロークのロンドン同時爆破事件の記念碑とのあいだの違いは、前者がよく知られた言語といまだ親和性をもっている、つまり、死を扱う古典主義建築と連続している点にある、と論じるだろう。戦没者記念碑における先に向かって細くなる複雑なプロポーション、重量のある石、花輪は、グロークの記念碑においてはたんなるスチール柱の凡庸さに縮減されてしまっている。それらの柱は、古典主義の言語——「完成した」物体としての建造物——ではなく、建築物がなかば間にあわせでつくられるという、工業の言語を示唆している。とはいえ、ロンドン同時爆破事件記念碑も、ラッチェンスの記念碑のように、感傷性や見下し、尊大、道徳主義を退けている。それも「記念碑に見える」し、本質的には親みやすい。ベルリンにあるピーター・ア

4　二〇一四年の七月から一一月にかけて、第一次世界大戦百周年を祝う「パブリック・アート」として、ロンドン塔のお堀にセラミックでつくったポピー（イギリスでは戦没者を悼むシンボルとして知られる）が植えられるイベントがあった。戦争での犠牲者の数（八八万八二四六人）とおなじ数のポピーが植えられた。

イゼンマン設計の「虐殺されたヨーロッパのユダヤ人のための記念碑」のように、用途の定められていない空白が、さまざまな形状によって分割され、解釈の自由は空間の自由と同居している。ホロコースト記念碑を訪れて、子どもたちがそれを非常に厄介な迷路として使っているのを見てみよ。

ロンドン同時爆破事件記念碑から遠くないところにある、C・S・ジャガーが彫刻した第一次世界大戦の記念碑、「王立砲兵戦争記念碑」は、「語る」記念碑がどのようになりうるかを示している。そのポートランド石のマシンガンと、腫れぼったい目をして疲れ果てた人物たちの彫像は、場違いともキッチュとも感じられず、ひどく心をかき乱す。その地区に多く存在するあらゆる記念碑のなかでも、その彫像は、考えなしに歩いて通り過ぎるのがもっとも難しい——それに気づくやいなや、あなたは彫刻がもたらす恐怖の激しさと感覚に心を奪われ、揺さぶられる。通行人に戦争の罪悪を思い出させるためにそれをスプレー缶で汚しても無駄だろう。その記念碑はすでにそれを伝えているのだから。

アメリカの建築家ダニエル・リベスキンドはかつて、このような恐怖感に似た感情と連想を伝えようとして、来場者に不快感や居心地悪さを与える方法を用いた。彼はサルフォード・キーズの向かいにあるマンチェスター帝国戦争博物館北館において、塹壕足炎〔足を塹壕などの湿度の多い不衛生な場に長期間置くことで生じる炎症〕や爆撃を比喩的に感じさせるスロープやチタニウムの素材を用いた。しかし、一九九〇年代に彼とほかの脱構築主義者たちが専門とした記念建築は、もはやそれほど流行っていない。記念用の空間のモデルとしては、リベスキンド設計のドレスデンの戦争博物館やベルリンのユダヤ博物館のような過度に野心的で不調和な（学生自治会や高級マンションなどの平凡な用途に多用され陳腐になってしまった）形態よりも、カーモディ・グロークの記念碑の類のほうがはるかに好まれる。しかし、リベスキンドの帝国戦争博物館北館がいまやニューレイバー時代の過去の産物に見える一方、ノーマン・フォスターによる改装を経て二〇一四年の第一次世界大戦百周年にオープンしたロンドンの帝国戦争博物館本館は、リベスキンドの誠実さを切望したくなるほど壮絶に無分別なものだった。少なくともリベスキンドは、主題に本当に関心をもっているという印象を与えていた。とはいえ少なくとも、改装後の帝国戦争博物館の散策は、ある国が自国の歴史に関してとんでもなく支離滅裂な感覚を抱いているのを知るのには有益な道程ではある。

「帝国戦争博物館」という考えそのものが、ある界隈ではちょっとした戦慄を引き起こすかもしれない。その名称は十分ひどい。たとえば、帝国戦争墓地委員会ですら半世紀以上前に、「コモンウェルス戦争墓地委員会」に改称した。建物それ自体が、興味深いといえるほど、ひどく不穏な歴史をもっている――地味なポルティコとドームの下には、かつてベツレヘム病院があったが、そのあだ名であった「ベドラム」は、精神病院と同義語で使われるようになった。博物館のなかにはまだベドラムの残り香以上のものがある。おきまりのアトリウムでは、戦闘機がケーブルで吊るされ、ミサイルはジグザグに曲がった吊り天井に向けられており、それらは八〇年代のガラスのドームをまるで隠せていない。巡回路の構造がわかりづらいために、つねに当てもなく昇降しなければならない――通路がつなげているように見える各階はどこにもつながっておらず、傾いた壁がすべての階を支えているのだ。広々としたビジネス街のようなガラス製のアトリウムは長いこと、シティ・アカデミーから大英博物館、ベルリンの国会議事堂まで、フォスターにとってほとんどあらゆる建築物のモデルであった。いまとなってはやや使い古されたこの手法にフォスターがせいぜい与えることのできる優美さと開放感は、ここでは、不格好な角度

荒れ狂うノーマン。帝国戦争博物館

の混乱のなかに消えてしまっている。

わたしがかなりの程度確信しているのは、フォスターがこのことを、帝国戦争博物館に関しておそらくもっとも重要な点への応答として正当化するだろうことだ。戦時中の体験のショックと恐怖に応答したイギリスの芸術家たちの作品を概観できる絵画・彫刻コレクションは、同館をイギリスで最良の（だがもっとも訪問客の少ない）モダンアート・ギャラリーの一つにしている。もっとも有名な所蔵品は、ウィンダム・ルイス、ウィリアム・ロバーツ、デイヴィッド・ボンバーグのヴォーティシズムの作品である。[5]おそらくあのジグザグに曲がった屋根は、ルイスの《砲撃された一団》における抽象的な破壊のパノラマ風景を「参照」し、メタル素材でできた切子面の吊り天井へと翻案したものなのかもしれない。もしそうだとしても、その比喩はかなり受け入れがたい。なぜなら、今回よりは反直感的ではないにしても、はるかに間にあわせでおこなわれた以前の改築が、いたるところで顔をのぞかせているからだ。メインのアトリウムでは、これまでもずっと、巨大で安っぽいドームの下で適当に集められた大型の武器コレクションが、勝利をかすかに讃えるように展示されていた。これはいまだ変わらず、加えて、行くあてのない巡回路が詰め込まれ、そこは勝利に酔いしれて閉塞的な場所になった。このことがあきらかにするのは、改築に携わった建築家たちが、アトリウムから「アッシュクロフト卿ギャラリー」（またこの人物の登場だ）と呼ばれる空間へと恣意的なパターンが導いていくようにデザインするなかで、きちんとこの空間を考え抜いてこなかったということだ。この混乱は、展示物のなかにもたえず現れる。帝国戦争博物館はかねてから、アートコレクション以外は、子どもを対象にしてきたが、いまとなっては幼児化がとみにはなはだしい。イギリスの一九四五年以後の軍事史を概括するフロアでは、あらゆる展示物ごとに小さな「付箋（ポストイット）」が貼ってあり、最小限の情報が最小限の長さと言葉で最大限楽しそうに綴られている。さらに、ざっと歩いただけでも、まったくの誤りを見つけることができる。たとえば、朝鮮戦争は、「民主主義の」南と独裁の北が戦ったとされているが、韓国ではその戦争の数十年後まで公正な選挙はおこなわれなかった。そして容易に予想できることだが、居心地の悪すぎるものに直面するのを頑なに拒絶している。北アイルランド問題は、イギリス軍が積極的参加者ではなくまごつく傍観者であったかのように提示されるが、イアン・ペイズリーとマーティン・マクギネスが一緒にＩＫＥＡの店舗をひらいてすべてがハッピーエンドとなる。[6]実際にとくに子ども向けにつくられた展示――シリーズ本「恐ろしい歴史」の一つにもとづいた、スパイを扱ったショー――があることを考慮に入れると、これは、大人を見下して話をしているというのが実情では

5　いずれもイギリスの画家。ヴォーティシズムについては、第三章訳注二一を参照。

ないだろうか。

いつものように、土産物ショップですべてが説明される。意味もなくいくつか階段を昇降すると、二つの異なるショップが現れる。一つは「まじめな」ショップで、歴史書やケンブリッジ公〔ウィリアム王子〕による序文つきのあたらしいカタログが売られている。もう一つは緊縮ノスタルジアの大型専門店で、ギル・サン、抑えた色味、ブリッツ精神、王冠のロゴ、戦時の料理、配給票の複製――本当の欠乏と恐怖に生きることについての妄想ならなんでも――でお腹いっぱいになれる場所である。

しかし本当は、二つのショップは一体である。博物館の展示それ自体は、フン族〔第一次・第二次大戦中のドイツのあだ名〕と戦うこと、スパムを食べることがどのようなものだったかを大きな挿絵と最小限の文章で教えてくれる類の本を三次元にしたようなものだ。それは、みせかけの貧困とほとんど一貫性のない歴史のなかへとナルシスト的に耽溺させ、かつての緊縮よりもはるかに不平等で不必要な現在の緊縮から這い出る方法をなにがなんでも考えさせようとしない。「配給の経験」――容赦なく汚れがこすり落とされた元公営住宅の「アーガ・クッカー」〔一九三〇年代にイギリスの中産階級の家庭で人気となったオーブン〕で調理されるオーガニックな戦時中の料理。おそらく、その経験のためのアプリがあるだろう。このからくりを永続させることこそ、フォスターの設計した本当の機能なのだ――つまり、一九四五年の緊縮と二〇一五年の緊縮との混同を表現する空間。ウィリアム王子にカタログの序文へサインさせたことは、二〇一五年の緊縮のほとんどが王室のスペクタクルをめぐるものだったことを思い出させる――まるで若い王室メンバーに国粋主義的な気晴らしを提供するよう駆り立てる「王室出産省」でも存在するかのように。PFI事業で建てられた病院の『ブラヴォー・トゥー・ゼロ』〔英国軍特殊空挺部隊を題材とした小説）版を思わせる建物のなかに、過去のこまごましたもの（そして当然、現在におけるそれらの複製品）を収蔵したフォスターの帝国戦争博物館は、あまりに安っぽくお粗末であるがゆえに、二〇一五年の緊縮に対するより適切な反応であるといえるかもしれない。すなわちそれは、「KEEP CALM AND CARRY ON」博物館なのである。

モダニズムの防腐処理

しかしながら、このようなあからさまな愛国心の煽動から、ロンドンの注意深い緊縮都市化へと戻り、いま一度、モダニズム建築と社会民主主義的な都市計画が、緊縮ノスタルジアの主たる拠りどころになってきたプロセスに目を向けてみる必要がある。

一九九四年にラファエル・サミュエルは、公営モダニズムとイギリスにおけるその象徴の公営団地は、遺産（ヘリテージ）文化とは真逆のものだったと論じていた。彼が提示したように、公営モダニズムと遺産文化は、和解できない敵同士だった。この種のモダニズムがふたたび経済の一部になるためには、すなわち、それ

6　イアン・ペイズリー（一九二六年—二〇一四年）は、北アイルランドのプロテスタントおよび連合王国派（ユニオニスト）（イギリス寄りの立場）の中心人物の一人で、強硬派として知られた。一方、マーティン・マクギネス（一九五〇年—二〇一七年）は、カトリックのシン・フェイン党員、アイルランド国民主義者であったため、両者は本来敵対関係にあったが、二〇〇七年に北アイルランド自治政府が発足すると、ペイズリーが初代首相、マクギネスが副首相についた。二人は二〇〇八年にＩＫＥＡのアイルランド最初の店舗となるベルファスト支店の開業式に招待され、一緒に扉を開けた。

象徴的なキーリング・ハウス

が投機的利益を生み出すためには、まず遺産のなかに吸収されなければならなかった。このためには、モダニズム建築を文字通り完全に骨抜きにする必要があったのだ。

イギリスの主要なモダニズム建築で、その役割の復活と変化とを同時に経験した最初の例は、キーリング・ハウスだった。ロンドンのイーストエンドのベスナル・グリーンにあるこの「クラスター・ブロック」公営住宅は、一九五〇年代後半にデニス・ラスダンが設計し、一九九八年にはマンケンベック&マーシャルがリノベートした。この実験的な高層住宅——テラスハウスの代わりとして、そこに存在したらしい労働者階級の共同性のいくつかの要素を保持するようなレイアウトで建設された——の剥がれたコンクリートが意味していたのは、とりわけそれが建築的意義からイングリッシュ・ヘリテージ〔イングランドの歴史的建造物を保護・管理する組織〕のリストに掲載されたあとで、タワー・ハムレッツ区が管理するには手に負えないほど価格が高騰したという事実だった。この建物は雀の涙ほどの金額で不動産開発業社に売られ、その業者は再建に出資し、最上階にペントハウスをつけ、まだみすぼらしかった周囲の通りから分離するように建物全体を門で囲い、そしてボロ儲けした。この前例ができたことで、インナー・ロンドンのほかの「象徴的な」しかし地元自治体に所有されていた建物は突如として、これまでこの領域にほとんど踏み込んでいなかった不動産開発業社の格好の獲物になった。

この骨抜きのプロセスが「公営住宅払い下げ（ライト・トゥ・バイ）」政策を通していっそう拡大し、「組織的（オーガニック）」になされたことで、公営モダニズムは遺産（ヘリテージ）へと吸収された。公営住宅の賃貸人、元賃貸人から転売に転売を経てその物件を手に入れた人は、所有するマンションの販売によって大金を稼ぐことができるようになった（もちろん元々は割引価格で買ったものであり、その売上金のほとんどは、それを建てた地元自治体にではなく、まっすぐと国庫に入った）。これにより、高名な建築家によって設計された非常に「象徴的」な集合住宅――エルノ・ゴールドフィンガーのトレリック・タワー（その前作で、現在は富裕投資家に直接売却中のバルフロン・タワーは違う）や、すでに見たバーソルド・リュベトキンのシヴィル・ハウスなど――は、もともとの建設時のコストとあまり変わらない高値で売り買いされるようになった。いうまでもなく、一九八〇年代に「公営住宅払い下げ（ライト・トゥ・バイ）」政策が導入されたとき、これらの建設を依頼した諸団体――労働者階級のための低コストで質の高い住宅の提供を約束していた「古い労働党（オールド・レイバー）」のすべての自治体――も、設計者たちも、どちらも喜ばなかった。ゴールドフィンガーとリュベトキンは、ともにイギリス共産党の熱心な支持者だったのだ。

質や「個性」を基盤としたこれらの建築物のあらたな評価は、もともとの目的が破壊されねばならないことを意味した。それは多くの場合、建物のあり方（ファブリック）を変えることをも意味した――とはいえ、国境を超える資本家階級がフレンチ窓つきの巨大な集合住宅を売るのは容易だったので、実際の設計図やレイアウトの構造（ファブリック）に変更はほとんどなかったのだが。変更はほとんどの場合、表面上のものだった。コンクリートがいくつかの箇所で修繕され、キーリング・ハウスとロンドンのブランズウィック・センターの場合には、いくつかの箇所でコンクリートで補修された。もっとも激しい例――シェフィールドのパーク・ヒル団地では、コンクリートフレームだけ残して住戸はすべて壊された――においてすら、建物は構造的にはそのままで、やり替えられた居住部分の空間レイアウトはほとんどおなじままだった。

この一連の流れが含意する皮肉はあまりにも甚だしく、あまりに見逃しがたく、それゆえ指摘するのもバカバカしいくらいに明白なのだが、それでも指摘しなければならないらしい。今日のイギリスは公営住宅がそもそも開発された原因であった住宅危機と同様の事態に見舞われているが、そのようなときに、わたしたちは代わりにその残骸をフェティッシュにし私有化している。

質の悪い投資用住宅から住宅ローンの圧倒的インフレまで、復活したラックマニズム〔家主が不当に家賃をつり上げて居住者を搾取すること〕から庭の物置小屋やガレージに住む人びとまで、北部の空き家から南部のヴィクトリア朝時代のような人口過密まで、ある都市での失業による強制退去から別の都市での住宅価格と家賃高騰による強制退去まで、わたしたちは大きな問題に直面している。かつてその問題に対する解決策となった、よく設計され、よく考え抜かれ、よく計画されたモダニズム建築の多くは、粗雑に設計され、無計画で出来の悪い、利益目当ての過去の住宅の跡地に建てられた。この代わりに現在起きているのは、社会的住宅がジェントリフィケーションのあたらしい前線となり、建築家設計のモダニズム的な集合住宅の屋根裏があたらしい部屋へと改築されるなかで、かつての解決策の残骸が、住宅問題の主要な一要因へとつくりかえられているという事態なのだ。

居住者のニーズと美学とがいよいよあからさまにぶつかりあうようになり、旧式化、補修、修復という弁証法は機能しなくなってしまった。モダニズム建築が、ここまで過度に賞賛されたことはかつてなかった。テレビ番組、展覧会、映画、書籍、不動産会社のパンフレット、そしてすでに見たように、皿やティータオルなどのさまざまな小物が、モダニズムのノスタルジアに訴えかけることで、ぎこちなくわがまま（二〇〇五年頃）だったり気弱で神経質（二〇一五年頃）だったりする現代の建物とは著しく異なるモダニズム建築の飾り気がなく自信に満ちた姿を、誇らしい愛情をもって見つめるようにうながすのだ。そして、モダニズム建築をノスタルジックに見つめることで、これらの場所が開発業者たちにとってよりいっそう儲かる場所になる風潮を助長してしまう。デベロッパーは、概して建物に手を加えることはしないだろうが、貝殻のように、もともとの内容を抜き取った建築物に変えるだろう——それがもっとも必要とされる、まさにそのときに。モダニズムを遺産の一部にする手助けをした著作の多くは、ある程度これに共犯的に関わっている。たしかに、その点では筆者も潔白ではないし、二〇一四年のヴェネツィア建築ビエンナーレのイギリス・パビリオンにおける「時計仕掛けのエルサレム」といったプロジェクトもそうだ。この展示では、ときに改良主義的、ときに革命的な、活力に満ちたさまざまな時代が一つのつながりへとまとめられ、ジョージ・オズボーンだったら困惑するだろうが、ジョン・クラダスやアンディ・バーナム〔労働党の政治家〕であれば賞賛するような統一見解が提示された。ブレイク、モリス、田園都市、カンバーノールド、テムズミード、ネオ・ジョージアン様式、偽チューダー様式、ネオ・ブルータリズム、これらはすべて、都会と田舎を組みあわせた理想郷という同一のプロジェクトに結びついていた。[7] わたしたちはみな、この心地よい緑の地にエルサレムを建設したいと思っていたのだ。

　この展示場内の中心的イメージ〔壁全面のイラスト〕では、ストーンヘンジ、バースのロイヤル・クレセント、マンチェスターのヒューム住宅団地が合体させられてひとつのクレセントを成し、その中央には、解体予定となったスミッソン夫妻設計のロビン・フッド・ガーデンズ団地の小山が描かれている。一九八〇年代にはかなり転覆的に見えただろう一連の印象的イメージだが、それをいまでは、ほとんどだれもが納得して受け取る。この展示でユートピア実現後の公営住宅の使いみちにほんのわずかでも言及していたのは、一九八〇年代後半のヒュームでのパーティを告知するフライヤーくらいだった。いうまでもなく、これらの住宅団地とニュータウンで実際に生活する住人の姿はどこにも描かれておらず、そのことでかえって観客はその存在を意識させられた。

メランコリーに抗う都市

このような不在は、緊縮ノスタルジア的な都市空間の描写の多くに共通している。「アイ・ハート・ブルータリズム（I Heart Brutalism）」という文言とともにTumblr（タンブラー）に投稿されるさまざまな住宅団地のなかに、実際の住人を見つけようとしてもおおよそ無駄である。その投稿では、一九七二年〔竣工時〕にモノクロで撮影されなかった写真はどれも削除される。[8]「進歩的愛国主義」を謳う文献のなかに、イギリスの都市部の進んだ人種的・文化的多様性という事実に対するリップサービス以上のものを見つけるのは難しいだろう。『あたらしいイーストエンド』のような本に至っては、多様性は、イーストエンドの普通の住人の労働倫理と、給付金をもらおうというベンガル移民たちの意識の違いを対比するためにだけもちだされる。『一九四五年の精神』は、一九四八年の出来事を忘却し、その代わりに反復不能な結束の瞬間を追体験することで成り立っている。大英帝国は消え、その臣民の子孫もまた消える。ポップ以前の時代から選り好みされたこのあたらしい美学のどの部分も、はっきり言うと、一九五〇年代以後この場所で発展してきた混交的文化を消しさって（ホワイト・アウト）しまう。おそらくその美学の純粋さは、楽園崩壊と呼ばれるマーガレット・サッチャーの当選のあとでさえ混交的文化が発展したという事実によって汚されている。これ見よがしの結束と統一された建物の正面からなる都市計画、よい趣味とストック煉瓦で成立するファロー&ボール〔壁紙と塗料の会社〕の世界は、百歩譲っても、暗黙に排他的である。

メランコリックではない都市、人口の一%をますます汚らわしいほど金持ちにしていく緊縮にも、「恐怖の社会民主主義」にもとづかない都市が、わたしたちが望みうる最良の都市であると考えざるをえない。ポール・ギルロイの『帝国以後』は、ブリッツ精神の「ポストコロニアル・メランコリア」および多文化主義の失敗とされるものと、現実に存在する多文化主義的都市の「共生」とを対比した。後者は、現在多大な圧力にさらされながらも、一九四五年の精神の継続としては到底説明しえない達成であり続けている。ギルロイが挙げる共生文化の例は音楽や喜劇であるが、この共生性は過去五年間、政治の領域へといくつかのかたちで噴出した。多くの人びとがテレビで貧困ポルノを観たかもしれないが、サウサンプトンのダービー・ロードの住民たちは『移民通り』に出演するのを団結して拒否した。二〇一一

7　カンバーノールドは、グラスゴーの近くに位置する都市で、一九五五年にニュータウンに指定された。テムズミードも、テムズ河沿いに一九六〇年代後半から建設された社会的住居からなるニュータウン。

8　一九七二年は、ロビン・フッド・ガーデンズ団地やトレリック・タワーが竣工された年である。入居者がまだおらず、生活感のない建築物がモノクロでアーティスティックに映された写真は魅力的に見え、高級物件として売り出すのにも好都合である。

「人には家が必要だ、家には人が必要だ」

年に教育改革に反対するデモンストレーションで歩いた若者たちは、大学の学費の三倍値上げに対してとおなじくらい、教育補助金の廃止に対して激怒していた。去年〔二〇一四年〕には、ニューアム区の「フォーカスE一五の母たち」が、そのままではジェントリフィケーションか解体にしか向かないような、利用されなくなった公営住宅を占拠した。これらの人びとはブリッツ精神を見せてはいなかったし、動じなかったわけでも、落ち着いてそのまま続けたわけでもなかった。公営住宅を占拠した者たちの姿とスローガンはそのことを映し出している。

「フォーカスE一五の母たち」は、あたらしい緊縮スタイルの集合住宅の影で廃墟となったが構造的には健在な（つい最近にはリノベートもされた）ストラトフォードのカーペンターズ団地を占拠し、不法居住者たちは、ペッカムの巨大プレハブ建築、エイルズベリー団地を占拠した。これらの人びとは、占拠した建物がイギリスの民主主義の偉大な歴史の一部だから、福祉国家の重要な遺物だから、ましてや福祉国家の建築の偉大な見本だから、利用すべきだと要求したわけではなかった。役に立つから占拠し使おうとしたのであって、その行動のなかでノスタルジアが出る幕はまったくなかった。

これらの人びとが、福祉国家の真の守護者なのである。昔の労働者階級コミュニティについて、アトリー氏とマグナ・カルタと自由の身に生まれたイングランド人をつなぐ途切れない系譜について語る人たちではない。束の間で例外的な社会民主主義の達成を、歴史上よくあるとは言えない文脈から切り離したうえで、わたしたちの遺産のなかのまた別の偉大な瞬間として売り飛ばす人たちでもない。もし、社会的かつ民主主義的な都市が再び建設されるとしたら、それはかなりの確率で、過去へ肩入れしない、過去への甘い記憶をもたない人びとによってなされるだろう。無の上に建設されるだろうと言っているのではない。保存されるべきものはあり、この点に関してトニー・ジャットはいかにも正しかった——公営のカーペンターズ団地がそもそも存在したというまさにその事実さえなければ、廃墟となって残ることもなかったし、占拠した若い母親たちがあれほど明快で実用的なスローガンを考えることもなかった。「人には家が必要だ、家には人が必要だ」。そのような言葉は、赤地に書かれた白文字の上に王冠が載せられたポスターにはなりそうにない。もしわたしたちがいずれ緊縮から抜け出すことがあるとしたら、共同体にとってなにが有益かを示すこの明快なステートメントほど有望な出口はないのである。

9 ニューアム区が若年のホームレス向けの「フォーカスE一五ホステル」に対する交付金削減を決めたことをきっかけに、二〇一三年から生じた運動。

謝辞

この短い本はもともと、『ラディカル・フィロソフィー』に二〇〇九年に掲載された記事「殴って隠せ」が元となり、さらにその記事は、ブログ『おい座れよ、悲惨なやつめ』（*Sit Down Man, You're a Bloody Tragedy*）のポストが元になっている。まとまりのある論考に仕上げるよう勧めてくれたエスター・レスリー、それを書籍化してくれたヴァーソ社のリオ・ホリスとローワン・ウィルソンに感謝する。このような長さの議論で一貫性が保てているとしたら、それは、リオが勧めてくれた議論の再構成と、コピーエディターのローナ・スコット・フォックスによる科学捜査並みのチェックのおかげである。文章の一部は、『ロンドン・レビュー・オブ・ブックス』、『ディジーン』（*Dezeen*）、『ガーディアン』に掲載された記事を元にしている。それらの記事を依頼してくれたポール・マイヤーズコフ、アンナ・ウィンストン、スティーヴン・モス、ナタリー・ハンマンに感謝する。いくつかの断片は、ルーク・ファウラーの映画『貧しい靴下編み工、ラダイトの剪毛工、ジョアンナ・サウスコットにたぶらかされた信奉者たち』（フィルム・アンド・ビデオ・アンブレラ、二〇一四）の解説冊子に書いたエッセイから発展した。これに関してはスティーヴン・ボードとルーク・ファウラーに感謝する。

以下の人たちはみな、わたしが考えを深める手助けをしてくれたが、ほとんどの場合は自覚せずにそうしてくれたのであり、最終的にすべての責任は筆者にある。ファティマ・アーメド、ヘンダーソン・ダウニング、トム・ガン、ジョー・ケネディ、リチャード・キング、ヒュー・レミー、ヴィクトリア・マクニール、カール・ネヴィル、アレックス・ニヴン、ダニエル・トリリング、ウィル・ワイルズ。とりわけ、イングランドとそこで二〇一〇年以来生じてきたあらゆることに耐えてくれたアガタ・ピジックに、愛と感謝を。

1　イギリスの独立労働党の政治家ジェイムズ・マクストン（第四章訳注二〇参照）がラムジー・マクドナルドの国会演説中に言ったとされる野次。

原注

序章

【1】loonyparty.com/history-4を参照（二〇一五年五月一一日アクセス）。

【2】このような、セクシーさを強調しない六〇年代以前の表現への逃避が、八〇年代の性の政治の抑圧的な「健康さ」に対する抗議であったという議論については、以下を参照。Simon Reynolds, 'Against Health and Efficiency', in Angela McRobbie, ed., *Zoot Suits and Second-Hand Dresses* (Harper Collins, 1988). しかし現在の状況はこれとやや異なる。八〇年代半ばの反抗者たちの「かわいらしい（キューティー）」外見とは違い、あたらしい緊縮（ヌーボー・オスタリティ）ルック（男性はタトゥーとあごひげ、女性は赤い口紅と胸の谷間）は、たとえば現代のヒップホップとおなじくらいに、明白に性差が強調されているのだ。

【3】Raphael Samuel, *Theatres of Memory: Past and Present in Contemporary Culture* (Verso, 2012), p. 113.

【4】Ibid., p. 111.

【5】Ibid., p. 163.

【6】Patrick Wright, *On Living in an Old Country* (Verso, 1985), p. 46.

【7】Ibid., pp. 155–6.

第一章　殴って隠せ

【1】ピーター・デイヴィソン『ジョージ・オーウェル日記』高儀進訳、白水社、二〇一〇年、四二三頁。

【2】Paul Gilroy, *After Empire: Melancholia or Convivial Culture?* (Routledge, 2004), pp. 96–7.

【3】ダグラス・クープランド『ジェネレーションX――加速された文化のための物語たち』黒丸尚訳、角川書店、四二頁。

【4】この著作権フリーの「オフィシャル」ウェブサイト、keepcalmandcarryon.com/history/を参照。そのサイトはまた有用にも、そのトピックに関する一九九七年の学術論文「第二次世界大戦中のイギリス国内におけ

るプロパガンダ・ポスターの計画とデザイン、受容」へのリンクが貼られている。その論文はベックス・ルイスによるもので、彼女はハーバート・モリスンのスローガン「頑張れ！（GO TO IT!）」のほうが、当時はるかに人気なポスターであったと記している。そのポスターは、地味なサンセリフ体で書かれてはおらず、王冠を特徴ともしていない。drbexl.co.uk/1997/05/the-first-posters/と、彼女の「落ち着いて」ポスターそのものを扱った論文、drbexl.co.uk/2009/04/the-original-history-of-keep-calm-and-carry-on-phd-extract/を参照。二〇一五年五月一一日アクセス。

【5】Tom Gardner, 'Jamie Oliver's Ministry of Food is closed by inspectors for "welfare and safety"', *Daily Mail*, 28 June 2013.

【6】カンティーンのウェブサイトcanteen.co.ukより。二〇一五年五月一一日アクセス。

【7】引用はすべて、itunes.apple.com/us/app/rationbookより。二〇一五年五月一一日アクセス。

【8】Simon Reynolds, 'Society of the Spectral', *The Wire*, November 2006.

【9】この考えを擁護したものとして、マーク・フィッシャー『わが人生の幽霊たち——うつ病、憑在論、失われた未来』五井健太郎訳、ele-king books、二〇一九年を参照。

【10】この「憑在論的」音楽を共感的に批評し、深遠かつ非常に巧みな仕方で別の歴史を描いたものとして、Simon Reynolds, *Retromania: Pop Culture's Addiction to Its Own Past* (Faber, 2011)を参照。レイノルズは、以下のような鋭い指摘をしている。

> かなりお馴染みのポップのナラティブにおいては、教育、公共圏、「アポロン的」近代建築と都市計画、そして個人に対する集団の優位を重視する社会民主主義の公共文化や「バツケリズム〔戦後コンセンサスを指す表現〕」が抑圧的なものとしてではなく、潜在的には解放的なものとして想像しなおされるのだが——ポップとともに成長した人びとに運営される新自由主義がのさばる状況では、たしかにそう見える——、このナラティブの裏をかき回避することに、〔ゴースト・ボックスの〕グループが参照するものの重要性がある、と。ただ、新自由主義は当然のことながら、ほかのあらゆるものと同様にこの美学も取り込むことができる。

【11】Gary Mills, 'Giving up the Ghost', *Dodgem Logic* 8, Spring 2011.

第二章　クレメント・アトリーの亡霊はわたしたちを救うことができるか？

【1】Tony Benn, *Years of Hope: Diaries, Papers and Letters*, 1940–1962 (Arrow, 1994), p. 90.

【2】これは興味深い反転である。参考までに、以下の引用を参照。「ベヴァリッジ報告が公表されたとき、インド向けの官報はいくらか抑制されなければならなかった。その知らせが深刻な怒りを引き起こす可能性があり、もっとも予想されたインドの反応は「われわれを犠牲にしてあいつらはくつろいでいる」というものだった」。ジョージ・オーウェル「ロンドン通信」『オーウェル著作集Ⅲ 1943–1945』鶴見俊輔、小野協一、小池滋訳、平凡社、一九七〇年、三七九頁。

【3】このことを基礎としたローチの映画に対するいくつかの批評のなかでは、Anna Chen, 'People of colour like me have been painted out of working-class history', *Guardian*, 16 July 2013を参照。

【4】Simon Garfield, *Our Hidden Lives* (Ebury Press, 2004), p. 17.

【5】Perry Anderson, 'The Myths of Edward Thompson', *New Left Review* 135, 1966.

【6】E. P. Thompson, 'Homage to Tom Maguire', in *Making History* (New Press, 1995), p. 24.

【7】このことだけに集中したショートフィルムとして、Matthew Tempest の *Building Societies* (2014) を参照。

第三章　英国社会主義（イングソック）の美的帝国

【1】J. M. Richards, *Modern Architecture* (Pelican, 1953), p. 99.

【2】Lindsay Bagshaw, 'Romantic Moderns', *The Chap*, February–March 2011.

【3】Alexandra Harris, *Romantic Moderns: English Writers, Artists and the Imagination from Virginia Woolf to John Piper* (Thames and Hudson, 2015), p. 10.

【4】Ibid., p. 48.

【5】Ibid., p. 206.

【6】Ibid., p. 247.

【7】Ibid., p. 271.

【8】Ibid., p. 267.

【9】Ibid., p. 252.

【10】J・B・プリーストリー『イングランド紀行』橋本槇矩訳、岩波文庫、二〇〇七年、上巻、一一一―一一二頁。

【11】同書、下巻、二七九頁。

【12】Jonathan Glancey, *London: Bread and Circuses* (Verso, 2003), p. 12.

【13】Ibid., p. 30.

【14】Ibid., p. 38.

【15】Michael T. Saler, *The Avant-Garde in Interwar England: Medieval Modernism and the London Underground* (Oxford University Press, 1999), p. 28.

【16】Oliver Green, *Frank Pick's London: Art, Design and the Modern City* (V&A, 2013), p. 15に引用。

【17】ヤーキーズのめざましい達成と、おなじくらい目を見張る危うさについては、Christian Wolmar, *The Subterranean Railway* (Atlantic, 2004), pp. 161–92を参照。

【18】Nikolaus Pevsner, *The Buildings of England: Middlesex* (Penguin, 1951), p. 26.

【19】Richards, *Modern Architecture*, pp. 99–100.

【20】David Bownes and Oliver Green, eds, *London Transport Posters: A Century of Art and Design* (Lund Humphries, 2008) には、これらのポスターのみならず、ここでわたしがある程度参考にした、いくつかの有用な論考も収録されている。

【21】Scott Anthony, *Public Relations and the Making of Modern Britain: Stephen Tallents and the Birth of a Progressive Media Profession* (Manchester University Press, 2012), p. 26に引用。

【22】Saler, *Avant-Garde in Interwar England*, p. 121.

【23】「ヒトラーの本拠地」について知っていたであろうアルベルト・シュペーアは、ケンジントンのありきたりなエドワード朝の古典主義様式のホワイトリー百貨店について、ヒトラーのお気に入りの司令部のようだと述べた。Edward Jones and Christopher Woodward, *A Guide to the Architecture of London* (Phoenix, 2013), p. 178を参照。

【24】バーナード・センメル『社会帝国主義史――イギリスの経験　1895–1914』野口建彦、野口照子訳、みすず書房、

一九八二年、一九九頁に引用。
【25】同書、二〇一頁。
【26】同書、二五四頁に引用。
【27】同書、二四八頁。
【28】ポール・ナッシュやエイブラム・ゲイムズ、そしてエリック・ラヴィリアスなどを網羅したシリーズの一冊である *E. McKnight Kauffer: Design* (Antique Collectors Club, 2007) のような典型的な緊縮ノスタルジア製品ですら、カウファーがEMBのためにデザインした多くのポスターを一枚も収録していないのは示唆的である。同様に、*Frank Pick's London* はピックが依頼した大量のEMBのポスターのうち一枚だけを収めているが、なんとそれはイングランドの自動車工場のものなのだ！
【29】ピックの言葉。Cathy Ross, *Twenties London: A City in the Jazz Age* (Philip Wilson, 2003), p. 82に引用。
【30】Ibid., pp. 68–9.
【31】Anthony, *Public Relations*, p. 114.
【32】Ibid., p. 7.
【33】Ibid., p. 44.
【34】Stephen Tallents, *The Production of England* (1932). Anthony, *Public Relations*, p. 222に付録として再録されている。
【35】BFI（英国映画協会）発行のDVD、*Land of Promise: The British Documentary Movement* (BFI, 2009) 付属の、この手の商品の付録としてよくみられるような詳細な解説冊子の二八頁に引用。
【36】Scott Anthony, *Night Mail* (BFI, 2007), p. 41.

第四章　家族写真
【1】Michael Foot, *Aneurin Bevan, 1897–1960* (Indigo, 1997), pp. 589–90に引用。
【2】Tom Harrisson, *Living through the Blitz* (Penguin, 1990), p. 37.
【3】Ibid., p. 62.

【4】Ibid., p. 152.

【5】Ibid., p. 157.

【6】Ibid., p. 162.

【7】Ibid., p. 326.

【8】Ibid., p. 240.

【9】Ibid., p. 82.

【10】Ibid., p. 85.

【11】Ibid., p. 247.

【12】Ibid., p. 177.

【13】Ibid., p. 293.

【14】このペアは、ロンドンのイーストエンドを拠点に反ファシズム運動を展開した「44グループ」という集団に資金援助していた。

【15】『神の子どもたち』の主題に戻ると、トリニダード出身のトロツキストの歴史家C・L・R・ジェームズは、ヨーロッパの帝国主義がいかにして近代のカリブ海をつくったかを説明した一九三〇年代後半の著作で、家族の比喩を使った。「したがって年毎に、奴隷であろうとなかろうと、労働者は、雇用主の言語・習慣・目的・考え方のなかに編入されていった。労働者は着実に増加していき、最後には住民の大多数を占めるようになった。したがって、少数の支配階級の人びとは、子供をつくっておきながら、子供にとって替わられないように自分を守らねばならなくなった父親のようなものであった」。この読解では、帝国は実際に「家族」だったのであり、その問題は、きわめて残忍な家父長を殺すことによってのみ終わらせることができたのである。C・L・R・ジェームズ『ブラック・ジャコバン――トゥサン＝ルヴェルチュールとハイチ革命』青木芳夫訳、大村書店、二〇〇二年、三九九頁。〔『ブラック・ジャコバン』初版の出版は一九三八年だが、ハサリーが引用している箇所は、実際には一九六三年に加筆された部分であり、そのため「一九三〇年代後半の著作」という先の記述は厳密ではない。〕

【16】ジョージ・オーウェル「ライオンと一角獣――社会主義とイギリス精神」『新装版　オーウェル評論集4　ライオン

と一角獣』川端康雄編、平凡社ライブラリー、二〇〇九年、一〇頁。

【17】同書、八〇頁。

【18】同書、八〇頁。

【19】ジョージ・オーウェル「黒人は抜かして」『オーウェル著作集Ⅰ 1920–1940』鶴見俊輔編、平凡社、一九七〇年、三六三—四頁。

【20】ジョージ・オーウェル「右であれ左であれ、わが祖国」『新装版　オーウェル評論集1　像を撃つ』川端康雄編、平凡社ライブラリー、二〇〇九年、五三—四頁。

【21】ジョージ・オーウェル「ヨーロッパの統合のために」『オーウェル著作集Ⅳ 1945–1950』小池滋編訳、平凡社、一九七一年、三五八頁。

【22】ジョージ・オーウェル『一九八四年』高橋和久訳、ハヤカワepi文庫、二〇〇九年、一一頁。白いポートランド石の外装あるいは白い下塗りを、「白くきらめく」コンクリートの実際の色だと勘違いしたのはオーウェルだけではないだろう。コンクリートはもちろん実際には灰色か茶色である。

【23】アンソニー・バージェス『１９８５年』中村保男訳、サンリオ文庫、一九八四年、二四三頁。

【24】同書、二五二頁。

【25】同書、二五八頁。

【26】同書、二七五—六頁。

【27】Isaac Deutscher, '1984 – the Mysticism of Cruelty', in *Marxism, Wars and Revolutions: Essays from Four Decades* (Verso, 1984), p. 69. オーウェルが秘密情報部に提出した、赤軍によるイングランド侵略の共謀者かもしれない人物のリストにドイッチャーの名が含まれていたこと——ドイッチャーは存命中にこの事実を知ることはなかった——を踏まえれば、この点はとくに心が痛む。著名かつ信念に揺るぎのないポーランド人トロツキストのドイッチャーは、もし実際に侵略がなされた際にはまず確実に最初に処刑されたであろう。このことを考えれば、オーウェルのパラノイアがどの程度だったかはあきらかである。

【28】Raymond Williams, *Orwell* (Fontana, 1971), p. 51を参照。

【29】ジョージ・オーウェル『ウィガン波止場への道——イギリスの労働者階級と社会主義運動』高木郁朗、土屋宏之訳、ありえす書房、一九七八年、一八九、二三二頁。
【30】同書、一九四頁。
【31】オーウェル「ライオンと一角獣」八八頁。
【32】Victor Silverman, *Imagining Internationalism in American and British Labor*, 1939–49 (University of Illinois Press, 2000), p. 54.
【33】Ibid., p. 55.
【34】Ibid., p. 59.
【35】Ibid., pp. 64–5.
【36】Ibid., p. 75.
【37】Ibid., p. 189.
【38】Christoph Grafe, *People's Palaces: Architecture, Culture and Democracy in Post-War Western Europe* (Architectura & Natura, 2014), p. 119に引用。
【39】Ibid., p. 125.
【40】Ibid., p. 64.
【41】センメル『社会帝国主義史』、二八八頁。
【42】Robert Skidelsky, *Britain Since 1900 – A Success Story?* (Vintage, 2014), p. 260.
【43】Foot, *Aneurin Bevan*, p. 363.
【44】Nicklaus Thomas-Symonds, *Nye: The Political Life of Aneurin Bevan* (IB Tauris, 2015)を参照。
【45】Lynsey Hanley, *Estates: An Intimate History* (Granta, 2007), p. 81.
【46】Jennie Lee, *My Life with Nye* (Penguin, 1981), p. 187.
【47】クランブルック団地とその栄枯盛衰についての興味深い記述については、James Meek, *Private Island* (Verso, 2014)の住宅に関する章を参照。

【48】Thomas-Symonds, *Nye*, p. 105.

【49】Foot, *Aneurin Bevan*, p. 590.

第五章　緊縮都市の建設

【1】スティーン・アイラー・ラスムッセン『近代ロンドン物語』兼田啓一訳、中央公論美術出版、一九九二年、八八―八九頁。〔『近代ロンドン物語』も『ロンドン――特異な都市』も、同一書であるが、本文中では原著のタイトル（*London: The Unique City*）に近い後者を採用した。〕

【2】David Birkbeck and Julian Hart, *A New London Vernacular* (Urban Design London, 2015), p. 6.

訳者解説——ノスタルジアの功罪　星野真志

二〇一七年のある日、博士論文執筆のためにイギリス留学中だったわたしは、書店に入ると、平積みされた、表紙に短いスローガンを書き連ねた薄荷色の本に目を留めた。その表紙には上から順につぎのような文言が並んでいた。

戦争をしないで紅茶を淹れよう
われわれのＮＨＳを守れ
こんなものは打倒せよ
落ち着いてそのまま続けよ
心配はやめて人生を楽しめ
一生懸命働いて人に優しくしよう
修繕して乗り切れ
オーウェルでも読め

手近にあるものだけでなんとかしよう
われわれの息子たちをサポートしよう
イギリスを再び偉大にしよう
制御権を取り戻せ
やつらを追い返せ

Make Tea, Not War
Save Our NHS
Down with This Sort of Thing
Keep Calm & Carry On
Stop Worrying & Enjoy Your Life
Work Hard & Be Nice to People
Make Do & Mend
Read Some Fucking Orwell
Live Within Our Means
Support Our Boys
Make Britain Great Again
Take Back Control
Send Them Back

The Ministry of Nostalgia
Owen Hatherley

訳者解説　星野真志

ちょうど博論でオーウェルを論じる章がうまく書けずに悩んでいたわたしは、Read Some Fucking Orwellという一文に目をひかれ、そのペーパーバックを手に取った（この一節はコメディアンのロバート・ウェッブがおなじくコメディアンのラッセル・ブランドに対し、「革命は諦めてオーウェルでも読め」という文脈で発したもの）。中身を読んでみてはじめて、表紙の文言は、古風で穏健なイギリス的民主主義の常套句が、少しずつ国粋主義・排外主義的なメッセージへと移り変わっていくことに警鐘を鳴らしたものだということに気がついた。

ちょうどその頃、クリストファー・ノーランの『ダンケルク』や『ウィンストン・チャーチル――ヒトラーから世界を救った男』といった新作映画が話題となっていた。歴史家のピアーズ・ブレンドンが指摘したように、二〇一七年のイギリスでは、なんの記念の年でもないのに、じつに四本もの第二次大戦映画が公開された。[1] ノーランが描いた、ヨーロッパからイギリスの「息子たち」が庶民の「サポート」を受けながら一丸となって命からがら帰還する物語は、前年の国民投票でEU離脱を決めた国の現状への皮肉なコメントのように思えた。事実、「ダンケルク精神」がイギリスを救うという幻想は、一部のイギリス人にとって、完全に混沌と化したEU離脱をめぐる議論のなかで一筋の希望の光のように思われたのかもしれない――その精神が導く先が一九四五年のような「革命」とは似ても似つかない未来であ

1 Piers Brendon, 'A Crop of New War Films Wallows in Misguided Nostalgia', *Prospect Magazine*, July 2017 <https://www.prospectmagazine.co.uk/magazine/new-war-films-wallow-in-misguided-nostalgia>

るということは、日を追うごとにあきらかになったのだが。

二〇一〇年代のイギリスの政治と文化において、このような奇妙な捻れをともなって、一九四〇年代の歴史が呼び起こされていること——本書『緊縮ノスタルジア』（*The Ministry of Nostalgia*, Verso, 2016）が批判するのは、この現象である。著者のオーウェン・ハサリー（Owen Hatherley）は、一九八一年生まれ、サウサンプトン出身の批評家で、『ガーディアン』や『ロンドン・レビュー・オブ・ブックス』、『アーキテクチュラル・レビュー』などの常連寄稿者であり、『トリビューン』誌の文化面の編集者もつとめながら、建築を中心としたモダニズム文化についての著作を発表している。その仕事量はすさまじく、二〇二〇年にはロンドンの地方自治における社会主義の歴史を論じた十冊目の著書*Red Metropolis*が出版された。間違いなく現代イギリスでもっとも精力的な文化批評家の一人に数えることができるだろう。

本書はハサリーの著作として初めて日本語に訳される本である。まずはこれまでのハサリーの批評家としての仕事を振り返っておこう。

二〇〇九年のデビュー作*Militant Modernism*は、『資本主義リアリズム』（日本語版は堀之内出版より既刊）で知られる批評家の故マーク・フィッシャーが設立したZero Booksから出版された。Zero Booksからはもう一冊、ブリットポップのバンド、パルプを論じた*Uncommon: An Essay on Pulp*も出している。個人的な親交もあったフィッシャーからの影響は本書『緊縮ノスタルジア』にもみることができる。ハサリーは初期、フィッシャーとおなじようにブログ上で評論活動をおこなっていた。そのブログ、「おい座れよ、悲惨なやつめ」（*Sit Down Man, You're a Bloody Tragedy*）は二〇一二年を最後に更新が止まっていたが、その後二〇一七年一月一六日に一度だけ、三日前に他界したフィッシャーとの思い出を綴る長文記事が更新されている。

デビュー作のあと、ハサリーは、現代イギリス地方都市の風景の分析へと向かう。Versoから出版された*A Guide to the New Ruins of Great Britain*と*A New Kind of Bleak*の二冊は、二〇一〇年代初頭のイギリス地方都市の現状を建築から描き出しており、「われらの時代のニコラウス・ペヴスナー」（『インディペンデント』）という評価にふさわしい。

その後、ハサリーの旅はヨーロッパ、とくに東欧へと向かう。Penguinから出版された二冊、二〇一五年の*Landscapes of Communism*と、二〇一八年の*Trans-Europe Express*、およびRepeater Books（こちらもマーク・フィッシャーらが立ち上げた出版社）から二〇一八年に刊行された*The Adventures of Owen Hatherley in the Post-Soviet Space*は、いずれもヨーロッパ建築を論じている。共産圏のモダニズムへの関心は学生時代に遡り、左派出版社Pluto Pressから二〇一六年に出版された*The Chaplin Machine: Slapstick, Fordism and the Communist Avant-Garde*は、ロンドン大学バークベック校で、イギリスにおけるヴァルター・ベンヤミン研究の第一人者エスター・レスリーの指導のもと書かれた博士論文が元になっている。

こうしたキャリアを振り返ると、建築、音楽、映画などを幅広く論じる『緊縮ノスタルジア』は、ハサリーの著作のなかで、もっとも広範な視点をもつ著作であると言えるだろう。

以下では、まず本書で批判される「緊縮ノスタルジア」と呼ばれる現象において参照元となる第二次世界大戦前後の時期のイギリス史がどのように扱われてきたのかを手短に論じたうえで、本書の内容と現代イギリス政治、さらには世界の状況がどのように関連するのかを検討する。

イギリス史における一九三〇年代から第二次世界大戦——「人民」の時代

ハサリーは本書（とくに第四章）で、ナチス・ドイツとの闘いのなかでイギリスの「人民」が一致団結し、その団結心が一九四五年の労働党政権発足という社会主義革命を導いたという歴史観を無批判に採用すること、およびその過去を理想化することに異を唱えている。

イギリスの第二次大戦期をめぐる歴史記述において重要な著作としては、アンガス・コールダー（Angus Calder）による *The People's War*（『人民の戦争』、一九六一年）が挙げられる。この本は、本書でも参照された大衆観察運動マス・オブザベーションの資料などを用いて、第二次大戦が「人民」による民主主義的な戦争であったという幻想に反論することを趣旨とした本であった。しかし、五〇〇〇頁を超える長さのためにちゃんと読まれなかったのか、むしろその幻想を強化することに貢献してしまった。そのためコールダーはもう一冊、より直接的な *The Myth of the Blitz*（『ブリッツの神話』、一九九一年）というタイトルの本を書かなければならなかった。コールダーがあきらかにしようとしたのは、対ナチス戦争において一枚岩的な「人民」の民主的な共同体が立ち上がったという考えが事実に即していない、ということである。

この「神話」の問題は、こうした「人民」観が——たしかに一九三〇年代の反ファシズム運動のなかで生じたラディカルな文化に根ざしていたにせよ——戦後の官僚的な支配体制を築くうえで利用されたイデオロギーでもあったことである。アナイリン・ベヴァンのような筋金入りの社会主義者のもとでなされた達成もたしかにあったにせよ、福祉国家は、戦前の不平等な階級構造の大部分を温存した——もちろんレイシズムやセクシズムについては言うまでもない。このことを棚に上げて、「人民」の勝利の物語を懐古的に賛美することは、当然、現代における保守的なナショナリズムを補強する可能性をはらんでしまうし、その機会となったのはブレクジットが初めてではない。コールダーがこの神話を解体しようとしたのには、フォークランド戦争に際してサッチャー政権が第二次大戦の記憶を理想化するレトリックを利用したという時代背景があった。ハサリーが「過去を武器として使うことにかけては保守党こそが専門家集団であり、これまでもずっとそうだった」と述べるのは、このような事情を踏まえてのことである。

よりよい社会をもとめて闘った過去から学びつつ、同時にこのような神話化に抗うためには、どうするべきなのか。一つには、その闘いが勝利によって完結したものではなく、いまだ解決していないものとして提示することだろう。事実、しばしば一九四五年に和解されたかのように語られる愛国心と社会主義との関係は、現代イギリス政治において、いまだに中心的な議題となっているのである。

左翼の愛国心を越えて

二〇二〇年初頭のイギリス政治における最大の話題は――その後のコロナ禍はひとまずおくとすれば――ジェレミー・コービンの後任を選ぶ労働党の党首選だった。その渦中で、コービンの立場にもっとも近いといわれた候補者レベッカ・ロング゠ベイリーが「進歩的愛国心」の重要性を強調したことは、大きな議論を呼んだ――労働党が伝統的な労働者階級の支持層を取り戻すべきなのはたしかであるが、そのために「愛国心」という危うい武器に頼る必要があるのかどうか、という議論である。その後、党首はキア・スターマーに決まったが、「左翼の愛国心」をめぐる論争は今後もイギリス政治において重要となるだろう。

この問題はコービン時代からすでに現れていた。本書のために執筆された日本語版への序文でハサリーも認めているように、コービン運動は本書が批判するようなノスタルジックなレトリックに依拠している部分があった。事実、ケン・ローチは労働党のPRビデオを制作したし、大敗北に終わった二〇一九年一二月の総選挙では「わたしたちのNHSを守れ」が労働党の主要なメッセージだった。もちろんその呼びかけに共感し労働党を支持した人びとは多くいたのだろうが、やはり選挙の結果を見れば、愛国心という武器をよりうまく使いこなしたのは、今回も右派の側だったように思える。Covid-19下のイギリスで、それまで自分の党の緊縮政策により売り払おうとしてきたNHSに感謝を示すというボリス・ジョンソン首相のチャーチルを気取ったパフォーマンスを見れば、「わたしたちのNHSを守れ」が右翼の愛国心に流用されていることは否定できない。

現代の行き詰まりを打開するために一九三〇年代から四〇年代にかけての経験を呼び起こすことは、イギリスに限った現象ではなく、オカシオ＝コルテス議員などを中心に盛り上がるアメリカでのグリーン・ニューディールも、一九三〇年代のニューディール政策を参照点としている。ここでも過去の事例を理想化することには危険がともなうことを覚えておかなければならない。ジャーナリストのナオミ・クラインがグリーン・ニューディールの切迫した必要性を主張した著書『地球が燃えている』（二〇一九年、日本語訳は二〇二〇年）の序章で指摘しているように、一九三〇年代のニューディール政策は、大恐慌からの脱却という目的をじゅうぶんに達成しなかったうえに、その制度は白人男性を優遇するように設計されていた。そこで達成された状況は、理想と呼べるものからはほど遠い。クラインも述べているように、元のニューディールにともなったこうした失敗を回避することは、グリーン・ニューディールの成功にとって不可欠である。ノスタルジアという両刃の剣の使い方を誤り、一九三〇年代の危機に対するもう一つの反応——すなわちファシズム——の再来を招くことは、絶対に避けなければならないのだ。

日本でも近年、反緊縮の議論が少しずつ高まっている。社会学者の岸政彦は、排外主義や権威主義、自己責任論などを生みだす文化の根底にある緊縮の論理を、「他者を殴る棒」と呼んでいる(松尾匡編『反緊縮!』亜紀書房、二〇一九年)。この表現は、本書の序章における、緊縮政策を掲げる保守党への投票が「政府による絶え間ない貧困層への攻撃を支持するもの」だったという記述に示唆されるような、緊縮政策と手をとりあう利己的で暴力的な感情のありかたをうまく言い表している(さらに第一章「殴って隠せ」で語られるように、緊縮政府は実際に市民を殴りつけるのだ)。日本とイギリスが——文脈は大きく異なるが——緊縮をめぐる同様の経験の只中にいることは、このような感情の構造を共有することにも見てとれるだろう。

しかし、緊縮財政とノスタルジアという問題を考えるとき、日本とイギリスのたどってきた歴史はおおきく異なる。英米のように一九三〇年代と第二次大戦を理想化することなど——右翼をのぞけば——起こりようもない日本において、呼び起こすべき記憶など存在するのだろうか。このような状況から脱する道を探るために、日本の左派は英米の歴史を参考にできるかもしれない。しかしその際に、本書で批判されたような緊縮ノスタルジアに陥らないために注意が必要だろう。たしかに、一九三〇年代から四〇年代にかけてのイギリス史から学べることは多くあるが、一九四五年を過剰に理想化することの危険性も同時に再考されなければならない。

ノスタルジアに覆われる現代イギリス文化に対する本書の徹底的な批判は、そのような再考の一端となるだろう。わたしたちは、解体されつつあるイギリスの福祉国家の瓦礫のなかに、公営モダニズムが夢見た、実現しなかった未来を垣間見ることができるかもしれない。しかし、そこでただ「左翼のメランコリー」に溺れるのではなく、その瓦礫のなかに眠る未完のユートピアへの衝動を、現状に変わる未来の発明、さらに現在における行動につなげなければならない。そのためにも、わたしたちは緊縮ノスタルジアとは異なる歴史の語り方を探らなければならないのである。

訳者解説　星野真志

訳者解説——緊縮ノスタルジア美学の効用　田尻 歩

東京に「レイバー&ウェイト」の支店があるとハサリーが述べているように（日本語版序文）、たとえ日本に住んでいても、緊縮ノスタルジアの美学はわたしたちと無関係ではない。事実、本書を手に取る以前から「KEEP CALM」ポスターのデザインをインターネット上で見かけたことのあった読者は少なくないのではないか。そこで生じてくるのは、「なぜその美学は、イギリスに特有の歴史的文脈から生まれながらも、その国に限定されない、グローバル（・ノース）に広がる魅力を持っているのか？」という問いだ。本書では料理や音楽、建築にいたるまでいくつもの——しばしばグロテスクにさえ感じられる——事例が分析されるが、ここではその美学のもっとも中心的かつ兆候的産物と言える「KEEP CALM AND CARRY ON」のポスターを主軸に、緊縮ノスタルジアの美学のはたらきを考えてみたい。その美学は、労働市場が不安定になった新自由主義経済における中産階級（プチ・ブルジョワジー）の主体性と共鳴しているように思われる。それはどういうことだろうか？

ブリッツ精神を重んじる者たちとチャヴ

二〇〇〇年代からイギリス国内で流行し始めた「KEEP CALM AND CARRY ON」のポスターは、もともと第二次世界大戦中に情報省により製作されたが公には掲示されず、当時ほとんどだれも見たことがないものだった。スローガンの上に王冠が載せられたこのポスターは、激しい空襲を受けても黙ってこれまで通りの日常を送れという権威主義的命令であり、当時の労働者階級が見ることがあれば怒り出しただろうと想像される代物である（第四章「「続けなければいけないんだろうけど、でも……」」）。ハサリーによれば、二〇〇八年の金融危機により社会的な混乱が広がったあとで、このポスター、そしてインターネット・ミームは、「ミドルブラウの定番」として中産階級に好まれるアイコンの一つになった（ミドルブラウに関しては、第一章訳注五を参照）。現在においてそのポスター／ミームは、警告として上から押しつけられる命令としてではなく、プチブル的個人がノスタルジアに浸りつつ進んで消費する対象になっており、そこでは、もともとの歴史的文脈も隠蔽され、みずからが喜んで従うべき規範としてのメッセージが残るだけである。オキュパイ・ロンドンやUKアンカットをはじめとする二〇一一年のさまざまな抗議運動が失敗に終わった後で、そのポスターは「緊縮への抵抗の拒否を独りよがりに宣言し、憮然と黙ってこつこつと自分の仕事に従事することをうながしているように見えた」とハサリーが書いているように（第一章「緊縮ノスタルジアのエンブレム」）、それはどのような状況にあっても異議申し立てすることなく、自己責任を重んじて働き消費し続ける主体性を喚起する。その美学は、それを好む人びとにある種の安心感を与えるものなのだが、そのことは逆説的に、覆い隠されるべき不安を彼ら彼女らが抱えていることを示してもいるだろう。

それはどのような不安なのか？　この問いに答えるには、ブリッツ精神を重んじ向上心と野心をもって日々努力するプチ・ブルジョワジーがみずからとは区別されるべきだと感じている、別の人びとの存在を考える必要がある。その代表例が、「チャヴ（chav）」と呼ばれる人びとだろう。チャヴという語は、「偽物のバーバリーなどを身につけた無職の若者を中心とする下流階級」をイメージさせる言葉だが、実際は労働者階級に関連するネガティブな性質を表現しており、怠惰、暴力性、犯罪者、公営住宅在住、人種差別主義者、アルコール依存症、十代の妊娠などを含意するという（オーウェン・ジョーンズ『チャヴ——弱者を敵視する社会』依田卓己訳、月と海社、二〇一七年、七、一五頁）。チャヴ・ヘイト現象は二〇〇〇年代なかばから大手マスメディアにも登場し、一部の政治家やジャーナリスト、中産階級たちは、チャヴをしばしば別人種として扱い嘲笑の対象にしてきたが、これは特定の性質をもった個人に対する攻撃以上のものとして理解される必要がある。というのも、その語に含意される上記の「特徴」の多くは、一九八〇年代以後の新自由主義化のなかで生じた産業の空洞化と労働組合への攻撃を主な原因として生じた社会的・構造的窮状を生きる労働者階級と関係しており、それゆえ、チャヴ・ヘイトで本当に攻撃の対象になっているのは、労働者階級全般なのだ。それゆえ、オーウェン・ジョーンズが言うように、チャヴ・ヘイトは、労働者階級そのものに対する「上からの」階級闘争なのである。

このチャヴという語でイメージされる人びとが、「KEEP CALM」ポスターが呼び起こすブリッツ精神をもった人びとと真逆なのはすぐに理解できるだろう。ジョーンズが論ずるように、チャヴ・ヘイトで問題なのは、「下の階級の人々を嫌うことが本人たちのためになると考えている」こと、つまり、「嫌うことによって奮起し、悲惨な状況から抜け出して礼儀を身につけようとする」という点だ（一四二頁）。

ハサリーは、二〇一一年八月、二九歳の黒人男性マーク・ダガンがロンドンのトッテナムで警察官に射殺されたことをきっかけにイングランドの諸都市に一気に広まった暴動の直後に生じた光景を短く描写しているが、ここには緊縮ノスタルジアの美学（趣味判断）に関わる階級とアイデンティティの問題が見事に刻み込まれている（以下の引用に出てくるスポーツウェアは、チャヴとみなされる若者がしばしば着用するアイテムである）。「暴動の影響を被った地域のなかで比較的（あるいは部分的に）裕福な地域でおこなわれた、ほうきをもった人びとによる「後かたづけ」の最中にも、そのポスター（「KEEP CALM」ポスターのこと）は目立っていた。このとき若者たちはしばしば一九四〇年代風のコスチュームで着飾り、暴動のなかで、ほかのより貧しい若者たちが二一世紀のスポーツウェアのような卑俗なものを盗んだことに対する嫌悪感をあらわにした」（第一章「皮肉な権威主義」）。

なぜこのような二つの形象――ブリッツ精神を重んじる者とチャヴ――が生じてくるのか？　すでに述べたように、チャヴ・ヘイトが社会で前景化してきたのは、一九八〇年代以来進められてきた資本主義の再編成（＝新自由主義化）のためである。そのなかで福祉国家と労働組合が攻撃され、製造業や炭鉱業が空洞化し、労働の不安定化と流動化が推し進められ、労働者の権利がどんどん剥奪されていった。短期や非正規の雇用形態が増え、不安定化した労働市場が一般化するなかで、それにうまく対応できる者とそうでない者にちがいが出てくるが、そのような状況では、たとえば専門職に就く白人が無気力に見えるチャヴに対して嫌悪感を抱くというように、自分よりも下にいる他者を否定することがみずからを安心させるための手段になってきた。イギリスとアメリカ合衆国を中心に活動する左派集団のエンドノーツの分析を援用すれば、そのような変化のなかで「あらゆる肯定的立場というものは、否定的なだれいかほかの人たちと対比して定義され位置づけられる。一方に「わたしたち」がいて、他方に失敗した人たち、じゅうぶんに努力しない人たち、わたしたちよりも怠惰な人たち、納税者に寄生する人たち、自分たちの近隣住人を気にかけることすらしない人たちがいる」というわけだ。エンドノーツの論では、このような嫌悪を向けられる人びとのことが「おぞましい者（the abject）」と呼ばれているが、彼ら彼女らを「おぞましい」とする社会の論理は、不安定な雇用・労働環境という現在の資本主義の物質的条件に組み込まれている。

「KEEP CALM AND CARRY ON」のポスターの美学は、緊縮財政において呼び起こされる（過去の緊縮の）ノスタルジアと結びつき、不安定化する労働市場が生み出すこのような感性にかたちを与えてきただろう。「KEEP CALM」ポスター、そしてかならずしもこのポスターほど明瞭なメッセージを発してはいないが、緊縮ノスタルジア産業のほかの商品がイギリスを越えてグローバル・ノースに広まったのは、他国ではあってもおなじ新自由主義の下に生きるプチ・ブルジョワジーの主体性と共鳴したことがひとつの要因であるように思われる。

二〇〇八年の金融危機と二〇一一年の東日本大震災のあとの日本社会では、ナショナリズムが以前よりもいっそう日常に浸透し、ますます強まってきている。ライフスタイル雑誌においては「古き良き」日本の「伝統文化」の見直しの特集が多くなり、テレビ番組では「日本スゴイ」的な内容が当たり前に

1 Endnotes, 'A Rising Tide Lifts All Boats: Crisis Era Struggles in Britain,' *Endnotes* 3, 2013, https://endnotes.org.uk/issues/3/en/endnotes-a-rising-tide-lifts-all-boats.

なった。それとほとんど並行して二〇一二年末に始動し二〇二〇年九月まで続いた第二次安倍政権は、さらなる新自由主義化の一環として、労働条件を改悪する「働き方改革」や「フリーランス」を拡大することにより、労働の不安定化をいっそう推し進めてきた。二〇一〇年代はまた、貧困状況の報道をきっかけに生活保護受給者を叩く「貧困バッシング」があらたにわきおこったときでもあった。これらの状況を振り返ってみるだけでも、そもそも国家による社会福祉が著しく貧困な日本[2]と徹底した福祉国家であったイギリスとは歴史的背景や条件は非常に異なるものの、イギリスで生じている問題はそう遠くないものに映る——くわえて、近年草の根の極右たちによるレイシズムの存在感が日英でいっそう増しているのは、かつて両国が帝国だった歴史と関係しているように見える。ハサリーが日本語版序文と最終章で新しい労働者階級の運動に希望を見出しているように、人間と自然環境を破壊し尽くす資本の専制に対抗していくために必要なのはノスタルジアではなく労働者階級の連帯であり、反レイシズムで反セクシズムの「下からの」階級闘争・社会運動だろう。

2　日本では、男性正社員が受け取る年功賃金が、イギリスのような福祉国家が提供する社会保障の代替になっていた。後藤道夫『反「構造改革」』旬報社、二〇〇二年、一六三頁。

翻訳にあたっての謝辞

本書の翻訳は、日本語版への序文、第一章、第二章、第五章を田尻が、序章、第三章、第四章を星野が担当した。短期間での依頼にもかかわらず、日本語版への序文を快く執筆してくださったオーウェン・ハサリー氏に感謝を記したい。また、第三・四・五章の建築にかんする記述については、建築史家の江本弘氏に訳文の確認を依頼し、建築用語の誤用や、訳文の不明瞭な点などについて、とても有益な指摘をいただいた。該当箇所が少しでも読みやすい記述になっているとすれば江本氏のおかげであるが、当然、誤訳などがあれば、その責任は訳者たちにある。さらに、第四章に登場するウェールズの地名の表記については、先日堀之内出版から刊行された『暗い世界　ウェールズ短編集』の編者である河野真太郎氏にご意見をうかがった。最後に、堀之内出版の編集者小林えみ氏（現在はよはく舎）には、日本で未紹介の書き手による著作の翻訳企画を快諾していただき、訳文の検討においても非常に有用な助言をいただいたことに、深く感謝を記したい。

オーウェン・ハサリー（著／文）
1981年、イングランドのサウサンプトン生まれ。ロンドン大学バークベック校で博士号取得後、フリーランスの批評家として、モダニズム建築などについて『ガーディアン』、『ロンドン・レビュー・オブ・ブックス』などに執筆しながら、多数の著書を発表。現在は『トリビューン』誌の文化欄編集者。本書は日本語に訳される最初の著作。

星野 真志（ホシノ マサシ）（翻訳）
1988年群馬県太田市生まれ。マンチェスター大学英米学科で博士号を取得。2020年4月より日本学術振興会海外特別研究員（ユニヴァーシティ・カレッジ・ロンドン）。訳書にナオミ・クライン『楽園をめぐる闘い』（堀之内出版、2019年）など。研究対象は1930〜40年代英国の文化と政治、とくにジョージ・オーウェル、ドキュメンタリー運動など。2019年1月、論文 'Humphrey Jennings's "Film Fables": Democracy and Image in "The Silent Village"' で英国モダニズム学会新人論文賞を受賞。

田尻 歩（タジリ アユム）（翻訳）
1988年東京都昭島市生まれ。一橋大学大学院言語社会研究科博士後期課程修了。博士（学術）。翻訳にピーター・ホルワード「自己決定と政治的意志」『多様体 1』（月曜社、2018年）など。専門は写真理論、20世紀後半以後の芸術理論。論文に「理論と実践の間の写真――アラン・セクーラの写真理論再読」『年報カルチュラル・スタディーズ』第6号（カルチュラル・スタディーズ学会、2018年）など。

緊縮ノスタルジア

2021年4月10日 初版第1刷発行
著者――オーウェン・ハサリー
訳者――星野真志／田尻 歩

発行所――堀之内出版
〒192-0355
東京都八王子市堀之内3 丁目10-12 フォーリア23 206
TEL: 042-682-4350／FAX: 03-6856-3497
http://www.horinouchi-shuppan.com/
編集――小林えみ（よはく舎）
装丁――山田和寛（nipponia）
装画――イスナデザイン
組版――トム・プライズ
印刷――株式会社シナノパブリッシングプレス
ISBN 978-4-909237-48-4　©2021 Printed in Japan

Published by Horinouchi-shuppan Tokyo, Japan
Tel +81 42 682 4350
http://www.horinouchi-shuppan.com/